TELE CUISINE

Dépôt légal:
Bibliothèque nationale du Québec, 1er trimestre 1985
Bibliothèque nationale du Canada, 1er trimestre 1985

ISBN 2-920183-01-X

Les meilleures recettes du Chef Pol Martin

Volume 2

LES ENTREPRISES TÉLÉDITION INC.

185, rue Sherbrooke est, suite 102,
Montréal (Québec), H2X 1C7

À la longue, la préparation journalière des repas familiaux peut s'avérer un énorme défi. Non seulement il faut éviter la monotonie, mais il faut aussi respecter un budget ce qui devient parfois un tour de force!

C'est pourquoi je pense sincèrement que ce second volume vous aidera énormément car il marie l'utile à l'agréable. Vous conserverez ainsi l'intérêt de votre famille à la table et recevrez les félicitations de vos amis et vos invités.

Bon succès.

Pol Martin

Index

RIZ ET PÂTES ALIMENTAIRES

VOLAILLES

BOEUF

VEAU ET AGNEAU

PORC ET JAMBON

POISSONS ET FRUITS DE MER

LÉGUMES

POMMES DE TERRE

DESSERTS

DIVERS

ENTRÉES ET HORS-D'OEUVRES

Artichauts, sauce hollandaise

(pour 4 personnes)

4	gros artichauts
4	rondelles de citron
2 L	(8 tasses) d'eau
2	jaunes d'oeufs
5 mL	(1 c. à thé) de vinaigrette à l'estragon
250 mL	(1 tasse) de beurre clarifié tiède
	jus de citron
	sel et poivre

Couper la pointe des feuilles des artichauts.

Retirer le pied et placer une rondelle de citron à la base de chaque artichaut. Ficeler le tout.

Plonger les artichauts dans une casserole contenant 2 L (8 tasses) d'eau bouillante salée et citronnée et les faire cuire pendant 45 minutes ou plus selon la grosseur.

Note: Les artichauts sont cuits lorsqu'on peut facilement retirer les feuilles.

Égoutter les artichauts et les presser dans la paume des mains pour en retirer l'excès d'eau.

La sauce:

Faire chauffer 750 mL (3 tasses) d'eau dans une casserole. Dès que l'eau est très chaude, réduire la chaleur du feu à doux.

Mettre les jaunes d'oeufs dans un bol en acier inoxydable. Ajouter le vinaigre et mélanger le tout.

Placer le bol sur la casserole tout en mélangeant les oeufs constamment avec un fouet de cuisine. Faire cuire le tout légèrement pendant 60 secondes.

Ajouter le beurre clarifié en filet tout en mélangeant avec le fouet de cuisine.

Note: De temps en temps retirer le bol de la casserole pour éviter que les oeufs cuisent.

Peu à peu le mélange épaissira. Si le mélange est trop épais, ajouter 5 mL (1 c. à thé) d'eau froide.

Assaisonner le tout de jus de citron, saler, poivrer.

Servir avec les artichauts.

Bulbes de fenouil au vin blanc

(pour 4 personnes)

2	bulbes de fenouil coupés en deux et lavés
1	tasse de vin blanc sec
3	tasses d'eau
1	carotte émincée
1	oignon émincé
45 mL	(3 c. à soupe) d'huile

1	feuille de laurier
1	gousse d'ail écrasée et hachée
1 mL	(¼ c. à thé) de thym
2 mL	(½ c. à thé) d'estragon
10	grains de poivre noir
	jus de 1 citron
	sel

Dans une casserole, placer les carottes, les oignons et l'huile. Couvrir et faire cuire à feu très doux de 4 à 5 minutes.

Ajouter tous les autres ingrédients et amener à ébullition. Couvrir et faire cuire à feu doux de 30 à 35 minutes.

Faire refroidir les bulbes de fenouil dans la marinade.

Servir comme hors-d'oeuvre.

Ailloli aux avocats

(pour 4 personnes)

1	avocat mûr
1	jaune d'oeuf
2	gousses d'ail écrasées et hachées
250 mL	(1 tasse) d'huile quelques gouttes de sauce Tabasco

jus de citron
sel, poivre,
paprika

Retirer la chair de l'avocat et la mettre en purée.

Ajouter le jaune d'oeuf et l'ail; mélanger le tout avec un fouet de cuisine.

Ajouter l'huile, goutte à goutte, tout en mélangeant avec le fouet de cuisine.

Ajouter le jus de citron, la sauce Tabasco et assaisonner au goût.

Etendre l'ailloli sur des tranches de pain grillées et servir.

On peut aussi servir cet ailloli sous forme de trempette.

Technique de l'ailloli aux avocats

1. *Retirer la chair des avocats.*

2. *Mettre la chair en purée.*

3. *Ajouter le jaune d'oeuf.*

4. *Ajouter l'ail.*

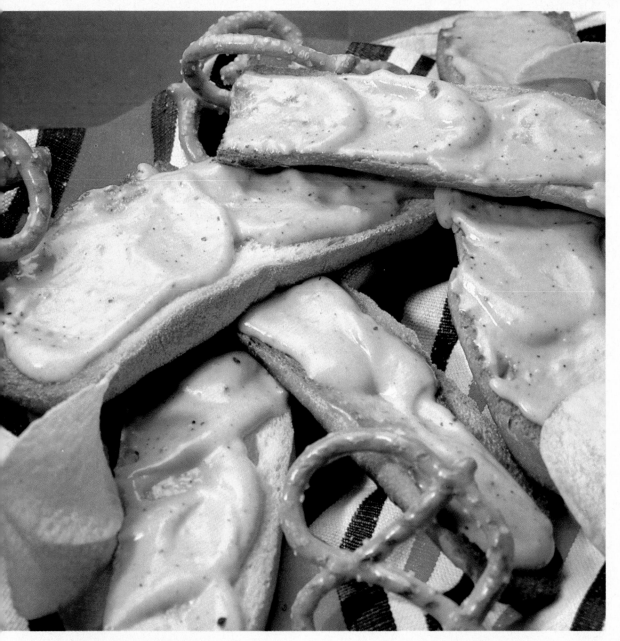

5. *Ajouter l'huile tout en mélangeant avec un fouet de cuisine.*

6. *Assaisonner le tout de paprika, de Tabasco et de jus de citron.*

Trempette au concombre et au yogourt

(pour 4 personnes)

½	concombre pelé, évidé et finement émincé
250 mL	(1 tasse) de yogourt nature
2	gousses d'ail écrasées et hachées
	quelques gouttes de

sauce Tabasco
quelques gouttes de
jus de citron
sel et poivre
pain pita

Mettre le concombre émincé dans un bol.

Ajouter l'ail, le yogourt et la sauce Tabasco; mélanger le tout. Saler, poivrer et assaisonner de quelques gouttes de jus de citron.

Servir avec du pain pita chauffé au four et coupé en pointes. Accompagner le tout d'olives noires, d'oignons verts et de tomates naines.

Melon, sauce aux ananas

(pour 4 personnes)

1	melon (ou cantaloup)
250 mL	(1 tasse) d'ananas écrasés
30 mL	(2 c. à soupe) de vinaigre blanc
30 mL	(2 c. à soupe) de cassonade
5 mL	(1 c. à thé) de cannelle
250 mL	(1 tasse) d'eau froide
5 mL	(1 c. à thé) de fécule
	de maïs
45 mL	(3 c. à soupe) d'eau froide
	sel et poivre

Couper le melon en sections et les placer sur un plat de service. Mettre le vinaigre, la cassonade et la cannelle dans une petite casserole; amener à ébullition et faire cuire pendant 2 minutes. Ajouter ses ananas, mélanger et continuer la cuisson de 2 à 3 minutes.

Ajouter l'eau, saler et poivrer; faire cuire pendant 3 minutes. Mélanger la fécule de maïs et l'eau froide. Verser le mélange dans la sauce et amener à ébullition; faire mijoter à feu très doux de 2 à 3 minutes.

Laisser refroidir et verser le tout sur les sections de melon. Saupoudrer légèrement de poivre du moulin.

Servir.

Trempette de chou-fleur

(pour 4 personnes)

1	chou-fleur lavé
375 mL	(1 1/2 tasse) de crème sure
140 mL	(5 onces) de fromage Roquefort
30 mL	(2 c. à soupe) de sauce Chutney

quelques gouttes de sauce Tabasco
quelques gouttes de sauce Worcestershire
sel et poivre

Mettre le chou-fleur entier dans une casserole contenant 2 L (8 tasses) d'eau bouillante salée et le faire cuire de 7 à 8 minutes. Égoutter et laisser refroidir le chou-fleur.

Défaire le chou-fleur en fleurettes. Mettre tous les autres ingrédients dans un mélangeur et bien mélanger le tout pendant 60 secondes. Servir avec les fleurettes à l'apéritif.

Trempette aux aubergines

(pour 4 personnes)

30 mL	*(2 c. à soupe) d'huile d'olive*
½	*aubergine pelée et coupée en dés*
1	*oignon haché*
1	*courgette coupée en dés*
1	*tomate pelée et coupée en dés*
2	*gousses d'ail écrasées et hachées*
15 mL	*(1 c. à soupe) de pâte de tomates*

125 mL	*(½ tasse) de mayonnaise*
	quelques gouttes de sauce Tabasco
	quelques piments rouges broyés
	quelques gouttes de jus de citron
	sel et poivre

Faire chauffer l'huile dans une sauteuse, à feu moyen. Ajouter les aubergines et les oignons; couvrir et faire cuire de 3 à 4 minutes.

Saler, poivrer. Ajouter les courgettes, les tomates et l'ail; bien mélanger le tout. Faire cuire à feu moyen, de 8 à 10 minutes.

Ajouter la pâte de tomates, l'incorporer et verser le tout dans un mélangeur. Battre pendant 2 minutes.

Ajouter la mayonnaise, les piments broyés, le jus de citron et la sauce Tabasco.

Servir avec du pain pita.

Accompagner le tout de piments rouges et verts, de champignons et d'oignons verts.

Trempette de pois chiches

(pour 4 personnes)

1	boîte de pois chiches égouttés
2	gousses d'ail écrasées et hachées
15 mL	(1 c. à soupe) de sauce Worcestershire
30 mL	(2 c. à soupe) de yogourt
45 mL	(3 c. à soupe) de

crème sure
quelques gouttes de
sauce Tabasco
quelques gouttes de
jus de citron
quelques piments
rouges broyés
sel, poivre
paprika
pita chaud coupé en
pointes

Mettre les pois chiches dans un robot-coupe, les battre pendant 30 secondes pour les rendre en purée.

Ajouter la sauce Worcestershire, l'ail, la sauce Tabasco, le jus de citron et le paprika; mélanger pendant 10 secondes. Ajouter le reste des ingrédients et mélanger pendant 20 secondes. Assaisonner au goût et servir.

Trempette de crème sure

(pour 4 personnes)

125 mL (½ tasse) de crème sure

30 mL (2 c. à soupe) de raifort
pour fruits de mer

15 mL (1 c. à soupe) de
moutarde de Dijon
quelques gouttes de
jus de citron

sel et poivre

Incorporer tous les ingrédients
dans un bol. Assaisonner au goût
et servir avec des crudités.
Cette trempette est idéale pour
le barbecue.

Poireaux et asperges en vinaigrette

(pour 4 personnes)

4	poireaux lavés et coupés en 4
1½	botte d'asperges lavées et pelées
45 mL	(3 c. à soupe) de vinaigre à l'estragon
90 mL	(6 c. à soupe) d'huile d'olive
15 mL	(1 c. à soupe) de persil haché

jus de 1½ citron
sel et poivre

Préparation des poireaux:

Couper les poireaux en 4 en partant de 2,5 cm (1 po.) du pied. Il est très important de bien laver les poireaux.

Placer les poireaux dans l'eau bouillante salée et citronnée; faire cuire à feu moyen pendant 40 minutes ou plus selon leur grosseur.

Note: le pied du poireau doit être tendre.

Retirer les poireaux et les placer dans un plat de service.

Poivrer généreusement les poireaux et les assaisonner à chaud avec l'huile et le vinaigre.

Ajouter le persil et le jus de citron. Faire refroidir le tout au réfrigérateur.

Préparation des asperges:

Couper le pied des asperges.

Technique des poireaux et asperges en vinaigrette

1. Couper 2,5 cm (1 po.) du pied es asperges.

2. Peler les asperges et les laver pour en retirer le sable.

3. Couper les poireaux en 4 en partant de 2,5 cm (1 po.) du pied.

4. Faire cuire les poireaux dans eau bouillante salée et citronnée.

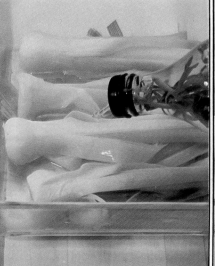

5. Placer les poireaux chauds dans un plat de service et les assaisonner de vinaigre.

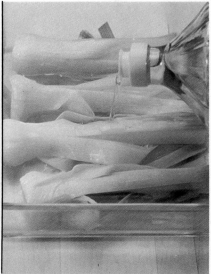

6. Ajouter l'huile et laisser refroidir les poireaux.

À l'aide d'un couteau à légumes peler les asperges et les placer dans une sauteuse contenant 500 mL (2 tasses) d'eau bouillante salée et citronnée; faire cuire à feu moyen pendant 8 à 10 minutes.

Faire refroidir les asperges sous l'eau froide et les égoutter.

Napper les asperges et les poireaux avec une vinaigrette épaisse ou à la crème sure.* Servir.

* Vinaigrette à la crème sure:

15 mL	(1 c. à soupe) de moutarde de Dijon
1	jaune d'oeuf
15 mL	(1 c. à soupe) de persil haché
45 mL	(3 c. à soupe) de vinaigre à l'estragon
120 mL	(8 c. à soupe) d'huile d'olive
30 mL	(2 c. à soupe) de crème sure (facultatif)

quelques gouttes de jus de citron
sel et poivre

Dans un bol, mettre la moutarde, le jaune d'oeuf, le persil et mélanger le tout. Ajouter le vinaigre; saler, poivrer et mélanger à nouveau.

Ajouter l'huile d'olive en filet tout en mélangeant avec un fouet de cuisine.

Ajouter le jus de citron et la crème sure; mélanger et servir.

Antipasto à la façon du chef

(pour 4 à 6 personnes)

60 mL	(4 c. à soupe) d'huile
1	gousse d'ail entière
2	gousses d'ail écrasées et hachées
1	petite aubergine pelée et coupée en dés
1	oignon haché
2	courgettes avec la peau, coupées en dés
3	tomates pelées et coupées en dés
2 mL	(½ c. à thé) d'origan
1 mL	(¼ c. à thé) d'estragon quelques gouttes de jus de citron quelques piments rouges broyés sel et poivre

À feu moyen, faire chauffer 30 mL (2 c. à soupe) d'huile dans une sauteuse.

Ajouter la gousse d'ail entière; faire cuire 2 minutes. Retirer la gousse d'ail. Mettre les aubergines, les oignons et l'ail haché dans la sauteuse, saler, poivrer. Couvrir et faire cuire à feu doux pendant 8 minutes.

Ajouter les courgettes, les tomates et les épices; bien mélanger et faire cuire sans couvercle, de 8 à 10 minutes.

Dès que le mélange est cuit, l'arroser de jus de citron et ajouter 30 mL (2 c. à soupe) d'huile. Mélanger le tout.

Servir froid avec du pain grillé et légèrement frotté avec une gousse d'ail.

Canapés de fromage et d'ananas

(pour 4 personnes)

170 g	(6 onces) de fromage en crème	
50 mL	(¼ tasse) de biscuits soda écrasés en chapelure	
50 mL	(¼ tasse) d'ananas	

hachés, égouttés et asséchés

5 mL	(1 c. à thé) de sauce Worcestershire
	quelques gouttes de sauce Tabasco

Défaire le fromage en pommade à l'aide d'une spatule. Ajouter les biscuits soda, les ananas, la sauce Worcestershire et la sauce Tabasco; mélanger le tout avec une spatule. Servir sur des biscuits. Accompagner le tout d'oignons verts, de raisins et de tomates naines.

Saucisses en pâte

(pour 4 personnes)

* Vous pouvez vous procurer de la pâte feuilletée commerciale, sinon voici une recette facile.

Préparation de la pâte:

227 g (½ livre) de beurre mou
227 g (½ livre) de farine
2 mL (½ c. à thé) de sel
175 mL (¾ tasse) d'eau très
froide

Placer le beurre sur un linge propre et le saupoudrer de farine; le ramollir avec un rouleau à pâte en le saupoudrant de farine. Mettre de côté.
Tamiser la farine et le sel dans un bol à mélanger. Faire un trou au milieu de la farine, y ajouter l'eau et former une pâte.
Note: La pâte doit être assez souple. Le beurre et la pâte doi-vent avoir la même souplesse.
Fariner le comptoir de cuisine. Placer la pâte sur le comptoir et y faire une incision, en forme de croix, de 8 cm (3 po) de lon-gueur et de 2,5 cm (1 po) de largeur.
Étendre la pâte avec un rouleau. Placer le beurre au centre de la pâte et le recouvrir complète-ment avec la pâte. Former un rectangle.
Étendre la pâte dans le sens de la longueur pour obtenir un rec-tangle de 46 à 50 cm (18 à 20 po) environ.
Plier 1/3 de la pâte sur elle-même et replier l'autre tiers.
Envelopper la pâte dans un pa-pier ciré et la laisser reposer au réfrigérateur pendant 20 mi-nutes. Répéter la même opé-ration 4 fois.
Mettre de côté.

Préparation des saucisses:

8 saucisses à hot dog
50 mL (¼ tasse) d'eau
1 oeuf battu
moutarde pour la
présentation

Préchauffer le four à 220° C (425° C)
Rouler la pâte très mince.
Couper les saucisses en 3 par-ties. Couper des lanières de pâte de la même largeur que les sau-cisses. Rouler les saucisses dans la pâte. Souder la pâte avec de l'eau froide. Placer chaque rouleau sur une plaque à biscuits et les badigeonner d'oeuf battu. Faire cuire au four pendant 15 minutes ou plus se-lon la grosseur. Servir chaud avec de la moutarde.

Pain à l'ail et au fromage

(pour 4 personnes)

**Première partie:
le beurre à l'ail**

227 g	(½ livre) de beurre non salé, mou
2	gousses d'ail écrasées et hachées
15 mL	(1 c. à soupe) de persil haché

quelques gouttes de sauce Tabasco
quelques gouttes de *jus de citron*

Mettre tous les ingrédients dans un bol; bien incorporer le tout. Corriger l'assaisonnement.

Deuxième partie: pain à l'ail et au fromage

½	pain baguette
2	tomates finement tranchées
125 mL	(½ tasse) de fromage râpé (gruyère ou mozzarella)

beurre à l'ail
poivre et paprika

Préchauffer le four à grill.
Faire griller les tranches de pain et les graisser de beurre à l'ail. Placer une tranche de tomate sur chaque morceau de pain et parsemer le tout de fromage râpé.
Saupoudrer de paprika.
Poivrer et faire griller au four de 3 à 4 minutes.
Servir.

Popover au poulet

(pour 4 personnes)

8	ronds de 13 cm (5 po.) de diamètre de pâte feuilletée commerciale roulée très mince
30 mL	(2 c. à soupe) de beurre
2	échalotes finement hachées
375 mL	(1½ tasse) de poulet cuit, finement haché (ou mis en purée dans un robot-coupe)
15 mL	(1 c. à soupe) de farine
50 mL	(¼ tasse) de crème épaisse à la française
1	oeuf battu avec 15 mL (1 c. à soupe) d'eau
	paprika
	sel et poivre

Préchauffer le four à 190°C (375°F).

Faire chauffer le beurre dans une sauteuse, à feu moyen. Ajouter les échalotes et le poulet; mélanger et faire cuire de 2 à 3 minutes. Parsemer le tout de farine et mé-langer de nouveau. Assaisonner au goût. Ajouter la crème épaisse à la française; bien remuer.

Placer 30 mL (2 c. à soupe) du mélange au centre de chaque rond de pâte.

Badigeonner les bords de la pâte avec l'oeuf battu et replier la pâte sur elle-même.

Badigeonner le tout d'oeuf battu. Placer les popovers sur une pla-que à biscuits et les faire cuire au four de 25 à 30 minutes.

Servir avec l'apéritif.

Bouchées de poulet au fromage

(pour 4 personnes)

8	petits vol-au-vent (de commerce)
30 mL	(2 c. à soupe) de beurre
2	oignons verts hachés
15	champignons hachés
125 mL	(½ tasse) de poulet cuit finement haché
50 mL	(¼ tasse) de sauce blanche épaisse

125 mL (½ tasse) de fromage cheddar râpé
sauce Tabasco
sauce Worcestershire
sel et poivre

Préchauffer le four à 190°C (375°F).
Faire chauffer le beurre dans une sauteuse, à feu moyen. Ajouter les oignons verts et les cham-pignons; bien mélanger et faire cuire le tout pendant 3 minutes.
Ajouter le poulet haché, la sauce blanche et les épices.
Saler, poivrer et mélanger le tout.
Ajouter le fromage râpé; mélan-ger de nouveau.
Farcir les petits vol-au-vent et les placer sur une plaque à biscuits.
Faire cuire au four de 7 à 8 minu-tes. Servir.

Surprise aux crevettes

(pour 4 personnes)

250 mL	(1 tasse) d'eau froide
1 mL	(¼ c. à thé) de sel
60 mL	(4 c. à soupe) de beurre doux
250 mL	(1 tasse) de farine
4	oeufs
125 mL	(½ tasse) de fromage mozzarella finement râpé
350 g	(¾ livre) de crevettes cuites, hachées
	quelques gouttes de sauce Worcestershire
	quelques gouttes de sauce Tabasco
	poivre du moulin

Huile d'arachide pour la friture chauffée à 180°C (350°F).

Verser l'eau froide dans une casserole.

Ajouter le sel et le beurre; amener à ébullition et faire cuire 2 minutes.

Note: Le beurre doit être entièrement fondu.

Retirer la casserole du feu et ajouter la farine d'un seul coup; mélanger le tout vivement et remettre la casserole sur feu doux.

Continuer la cuisson pendant deux minutes, jusqu'à ce que la pâte n'adhère plus à la cuillère.

Verser la pâte dans le bol d'un malaxeur muni d'un crochet à pâtisserie (ou à défaut, utiliser un bol à mélanger et une cuillère en bois). Ajouter 1 oeuf et mélanger vivement jusqu'à ce que le mélange reforme une pâte.

Répéter la même opération après l'addition de chaque oeuf. Ajouter le fromage, la sauce Tabasco, les crevettes, la sauce Worcestershire, le sel et le poivre; mélanger le tout.

Mettre une petite cuillère à soupe du mélange dans la friture et faire cuire 3 minutes.

Saler et servir avec l'apéritif.

Canapés Sept-Iles

(pour 4 personnes)
Première partie: la sauce fromage

38 mL	(2 ¹/₂ c. à soupe) de beurre
45 mL	(3 c. à soupe) de farine
500 mL	(2 tasses) de lait chaud
1 mL	(¹/₄ c. à thé) de muscade
50 mL	(¹/₄ tasse) de fromage mozzarella râpé
	sel et poivre

À feu moyen, faire chauffer le beurre dans une petite casserole.
Ajouter la farine et faire cuire 2 minutes.
Ajouter le lait chaud et mélanger le tout avec un fouet de cuisine.
Ajouter la muscade, saler, poivrer et faire cuire à feu très doux de 8 à 10 minutes tout en remuant de temps en temps.
5 minutes avant la fin de la cuisson, ajouter le fromage.

Deuxième partie: les canapés

4	tranches de pain grillé des 2 côtés

500 mL	(2 tasses) de sauce fromage chaude
4	filets de sole
5 mL	(1 c. à thé) de beurre
2	échalotes hachées
375 mL	(1 ¹/₂ tasse) d'eau froide
30	crevettes de Sept-Îles, cuites
125 mL	(¹/₂ tasse) de fromage mozzarella râpé
	sel et poivre
	jus de ¹/₄ de citron

Préchauffer le four à 200°C (400°F).
Beurrer une poêle à frire. Placer les filets de sole dans une poêle, ajouter les échalotes, le jus de citron et l'eau froide. Saler, poivrer; couvrir et amener à ébullition. Retirer du feu, ajouter les crevettes et laisser mijoter le tout hors du feu.
Placer 30 mL (2 c. à soupe) de sauce fromage sur chaque tranche de pain. Disposer les filets de sole, roulés ou pliés, sur le pain et ajouter les crevettes. Recouvrir de sauce et parsemer le tout de fromage râpé.
Mettre au four, à broil, à 15 cm (6 po.) de l'élément supérieur; faire gratiner pendant 3 minutes et servir.

21

Fonds d'artichauts à la viande

(pour 4 personnes)

8	fonds d'artichauts en boîte, égouttés
15 mL	(1 c. à soupe) d'huile
227 g	(½ livre) de boeuf haché
45 mL	(3 c. à soupe) d'oignons hachés
1	gousse d'ail écrasée et hachée
5 mL	(1 c. à thé) de poudre de chili
125 mL	(½ tasse) de fromage mozzarella râpé
	quelques piments broyés
	sel et poivre
	quelques tomates naines pour la présentation

Assécher les fonds d'artichauts et les mettre dans un plat allant au four.

Faire chauffer l'huile dans une casserole. Ajouter les oignons et l'ail; faire cuire 3 minutes.

Ajouter la viande, saler, poivrer et faire cuire de 5 à 6 minutes.

Ajouter le reste des ingrédients et mélanger rapidement; faire cuire 2 minutes ou plus pour lier la viande avec le fromage.

Farcir les fonds d'artichauts, les parsemer de fromage râpé et les faire cuire sous le grill (broil) pendant 1 minute. Garnir avec des tomates tranchées et servir.

22

Canapés à la tyrolienne

(pour 8 personnes)

8	tranches de pain grillé des 2 côtés
60 mL	(4 c. à soupe) d'huile d'olive
4	tomates pelées et hachées
2	gousse d'ail écrasées et hachées
1¹/₂	oignon d'Espagne, émincé
1	petite boîte de saucisses à cocktail
	olives farcies, coupées en rondelles
	sel et poivre

Préchauffer le four à 200°C (400°F).
Faire chauffer 30 mL (2 c. à soupe) d'huile d'olive dans une poêle à frire, à feu moyen.

Ajouter les tomates, l'ail, saler et poivrer; mélanger et faire cuire le tout de 7 à 8 minutes pour épaissir le mélange.
Verser le mélange de tomates dans un bol et mettre de côté.
Faire chauffer le reste de l'huile dans la poêle à frire.
Ajouter les oignons et les faire cuire de 8 à 10 minutes pour les brunir.
Remuer de temps en temps.
Étendre une couche du mélange de tomates sur le pain grillé, ajouter une couche d'oignons et les saucisses.
Faire cuire le tout au four pendant 3 minutes.
Décorer de rondelles d'olive et servir.

SOUPES ET CRÈMES

Soupe chinoise au nappa

(pour 4 personnes)

6 à 8	tasses de bouillon de poulet chaud
½	nappa*, lavé et coupé en morceaux de 2,5 cm (1 pouce)
2	nids de nouilles chinoises
2	tasses d'eau sauce soya (au goût)

sel et poivre

Verser 2 tasses d'eau dans une casserole, saler et amener à ébullition. Ajouter les nouilles, mélanger et faire cuire de 3 à 4 minutes.

Egoutter les nouilles et les placer dans un bol contenant de l'eau froide.

Mettre de côté. Verser le bouillon de poulet dans une casserole et l'amener à ébullition. Ajouter le nappa* et faire cuire de 3 à 4 minutes.

Ajouter les nouilles égouttées; faire mijoter le tout à feu doux de 3 à 4 minutes. Assaisonner au goût, ajouter la sauce soya et servir.

* Légume qui ressemble au chou chinois.

Soupe au chou
et aux pommes de terre

(pour 4 personnes)

15 mL (1 c. à soupe) d'huile
          végétale
1   oignon haché
½   chou émincé
3   pommes de terre
          pelées et coupées en
          dés
1,5 L   (6 tasses) de bouillon
          de poulet chaud

15 mL (1 c. à soupe) de
          persil haché
1 mL   (¼ c. à thé) de basilic
125 mL (½ tasse) de fromage
          cheddar râpé
          sel et poivre

Faire chauffer l'huile dans une casserole, à feu moyen. Ajouter les oignons, couvrir et faire cuire de 3 à 4 minutes.

Ajouter le chou et les pommes de terre; saler, poivrer et bien mélanger le tout. Couvrir et faire cuire pendant 3 minutes.

Ajouter le bouillon de poulet et les épices. Amener à ébullition et faire cuire pendant 30 minutes. Ajouter le fromage râpé, mélanger et faire mijoter le tout de 5 à 6 minutes.

Garnir de cheddar râpé et servir.

Velouté de poisson

(pour 4 personnes)

Le roux

| 45 mL | (3 c. à soupe) de beurre |
| 52 mL | (3½ c. à soupe) de farine |

Le velouté

3	filets de sole
20	champignons lavés et émincés
2	échalotes sèches émincées
1	carotte émincée
2 mL	(½ c. à thé) de fenouil
6	tasses d'eau froide

jus de ¼ de citron
crème à 15% (facultatif)
sel et poivre

Placer la moitié des filets de sole dans une casserole. Ajouter les champignons, les échalotes, les carottes et le fenouil.

Ajouter l'eau froide, le citron, saler et poivrer; amener à ébullition, à feu moyen. Faire cuire pendant 15 minutes.
(Ne pas faire bouillir.)

Retirer les filets de sole* et conserver le liquide.

Placer le reste des filets dans le liquide de cuisson et les faire pocher pendant 3 minutes.

Retirer les filets délicatement et les mettre de côté.

Passer le liquide de cuisson au tamis. Faire chauffer le beurre dans une casserole, à feu moyen. Ajouter la farine et mélanger le tout avec un fouet de cuisine; faire cuire pendant 2 minutes.

Ajouter le liquide de cuisson, saler et poivrer; bien mélanger et faire cuire le tout à feu doux de 5 à 6 minutes.

Défaire le poisson en morceaux. Ajouter la crème et les morceaux de poisson au bouillon; mélanger délicatement. Servir avec des nouilles chinoises.

* Ne pas réutiliser ces filets. Ils ne servent qu'à la cuisson du bouillon.

Soupe aux légumes et aux lentilles

pour 4 personnes)

		oignon haché
5 mL	(1 c. à soupe) d'huile d'olive
50 mL	(1 tasse) de lentilles lavées
,5 L	(6 tasses) de bouillon de poulet chaud
	branche de céleri coupée en dés
	pommes de terre pelées et coupées en dés
	piment vert, coupé en dés
	piment rouge, coupé en dés
	feuille de laurier
mL	(¼ c. à thé) de thym
	sel et poivre

persil haché

Faire chauffer l'huile dans une casserole, à feu moyen. Ajouter les oignons, couvrir et faire cuire à feu doux de 2 à 3 minutes. Ajouter les lentilles et le bouillon de poulet.

Ajouter les épices et amener à ébullition; faire cuire à feu doux pendant 1 heure 30 minutes. Corriger l'assaisonnement.

30 minutes avant la fin de la cuisson, ajouter les pommes de terre et le céleri. 15 minutes avant la fin de la cuisson, ajouter le reste des ingrédients. Parsemer de persil haché et servir.

Soupe aux oignons et aux petits pois

(pour 4 personnes)

30 mL	(2 c. à soupe) de margarine
1	oignon d'Espagne, émincé
30 mL	(2 c. à soupe) de farine
1,25 L	(5 tasses) de bouillon de poulet chaud
250 mL	(1 tasse) de petits pois congelés
1	feuille de laurier
3 mL	(½ c. à thé) d'estragon
30 mL	(2 c. à soupe) de fécule de maïs
60 mL	(4 c. à soupe) d'eau froide
45 mL	(3 c. à soupe) de crème à 35% (facultatif)
	sel et poivre

À feu moyen, faire chauffer la margarine dans une casserole. Ajouter les oignons, couvrir et faire cuire à feu doux pendant 4 minutes.

Ajouter la farine et mélanger. Ajouter le bouillon de poulet et les assaisonnements; amener à ébullition et faire cuire à feu doux pendant 30 minutes. 15 minutes avant la fin de la cuisson, ajouter les petits pois et corriger l'assaisonnement. Mélanger la fécule de maïs et l'eau froide. Ajouter le mélange à la soupe et faire mijoter 1 minute.

Assaisonner au goût, ajouter la crème et servir.

Crème de crevettes

(pour 4 personnes)

mL	(2 c. à soupe) de beurre
mL	(2 c. à soupe) d'oignon haché
	champignons lavés et hachés
	paquet de petites crevettes crues
L	(4 tasses) de bouillon de poulet chaud
0 mL	(1 tasse) de sauce tomate commerciale
30 mL	(2 c. à soupe) de fécule de maïs
45 mL	(3 c. à soupe) d'eau froide
	sel et poivre

Faire chauffer le beurre dans une casserole à feu moyen. Ajouter les oignons et les champignons; saler, poivrer. Couvrir et faire cuire pendant 3 minutes. Ajouter les crevettes, le bouillon de poulet et la sauce tomate; amener à ébulliton et faire cuire à feu doux de 6 à 7 minutes. Mélanger la fécule de maïs et l'eau froide.

Ajouter le mélange à la soupe, remuer et continuer la cuisson à feu doux pendant 2 minutes.

Verser le tout dans un mélangeur, battre pendant 60 secondes. Servir avec du pain français grillé.

Chowder au blé d'Inde

(pour 4 personnes)

2	pommes de terre pelées et coupées en petits dés
2	carottes coupées en petits dés
1	branche de céleri coupée en dés
45 mL	(3 c. à soupe) de beurre
60 mL	(4 c. à soupe) de farine
1,2 L	(4½ tasses) de bouillon

de poulet chaud
375 mL	(1½ tasse) de blé d'Inde.
125 mL	(½ tasse) de fromage cheddar râpé
1 mL	(¼ c. à thé) de muscade
1	feuille de laurier sel et poivre

Faire fondre le beurre dans une casserole, à feu moyen. Ajouter les légumes; saler, poivrer.

Couvrir et faire cuire de 4 à 5 minutes à feu doux.

Retirer le couvercle, ajouter la farine et faire cuire 3 minutes.

Ajouter le bouillon de poulet et mélanger le tout.

Ajouter le blé d'Inde et les épices; faire cuire sans couvrir pendant 15 minutes.

Ajouter le fromage râpé.

Faire cuire à feu doux de 3 à 4 minutes. Servir.

Technique du chowder au blé d'Inde

1. Faire cuire les légumes dans le beurre chaud.

2. Ajouter la farine.

3. Mélanger le tout et faire cuire pendant 3 minutes.

4. Ajouter le bouillon de poulet chaud.

5. *Ajouter le blé d'Inde.*

6. *Ajouter le cheddar râpé.*

33

Soupe à la dinde

(pour 4 personnes)

30 mL (2 c. à soupe) de beurre
1   oignon émincé
1   branche de céleri
        émincée
250 mL (1 tasse) de nouilles
        "plumes"
250 mL (1 tasse) de dinde cuite

        émincée
1,7 L   (6½ tasses) de bouillon
        de poulet
3   queues de persil
1   feuille de laurier
        sel et poivre

Mettre le beurre dans une casserole. Ajouter les oignons et le céleri; couvrir et faire cuire de 7 à 8 minutes à feu doux. Ajouter les nouilles et le bouillon de poulet. Saler, poivrer; ajouter les épices. Amener à ébullition et faire cuire à feu doux de 12 à 15 minutes.
5 minutes avant la fin de la cuisson, ajouter les morceaux de dinde.

Soupe aux pois verts

(pour 4 personnes)

375 mL	(1½ tasse) de pois verts secs
15 mL	(1 c. à soupe) d'huile
1	carotte coupée en dés
1	oignon coupé en dés
1	branche de céleri coupée en dés
2	branches de fenouil
1	gousse d'ail entière
1,5 à 2 L	(6 à 8 tasses) d'eau
1	feuille de laurier sel et poivre

Mettre les pois dans un bol et les recouvrir d'eau froide.

Note: L'eau doit dépasser les pois de 5 cm (2 po.).

Faire tremper les pois pendant 8 heures. Egoutter et mettre de côté.

Verser et faire chauffer l'huile dans une casserole, à feu moyen.

Ajouter les oignons, les carottes et le céleri; couvrir et faire cuire pendant 3 minutes.

Ajouter les pois égouttés, l'ail, le fenouil et le laurier. Ajouter l'eau froide (l'eau doit recouvrir les pois de 5 cm [2 po.]); saler, poivrer et amener à ébullition. Faire cuire le tout de 60 à 75 minutes ou jusqu'à ce que les pois soient bien cuits.

Servir avec du pain à l'ail.

Soupe aux palourdes de la Nouvelle-Angleterre

(pour 4 personnes)

30 mL	(2 c. à soupe) de beurre
1	oignon haché
4	pommes de terre pelées et coupées en dés
1½	boîte de palourdes hachées (réserver le jus)
1,1 L	(4½ tasses) de lait chaud
15 mL	(1 c. à soupe) de fécule de maïs
45 mL	(3 c. à soupe) d'eau froide
	quelques gouttes de jus de citron
	sel et poivre
	persil haché
	paprika

Faire chauffer le beurre dans une casserole, à feu moyen. Ajouter les oignons, couvrir et les faire cuire pendant 2 minutes.

Ajouter les pommes de terre; saler, poivrer. Ajouter le jus des palourdes, couvrir et faire cuire à feu doux de 8 à 10 minutes.

Ajouter les palourdes et le lait chaud; faire mijoter à feu doux pendant quelques minutes.

Mélanger la fécule de maïs et l'eau froide. Ajouter le mélange à la soupe et amener le tout à ébullition pour que la soupe épaississe.

Ajouter quelques gouttes de jus de citron. Assaisonner au goût et parsemer de persil haché.

Servir.

Soupe gombo

(pour 4 personnes)

30 mL	(2 c. à soupe) d'huile
1	oignon haché
2	gousses d'ail, écrasées et hachées
30 mL	(2 c. à soupe) de persil haché
1	piment banane doux haché
1	paquet d'okra (gombo) coupé en dés
1	boîte de 796 mL

	(28 onces) de tomates égouttées
1,2 L	(5 tasses) de bouillon de poulet chaud
250 mL	(1 tasse) de riz lavé et égoutté
2	cuisses de poulet, sans peau et coupées en deux
	sel et poivre

Faire chauffer l'huile dans une casserole à feu moyen. Ajouter les oignons et l'ail; faire cuire pendant 2 minutes.

Ajouter le persil, les piments et les okra; saler, poivrer. Couvrir et faire cuire de 4 à 5 minutes.

Hacher les tomates et les placer dans la casserole.

Ajouter le bouillon de poulet et le poulet; faire cuire à feu doux pendant 40 minutes.

18 minutes avant la fin de la cuisson, ajouter le riz.

Servir.

Soupe au boeuf

(pour 4 personnes)

454 g	(1 livre) de hautes côtes coupées en dés
30 mL	(2 c. à soupe) de saindoux
1 L	(4 tasses) de bouillon de boeuf chaud
4	pommes de terre pelées et coupées en 4
1	oignon d'Espagne coupé en gros cubes
1	branche de fenouil
250 mL	(1 tasse) de jus de tomates
250 mL	(1 tasse) de macaroni "coquille"
250 mL	(1 tasse) de blé d'Inde
1	feuille de laurier
15 mL	(1 c. à soupe) de persil haché
	sel et poivre

Faire chauffer 15 mL (1 c. à soupe) de saindoux dans une sauteuse. Ajouter la viande et la saisir à feu vif de 3 à 4 minutes de chaque côté. Saler, poivrer. Ajouter la feuille de laurier, le bouillon de boeuf et le fenouil. Assaisonner au goût; couvrir et faire cuire à feu doux pendant 2 heures.

Faire chauffer le reste du saindoux dans une poêle à frire, à feu moyen.

Ajouter les oignons et les pommes de terre.

Saler, poivrer et les saisir de 3 à 4 minutes.

Retirer du feu et mettre de côté.

45 minutes avant la fin de la cuisson, ajouter les pommes de terre et les oignons au bouillon de boeuf.

Ajouter le jus de tomates.

15 minutes avant la fin de la cuisson, ajouter les coquilles et le blé d'Inde.

Servir avec du persil haché et du pain à l'ail.

Technique de la soupe au boeuf

1. *Faire saisir la viande dans le saindoux.*
2. *Ajouter le bouillon de boeuf chaud.*
3. *Faire sauter les légumes dans le saindoux.*
4. *45 minutes avant la fin de la cuisson, incorporer les légumes au bouillon.*
5. *Ajouter le jus de tomates.*
6. *15 minutes avant la fin de la cuisson, ajouter les coquilles.*
7. *Ajouter le blé d'Inde.*

SALADES ET VINAIGRETTES

Salade verte, vinaigrette à l'avocat

(pour 4 personnes)

1	laitue Boston effeuillée, lavée et asséchée
1	laitue frisée effeuillée, lavée et asséchée
1	avocat pelé et en purée
45 mL	(3 c. à soupe) de jus de citron
60 mL	(4 c. à soupe) d'huile d'olive
45 mL	(3 c. à soupe) de crème sure
	quelques gouttes de sauce Tabasco
	sel et poivre

Placer les feuilles de laitue dans un bol. Saler, poivrer et mélanger le tout.

Mettre de côté.

Mettre la purée d'avocat dans un bol. Ajouter le jus de citron et l'huile d'olive; bien mélanger le tout.

Ajouter la crème sure et un peu plus de jus de citron si nécessaire. Corriger l'assaisonnement.

Ajouter quelques gouttes de sauce Tabasco.

Servir sur la salade.

Salade aux crevettes

(pour 4 personnes)

2	avocats mûrs
24	crevettes cuites
1	branche de céleri émincée
125 mL	(½ tasse) de vinaigrette aux oeufs*
1	orange coupée en tranches
	olives noires
	laitue émincée

Couper les avocats en deux. Retirer la chair d'avocat et la placer dans un bol. Ajouter les crevettes et le céleri. Ajouter la vinaigrette aux oeufs.

Saler, poivrer et faire mariner pendant 15 minutes.
Placer les avocats évidés sur une assiette contenant de la laitue émincée. Farcir les avocats avec le mélange de crevettes.
Décorer le tout avec les olives noires et les oranges.
Servir.

* Vinaigrette aux oeufs

15 mL	(1 c. à soupe) de moutarde de Dijon
1	jaune d'oeuf
15 mL	(1 c. à soupe) d'échalotes hachées
5 mL	(1 c. à thé) de persil haché
60 mL	(4 c. à soupe) de vinaigre de vin
125 mL	(½ tasse) d'huile d'olive jus de ¼ de citron sel et poivre

Mettre la moutarde, l'oeuf, les échalotes, le persil et le vinaigre dans un bol; saler, poivrer et ajouter le jus de citron; bien mélanger le tout.
Ajouter l'huile, goutte à goutte, tout en mélangeant avec un fouet de cuisine.
Corriger l'assaisonnement et servir.

Avocats aux champignons

(pour 4 personnes)

227 g	(½ livre) de champignons lavés et émincés
45 mL	(3 c. à soupe) de vinaigre de vin
1	gousse d'ail écrasée et hachée
15 mL	(1 c. à soupe) de persil haché
15 mL	(1 c. à soupe) d'échalotes hachées
105 mL	(7 c. à soupe) d'huile d'olive
2	avocats pelés, coupés en deux et émincés
2	oeufs durs coupés en tranches
30 mL	(2 c. à soupe) d'amandes effilées quelques gouttes de jus de citron feuilles de laitue sel et poivre

Déposer les champignons dans un bol. Mettre de côté.

Mettre l'ail, le vinaigre, le persil, les échalotes, l'huile, le sel et le poivre dans un bol; mélanger et arroser le tout de jus de citron.

Verser la vinaigrette sur les champignons et laisser mariner le tout pendant 15 minutes.

Placer les avocats sur un plat de service garni de feuilles de laitue.

Garnir les avocats de champignons et arroser le tout de marinade.

Décorer de rondelles d'oeufs durs et arroser de jus de citron.

Parsemer d'amandes effilées.

Servir.

44

Salade du Finistère

(pour 4 personnes)

2	tomates tranchées très mince
3	oeufs coupés en rondelles
1	courgette émincée
1	boîte de fonds d'artichauts marinés
4 à 5	filets d'anchois hachés
15 mL	(1 c. à soupe) de moutarde française

45 mL	(3 c. à soupe) de vinaigre de vin
1	gousse d'ail écrasée et hachée
120 mL	(8 c. à soupe) d'huile d'olive quelques gouttes de jus de citron sel et poivre

Mettre les légumes dans un bol. Saler, poivrer et les arroser de jus de citron. Mettre la moutarde dans un bol. Ajouter les filets d'anchois, l'ail, le vinaigre, le sel et le poivre; mélanger le tout. Ajouter l'huile tout en mélangeant avec un fouet de cuisine. Assaisonner au goût. Verser la vinaigrette sur les légumes; faire mariner pendant 15 minutes.

Servir sur des feuilles de laitue et garnir de rondelles d'oeufs.

Moules et céleri en salade

(pour 4 personnes)

1 kg	(2.2 livres) de moules lavées et brossées
15 mL	(1 c. à soupe) de persil haché
1	branche de céleri émincée
2	endives en feuilles, lavées
45 mL	(3 c. à soupe) de mayonnaise
2 mL	(½ c. à thé) de moutarde de Dijon
30 mL	(2 c. à soupe) d'huile d'olive
5 mL	(1 c. à thé) de vinaigre de vin
	quelques gouttes de jus de citron
	une pincée de poudre de cari
	sel et poivre

Mettre les moules dans une casserole. NE PAS SALER. Ajouter 250 mL (1 tasse) d'eau froide, du jus de citron et le persil haché. Poivrer fortement; couvrir et amener à ébullition.
Réduire la chaleur et faire mijoter à feu doux de 3 à 4 minutes pour faire ouvrir les moules et leur permettre de cuire.

Retirer la casserole du feu et laisser refroidir les moules dans leur liquide de cuisson. Retirer les moules de leur coquillage et les mettre dans un bol à mélanger. Ajouter le céleri et les endives. Poivrer le tout. Dans un bol, mettre la mayonnaise, la moutarde, l'huile, le vinaigre, la poudre de cari et quelques gouttes de citron, mélanger le tout.
Verser le mélange sur les moules et bien incorporer le tout. Assaisonner au goût et servir.

Salade de haricots rouges chaude

(pour 4 personnes)

5 mL	(1 c. à thé) d'huile
1	boîte 540 mL (19 onces) de haricots rouges, égouttés
1	branche de céleri émincée
3	cornichons hachés
2	oignons verts hachés
45 mL	(3 c. à soupe) de cheddar râpé
45 mL	(3 c. à soupe) de mayonnaise

quelques biscuits soda écrasés
sel et poivre
quelques gouttes de sauce Tabasco
quelques gouttes de sauce Worcestershire

Préchauffer le four à 180°C (350°F).

Faire chauffer l'huile dans une casserole, à feu moyen. Ajouter le céleri et les cornichons; couvrir et faire cuire de 3 à 4 minutes.

Ajouter les haricots égouttés et les oignons verts; prolonger la cuisson de 3 à 4 minutes.

Retirer la casserole du feu.

Ajouter le cheddar et la mayonnaise.

Assaisonner de Tabasco et de sauce Worcestershire.

Verser le tout dans un plat allant au four. Parsemer les haricots de biscuits écrasés et faire cuire au four, sous le gril (broil) pendant 3 minutes. Servir.

Salade de pommes de terre à l'allemande

(pour 4 personnes)

6	pommes de terre
6	tranches de bacon bien cuit et grossièrement haché
1	oignon rouge haché
½	oignon rouge coupé en rondelles
60 mL	(4 c. à soupe) de vinaigre à l'estragon
60 mL	(4 c. à soupe) de crème sure
15 mL	(1 c. à soupe) de

persil haché
quelques gouttes de jus de citron
poivre de Cayenne
paprika
sel et poivre

Faire cuire les pommes de terre avec la peau, dans l'eau bouillante salée.

Dès que les pommes de terre sont cuites, les égoutter et les remettre dans la casserole.

Placer la casserole sur l'élément du poêle et faire dessé-cher les pommes de terre pendant 2 minutes.

Peler les pommes de terre à chaud et les couper en gros dés. Mettre le tout dans un bol.

Ajouter les oignons et le vinaigre à l'estragon.

Saler, poivrer, mélanger le tout.

Ajouter tous les autres ingrédients et bien les incorporer.

Arroser le tout de jus de citron.

Corriger l'assaisonnement et laisser refroidir.

Servir la salade de pommes de terre sur un lit de laitue.

Salade de poulet à l'ananas

(pour 4 personnes)

2	poitrines de poulet, cuites et coupées en dés*
3	rondelles d'ananas, coupées en dés
1	branche de céleri, coupée en dés
15 mL	(1 c. à soupe) de persil haché
60 mL	(4 c. à soupe) de mayonnaise
30 mL	(2 c. à soupe) de crème sure
3 mL	(1/2 c. à thé) de moutarde sèche quelques gouttes de sauce Tabasco sel et poivre

Garniture: quartiers d'œufs durs
tranches de tomates

Mettre les dés de poulet dans un bol, ajouter les ananas et le céleri.

Saler, poivrer; ajouter le persil haché, la mayonnaise et mélanger le tout. Mélanger la moutarde sèche à la crème sure. Incorporer le tout au mélange de poulet et assaisonner au goût.

Garnir un plat de service de feuilles de laitue romaine, lavées et asséchées. Ajouter la salade de poulet et décorer le tout d'œufs et de tranches de tomates.

*Vous pouvez utiliser des restes de dinde.

Salade de pommes et de chou vert

(pour 4 personnes)

½	chou vert finement émincé
3	pommes évidées et émincées
45 mL	(3 c. à soupe) de vinaigre blanc
45 mL	(3 c. à soupe) d'eau froide
15 mL	(1 c. à soupe) de sucre
15 mL	(1 c. à soupe) d'huile
5 mL	(1 c. à thé) de farine
2 mL	(½ c. à thé) de moutarde sèche
45 mL	(3 c. à soupe) de crème sure
	quelques gouttes de jus de citron
	graines de tournesol
	sel et poivre

Mettre le vinaigre et l'eau dans une casserole.

Mélanger le sucre, la farine et la moutarde sèche dans un petit bol.

Ajouter l'huile et mélanger à nouveau.

Verser le mélange dans la casserole contenant l'eau et le vinaigre; mélanger et arroser le tout de jus de citron. Amener à ébullition et faire cuire 2 minutes.

Mettre le chou vert dans un bol, saler, poivrer.

Verser le mélange de vinaigre sur le chou émincé; bien mélanger et faire mariner le tout pendant 15 minutes.

Ajouter les pommes et la crème sure.

Assaisonner au goût.

Parsemer de graines de tournesol et servir.

Rémoulade de céleri-rave et de crevettes

(pour 4 personnes)

1	pied de céleri-rave
20	petites crevettes de Sept-Îles cuites
45 mL	(3 c. à soupe) de mayonnaise
5 mL	(1 c. à thé) de moutarde de Dijon
5 mL	(1 c. à thé) de vinaigre de vin
5 mL	(1 c. à thé) de persil haché
	quelques gouttes de sauce Tabasco
	quelques gouttes de sauce Worcestershire
	sel et poivre
	laitue et oeufs durs pour la garniture

Brosser et laver le céleri-rave.
Peler et couper le céleri-rave en julienne.
Dans une casserole, verser 375 mL (1½ tasse) d'eau; saler et amener à ébullition.
Ajouter le céleri-rave, couvrir et faire cuire pendant 4 minutes.
Passer sous l'eau froide et égoutter. Avec la paume de la main, presser la julienne de céleri-rave pour en retirer l'excès d'eau.
Mettre le tout dans un bol.
Mettre de côté.
Mélanger le vinaigre, la moutarde et la mayonnaise. Saler, poivrer et verser le tout sur le céleri-rave.
Ajouter le persil, les sauces Tabasco et Worcestershire.
Incorporer le tout.
Ajouter les petites crevettes cuites; mélanger délicatement.
Servir sur des feuilles de laitue et garnir d'oeufs durs.

Salade de pommes

(pour 4 personnes)

4	pommes évidées, pelées et émincées
2	branches de céleri émincées
125 mL	(½ tasse) de noix pacanes
45 mL	(3 c. à soupe) de mayonnaise
75 mL	(5 c. à soupe) de yogourt nature
5 mL	(1 c. à thé) de

moutarde de Dijon
quelques gouttes de jus de citron
quelques gouttes de sauce Tabasco
sel et poivre
feuilles de laitue pour la présentation

Mettre les pommes et le céleri dans un bol. Arroser le tout de jus de citron. Mettre de côté.

Mettre la mayonnaise dans un bol. Ajouter le yogourt et la moutarde; mélanger le tout.

Ajouter le jus de citron, la sauce Tabasco et saler, poivrer.

Verser la sauce sur les pommes et bien incorporer le tout. Assaisonner au goût.

Garnir un plat de service avec les feuilles de laitue.

Placer la salade de pommes sur la laitue; parsemer le tout de noix pacanes.

Servir.

Champignons et bananes
à la crème sure

(pour 4 personnes)

2	bananes pelées et émincées
226,8 g	(½ livre) de champignons lavés et émincés
226,8 g	(½ livre) de raisins lavés
10	tomates naines coupées en deux
4	feuilles de laitue romaine
45 mL	(3 c. à soupe) de crème sure
	quelques gouttes de sauce Tabasco
	quelques gouttes de sauce Worcestershire
	jus de ½ citron
	sel et poivre

Mettre les bananes et les champignons dans un bol à mélanger. Ajouter la crème sure. Arroser le tout de jus de citron, de sauce Tabasco et de sauce Worcestershire; mélanger délicatement. Disposer les feuilles de laitue sur un plat de service.

Placer le mélange de bananes et de champignons sur la laitue. Garnir le tout de raisins et de tomates.

Servir.

Salade de rôti de porc

(pour 4 personnes)

1	laitue Boston lavée et et asséchée
8	tranches de rôti froid
2	avocats mûrs, pelés et coupés en sections
3	tomates pelées et coupées en sections
24	olives noires
45 mL	(3 c. à soupe) de vinaigre d'estragon
90 mL	(6 c. à soupe) d'huile d'olive
1	gousse d'ail écrasée et hachée
2	échalotes hachées
15 mL	(1 c. à soupe) de persil haché
	jus de citron
	sel et poivre

Technique pour peler les tomates: plonger les tomates dans l'eau bouillante salée et les faire mijoter à feu doux de 2 à 3 minutes.

Retirer la peau avec un couteau d'office.

Mettre le vinaigre, l'huile, l'ail, les échalotes, le persil et le jus de citron dans un bol à mélanger. Saler, poivrer.

Mélanger le tout avec une fourchette.

Mettre les légumes, la laitue et la viande dans un bol.

Ajouter les olives et arroser le tout de vinaigrette.

Saler, poivrer et faire mariner le tout pendant 1 heure.

Servir.

Salade de la rue Drolet

(pour 4 personnes)

	grosse laitue romaine, lavée et asséchée	4	œufs durs coupés en quartiers
	tranches de bacon croustillant, coupées en dés	8	tranches de jambon roulées
125 mL	(½ tasse) de croûtons à l'ail	1	recette de vinaigrette au poivre vert*
	boîte d'asperges vertes égouttées		sel et poivre

Briser les feuilles de laitue en gros morceaux et les placer dans un bol à salade.

Ajouter le bacon, les croûtons, les asperges et les œufs.

Saler, poivrer et ajouter la moitié de la vinaigrette; mélanger le tout très rapidement.

Placer la salade dans un plat de service et la garnir de rouleaux de jambon. Ajouter le reste de la vinaigrette et servir.

*Voir la technique de la vinaigrette au poivre vert.

Salade de tomates au bacon

(pour 4 personnes)

5	tomates lavées et émincées	
1	oignon haché	
½	piment banane haché	
1½	avocat mûr, pelé et émincé	
6	tranches de bacon croustillant haché	
227 g	(½ livre) de fromage	

feta coupé en dés

4	coeurs de palmiers coupés en 2
15 mL	(1 c. à soupe) de gras de bacon
30 mL	(2 c. à soupe) de jus de citron
45 mL	(3 c. à soupe) d'huile

quelques piments rouges broyés

sel et poivre

Mettre les tomates, les oignons, les piments et les avocats dans un bol. Saler, poivrer et mélanger délicatement.

Ajouter le bacon, le fromage feta et le gras de bacon. Poivrer et bien incorporer le tout.

Ajouter le reste des ingrédients; mélanger à nouveau.

Garnir de coeurs de palmiers. Servir.

Salade de cresson
et de fromage

(pour 4 personnes)

2	paquets de cresson lavé et asséché
125 g	(4½ onces) de fromage en crème
45 mL	(3 c. à soupe) de vinaigre de vin
125 mL	(½ tasse) d'huile d'olive
5 mL	(1 c. à thé) de moutarde

de Dijon
quelques gouttes de jus
de citron
sel et poivre

Couper la moitié du fromage en dés. Mettre de côté.

Mettre le reste du fromage dans un bol. Ajouter la moutarde et le vinaigre; saler, poivrer.

Mélanger le tout avec un fouet de cuisine tout en ajoutant l'huile en filet.

Note: il est normal que la vinaigrette se sépare du fromage. Ajouter le jus de citron.

Verser la vinaigrette sur les feuilles de cresson. Parsemer le tout de dés de fromage, mélanger délicatement. Servir.

Salade à l'américaine

(pour 4 personnes)

3	tomates lavées et coupées en rondelles
3	pommes de terre cuites avec la peau, pelées et coupées en rondelles
1	branche de céleri lavée et émincée
30 mL	(2 c. à soupe) d'oignons hachés
3	oeufs durs coupés en rondelles
12	olives vertes farcies et coupées en rondelles
125 mL	(½ tasse) de vinaigrette à la moutarde*
	quelques gouttes de

jus de citron
sel et poivre

Mettre les tomates, les pommes de terre et le céleri dans un bol à mélanger. Ajouter les oignons et les olives farcies.

Ajouter la vinaigrette et mélanger le tout. Ajouter le jus de citron et assaisonner au goût.

Placer quelques feuilles de laitue sur un plat de service. Placer le mélange de légumes sur les feuilles de laitue et décorer le tout d'oeufs durs. Servir.

*Vinaigrette à la moutarde:

15 mL	(1 c. à soupe) de moutarde de Dijon
1	gousse d'ail écrasée et hachée
50 mL	(¼ tasse) de vinaigre de vin
175 mL	(¾ tasse) d'huile d'olive
	jus de ½ citron
	sel et poivre

Dans un bol, mettre la moutarde, l'ail, le vinaigre de vin, saler et poivrer; mélanger le tout.

Ajouter l'huile, goutte à goutte, tout en mélangeant avec un fouet de cuisine.

Assaisonner au goût, ajouter le jus de citron.

Servir.

Salade de tomates à la mexicaine

(pour 4 personnes)

4	tomates lavées et coupées en quartiers
2	branches de céleri émincées
1	oignon émincé
½	piment banane finement haché
2 mL	(½ c. à thé) d'origan
1	gousse d'ail écrasée et hachée
45 mL	(3 c. à soupe) de vinaigre de vin
5 mL	(1 c. à thé) de moutarde de Dijon
90 mL	(6 c. à soupe) d'huile d'olive
	quelques piments rouges broyés
	quelques gouttes de jus de citron
	sel et poivre

Mettre les tomates, le céleri et les oignons dans un bol. Saler, poivrer et arroser le tout de jus de citron.

Mettre la moutarde dans un bol. Ajouter l'origan, l'ail, les piments hachés et le vinaigre; mélanger le tout.

Ajouter l'huile et mélanger à nouveau. Saler, poivrer.

Verser la vinaigrette sur les légumes; bien incorporer le tout.

Parsemer de piments broyés et arroser le tout de jus de citron. Servir.

Salade de légumes et de raisins

(pour 4 personnes)

2	carottes coupées en petits dés
6	asperges cuites et coupées en petits dés
2	pommes de terre cuites et coupées en petits dés
1	branche de céleri coupée en petits dés
2	champignons coupés en petits dés
1	piment vert cuit et coupé en deux
1	piment rouge cuit et coupé en deux
454 g	(1 livre) de raisins verts sans pépins
2 mL	(½ c. à thé) de moutarde sèche
60 mL	(4 c. à soupe) de mayonnaise
5 mL	(1 c. à thé) de vinaigre de vin
15 mL	(1 c. à soupe) d'huile d'olive
	quelques gouttes de jus de citron
	sel et poivre

Mettre les carottes et le céleri dans une casserole contenant 250 mL (1 tasse) d'eau bouillante salée, faire cuire de 6 à 7 minutes.

2 minutes avant la fin de la cuisson, ajouter les champignons.

Égoutter les légumes et les assécher avec du papier essuie-mains. Mettre de côté.

Mélanger dans un bol, la moutarde, le vinaigre, l'huile et la mayonnaise, poivrer fortement.

Ajouter le jus de citron et mélanger le tout.

Dans un bol, mettre le céleri, les carottes, les champignons, les asperges et les pommes de terre.

Ajouter le mélange de mayonnaise et bien incorporer le tout.

Assaisonner au goût et arroser le tout de jus de citron.

Farcir les demi-piments avec le mélange et garnir le tout avec les raisins.

Servir.

Salade d'avocats et de fruits

(pour 4 personnes)

2	avocats mûrs
2	pommes évidées, pelées et émincées
2	poires évidées, pelées et émincées
2	oranges pelées et coupées en rondelles
15 mL	(1 c. à soupe) de sucre
45 mL	(3 c. à soupe) de noix de coco râpée
125 mL	(½ tasse) de crème sure
	quelques gouttes de jus de citron
	sel et poivre

Couper les avocats en deux dans le sens de la longueur. Retirer le noyau et à l'aide d'une cuillère, retirer la chair en ayant soin de ne pas briser la pelure.

Placer la chair d'avocat dans un bol à mélanger et l'arroser de jus de citron.

Ajouter les pommes, les oranges et les poires; arroser le tout de jus de citron.

Saupoudrer de sucre et de noix de coco; bien incorporer le tout.

Saler, poivrer les demi-avocats et les farcir du mélange de fruits et de chair d'avocat.

Servir avec de la crème sure.

Salade de coquilles

(pour 4 personnes)

500 mL	(2 tasses) de coquilles cuites
3	tomates coupées en quartiers
125 mL	(½ tasse) d'olives noires
½	boîte de coeurs d'artichauts égouttés
½	boîte de coeurs de palmiers égouttés
15 mL	(1 c. à soupe) de persil haché
15 mL	(1 c. à soupe) de moutarde de Dijon
30 mL	(2 c. à soupe)

	d'échalotes sèches, hachées
1	gousse d'ail écrasée et hachée
45 mL	(3 c. à soupe) de vinaigre de vin
120 mL	(8 c. à soupe) d'huile d'olive
	quelques gouttes de jus de citron
	sel et poivre

Couper les coeurs de palmiers en rondelles.

Couper les coeurs d'artichauts en quartiers.

Mettre les coquilles cuites, les tomates, les olives, les coeurs de palmiers et d'artichauts dans un bol à mélanger. Saler, poivrer et arroser le tout de jus de citron.

Mettre la moutarde, le persil haché, les échalotes et l'ail dans un bol.

Ajouter le vinaigre et mélanger le tout. Saler, poivrer.

Ajouter l'huile en filet tout en mélangeant avec un fouet de cuisine.

Verser la vinaigrette sur les coquilles et les légumes. Assaisonner au goût et faire mariner pendant 30 minutes.

Servir.

Salade à la dinde

(pour 4 personnes)

Première partie: la vinaigrette	Deuxième partie: la salade

Première partie: la vinaigrette

15 mL	(1 c. à soupe) de moutarde de Dijon
	jaune d'œuf
	gousse d'ail écrasée et hachée
	échalote hachée
15 mL	(1 c. à soupe) de persil haché
60 mL	(4 c. à soupe) de vinaigre de vin
150 mL	(10 c. à soupe) d'huile d'olive
30 mL	(2 c. à soupe) de crème à 35%
	sel et poivre

Mettre la moutarde, le jaune d'œuf, l'ail, l'échalote et le persil dans un bol; mélanger le tout.
Ajouter le vinaigre, saler et poivrer.
Ajouter l'huile en filet tout en mélangeant avec un fouet de cuisine.
Ajouter la crème et assaisonner au goût. Garder au réfrigérateur.
Note: La vinaigrette doit être épaisse.

Deuxième partie: la salade

1/2	romaine lavée, effeuillée et asséchée
625 mL	(2 1/2 tasses) de nouilles « rotini » cuites*
1	tête de brocoli cuit et coupé en fleurettes
10	olives vertes farcies et coupées en rondelles
8	tomates naines
20	noix pacanes
4	tranches de dinde en julienne
	sel et poivre

Placer les feuilles de laitue sur un plat de service. Mettre tous les autres ingrédients dans un bol à mélanger, ajouter la vinaigrette et assaisonner au goût. Mélanger délicatement.
Servir.
*Nouilles en spirale.

Asperges à la Caesar

(pour 4 personnes)

Première partie: la sauce Caesar

15 mL	(1 c. à soupe) de moutarde de Dijon
4	filets d'anchois hachés et en purée
2	gousses d'ail écrasées et hachées
1	jaune d'œuf
50 mL	(¼ tasse) de vinaigre de vin
180 mL	(¾ tasse) d'huile d'olive
	sel et poivre

Mettre la moutarde, les anchois, l'ail et le jaune d'œuf dans un bol et mélanger le tout avec un fouet de cuisine.

Ajouter le vinaigre, saler, poivrer et mélanger le tout.

Ajouter l'huile, en filet, tout en mélangeant avec le fouet de cuisine.

Assaisonner au goût et placer le tout au réfrigérateur.

Deuxième partie: les asperges

1	boîte d'asperges blanches égouttées
1	boîte d'asperges vertes égouttées
4	tranches de bacon cuit et haché
250 mL	(1 tasse) de croûtons
	quelques feuilles de laitue romaine lavées et asséchées

Placer les feuilles de laitue sur un plat de service.
Disposer les asperges sur la laitue et arroser tout de sauce Caesar.
Parsemer de bacon et de croûtons. Servir.
Note: On peut parsemer le tout de fromage râpé.

Concombre farci au poulet

(pour 4 personnes)

2	poitrines de poulet cuites et coupées en dés
$^{1}/_{2}$	piment rouge coupé en lanières
$^{1}/_{2}$	piment vert coupé en lanières
1	branche de céleri émincée
3	rondelles d'ananas en petits cubes
45 mL	(3 c. à soupe) de mayonnaise
15 mL	(1 c. à soupe) de persil haché
30 mL	(2 c. à soupe) d'amandes effilées
2	concombres évidés
	quelques gouttes de jus de citron

quelques gouttes de sauce Tabasco
sel et poivre

Mettre les dés de poulet dans un bol à mélanger. Ajouter les piments, saler et poivrer.

Ajouter le céleri, la mayonnaise et les ananas; bien mélanger le tout. Ajouter le jus de citron, le persil haché et la sauce Tabasco.

Saler, poivrer l'intérieur des concombres et les farcir avec la salade de poulet. Parsemer le tout d'amandes effilées. Servir froid.

Salade d'épinards et de mandarines

(pour 4 personnes)

3   paquets d'épinards frais, lavés et les tiges coupées
3   mandarines en sections OU: 1 boîte de mandarines égouttées
4   tranches de bacon croustillant, émietté
125 mL (½ tasse) de noix hachées
250 mL (1 tasse) de vinaigrette à la crème sure*
     sel et poivre

Mettre les feuilles d'épinards dans un grand bol à salade.
Note: Il faut bien laver les épinards pour en retirer toute la terre.
Ajouter la vinaigrette; saler, poivrer et bien mélanger le tout.
Ajouter le reste des ingrédients et servir.

*Vinaigrette à la crème sure

2   jaunes d'oeufs
5 mL   (1 c. à thé) de moutarde de Dijon
125 mL (½ tasse) d'huile d'olive
30 mL (2 c. à soupe) de crème sure
     jus de 1 citron
     sel et poivre

Mettre les jaunes d'oeufs dans un bol. Ajouter le jus de citron et la moutarde; mélanger le tout avec un fouet de cuisine.
Saler, poivrer.
Ajouter l'huile, goutte à goutte, tout en mélangeant avec un fouet de cuisine pour obtenir une vinaigrette épaisse.
Ajouter la crème sure, remuer et servir.

Salade d'épinards

(pour 4 personnes)

2	paquets d'épinards frais, lavés et asséchés
1	concombre pelé, évidé et émincé
1	piment rouge lavé et émincé
6	tomates naines coupées en 2
125 mL	(½ tasse) de noix pacanes
125 mL	(½ tasse) de croûtons à l'ail
125 mL	(½ tasse) de fromage feta coupé en dés
6	tranches de bacon croustillant haché
45 mL	(3 c. à soupe) de vinaigre de vin
120 mL	(8 c. à soupe) d'huile d'olive
15 mL	(1 c. à soupe) de persil haché
	quelques gouttes de jus de citron
	sel et poivre

Mettre les feuilles d'épinards dans un grand bol à salade.
Ajouter les concombres, les piments, les tomates et les pacanes.
Saler, poivrer.
Arroser le tout de jus de citron.
Ajouter les croûtons, le fromage et le bacon; mélanger le tout.
Ajouter le vinaigre de vin; mélanger à nouveau.
Ajouter l'huile et le persil.
Assaisonner au goût.
Servir.

Salade de chou à l'allemande

(pour 4 personnes)

1	chou vert finement émincé
1	oignon râpé
2	branches de céléri finement émincées
3	carottes râpées
175 mL	(¾ tasse) de vinaigre blanc
125 mL	(½ tasse) d'huile végétale
125 mL	(½ tasse) de sucre
5 mL	(1 c. à thé) de graines de céléri
	jus de citron
	sel et poivre

Mettre le chou, les oignons, le céleri et les carottes dans un bol à mélanger. Saler, poivrer.
Verser le vinaigre, l'huile et le sucre dans une petite casserole; mélanger le tout et amener à ébullition. Ajouter le jus de citron, les graines de céléri et faire cuire pendant 2 minutes pour faire fondre le sucre.
Verser la marinade sur le chou; bien incorporer le tout.
Arroser la salade de jus de citron et réfrigérer pendant 2 heures. Servir.

Salade de chou
à l'italienne

(pour 4 personnes)

125 mL	(½ tasse) d'huile d'olive
75 mL	(⅓ tasse) de vinaigre de vin
2	gousses d'ail écrasées et hachées
1	oignon finement haché
5 mL	(1 c. à thé) de sucre
1	boîte d'anchois égouttés et hachés
1	petit chou vert finement émincé
2	carottes râpées sel et poivre

Mettre l'huile, le vinaigre, l'ail, l'oignon et le sucre dans une casserole; amener à ébullition et faire cuire pendant 2 minutes. Retirer le tout du feu, ajouter les anchois et mélanger. Mettre le chou émincé et les carottes râpées dans un bol; ajouter la marinade et mélanger le tout.

Saler, poivrer et faire mariner le tout au réfrigérateur pendant 2 heures. Garnir avec des rondelles d'œufs durs.

Servir.

Salade de macaroni

(pour 4 personnes)

500 mL	(2 tasses) de macaroni cuit
1	boîte de thon égoutté et émietté
½	concombre pelé, évidé et émincé
2	tomates coupées en quartiers
8	olives noires dénoyautées
½	piment vert émincé
2	oignons verts hachés
1	oeuf dur
30 mL	(2 c. à soupe) de vinaigre
60 mL	(4 c. à soupe) d'huile
30 mL	(2 c. à soupe) de yogourt
	quelques gouttes de jus de citron
	sel et poivre

Mettre les macaronis cuits dans un bol à mélanger. Ajouter le thon, les concombres et les tomates; saler, poivrer.

Ajouter les piments verts, les oignons verts et le vinaigre; bien mélanger le tout. Ajouter les olives.

Ajouter l'huile et le jus de citron; mélanger le tout. Ajouter le yogourt; mélanger à nouveau.

Verser le tout sur un plat de service. Forcer l'oeuf dur à travers un tamis et décorer la salade. Servir.

Salade de boeuf aux coquilles

(pour 4 personnes)

680 g	(1½ livre) de boeuf dans les hautes côtes, cuit et coupé en lanières
2	tomates coupées en quartiers
1	branche de céleri émincée
1	oignon rouge coupé en rondelles
375 mL	(1½ tasse) de macaroni "coquilles" cuit
50 mL	(¼ tasse) de noix de pins

45 mL	(3 c. à soupe) de vinaigre de vin
1	gousse d'ail écrasée et hachée
15 mL	(1 c. à soupe) de moutarde de Dijon
135 mL	(9 c. à soupe) d'huile d'olive
	quelques gouttes de jus de citron
	sel et poivre
	feuilles de laitue pour la présentation
	persil haché

Mettre dans un bol à mélanger, la viande, les tomates, le céleri, les oignons et les coquilles cuites. Saler, poivrer et bien mélanger le tout. Mettre de côté.

Mettre dans un bol, la moutarde, l'ail et le vinaigre. Saler, poivrer. Ajouter l'huile, goutte à goutte, tout en mélangeant avec un fouet de cuisine. Ajouter le persil haché et assaisonner au goût. Arroser le tout de jus de citron. Verser la vinaigrette sur la viande et mélanger à nouveau. Faire mariner pendant 15 minutes. Servir sur des feuilles de laitue. Garnir de noix de pins.

Salade de riz
à la chair de crabe

(pour 4 personnes)

500 mL	(2 tasses) de riz à grains longs cuit
1	grosse boîte de chair de crabe égouttée
30 mL	(2 c. à soupe) de mayonnaise
45 mL	(3 c. à soupe) d'huile
15 mL	(1 c. à soupe) de vinaigre de vin
5 mL	(1 c. à thé) de moutarde de Dijon
15 mL	(1 c. à soupe) de persil haché
250 mL	(1 tasse) d'olives noires
125 mL	(½ tasse) de piments doux marinés et hachés quelques gouttes de sauce Worcestershire sel et poivre

Mélanger le riz cuit et la chair de crabe; saler, poivrer.

Mettre la mayonnaise dans un petit bol. Ajouter la moutarde, le vinaigre de vin et la sauce Worcestershire; mélanger le tout.

Ajouter l'huile, le persil haché, saler, poivrer et bien mélanger le tout.

Verser le mélange sur le riz et poivrer fortement.

Ajouter les piments et servir sur des feuilles de laitue.

Garnir le tout d'olives noires.

Salade de riz

(pour 4 personnes)

250 mL	(1 tasse) de riz à grains longs, lavé et égoutté
12	tomates naines coupées en 2
1	piment vert émincé
1	concombre évidé et coupé en rondelles
2 mL	(½ c. à thé) de cannelle
15 mL	(1 c. à soupe) de beurre
45 mL	(3 c. à soupe) d'oignons hachés
375 mL	(1½ tasse) de bouillon de poulet chaud
30 mL	(2 c. à soupe) de vinaigre
45 mL	(3 c. à soupe) d'huile d'olive
30 mL	(2 c. à soupe) de yogourt
15 mL	(1 c. à soupe) de persil haché
	sel et poivre

Préchauffer le four à 180°C (350°F).

Faire chauffer le beurre dans une casserole allant au four. Ajouter les oignons et les faire cuire 2 minutes. Ajouter le riz et la cannelle; faire cuire 3 minutes.

Ajouter le bouillon de poulet chaud et amener à ébullition; couvrir et faire cuire au four pendant 18 minutes.

Retirer la casserole du four et laisser refroidir le riz de 7 à 8 minutes.

Mettre le riz tiède dans un bol à salade. Ajouter les piments verts, les concombres et les tomates. Saler, poivrer.

Ajouter le vinaigre et l'huile d'olive; mélanger le tout.

Ajouter le yogourt et le persil haché.

Assaisonner au goût et servir.

Salade au poivre vert

(pour 4 personnes)

1	laitue romaine, lavée et asséchée
2	carottes râpées
375 mL	(1½ tasse) de dinde coupée en dés (viande brune)
1	branche de céleri émincée
20	champignons, lavés et émincés
1	piment rouge émincé
4	œufs durs coupés en quartiers
1	boîte d'asperges blanches égouttées
1	recette de vinaigrette au poivre vert*

74

sel et poivre

Placer les feuilles de laitue sur un plat de service.

Dans un bol, mettre les carottes, les dés de dinde, le céleri, les champignons et le piment rouge. Saler, poivrer et ajouter la vinaigrette. Mélanger le tout délicatement. Placer le mélange sur les feuilles de laitue et garnir le tout avec les quartiers d'œufs et les asperges.

Poivrer fortement et servir.

*Vinaigrette au poivre vert:

15 mL	(1 c. à soupe) de poivre vert frais dans la

saumure

15 mL	(1 c. à soupe) de moutarde de Dijon
1	jaune d'œuf
45 mL	(3 c. à soupe) de vinaigre de vin
125 mL	(½ tasse) d'huile d'oliv<
	sel

Mettre le poivre vert, la moutard< et le jaune d'œuf dans un bo< mélanger le tout.

Ajouter le vinaigre et écraser le< grains de poivre; mélanger à nou< veau et saler.

Ajouter l'huile en filet tout e< mélangeant avec un fouet d< cuisine.

Attention: cette sauce ne se cor< serve pas plus de 24 heures.

Technique de la vinaigrette au poivre vert

Mettre le poivre vert dans un bol.

2. Ajouter la moutarde de Dijon.

Ajouter le jaune d'oeuf.

4. Ajouter le vinaigre de vin rouge et écraser le poivre vert tout en mélangeant avec un pilon.

Bien mélanger le tout avant d'ajouter l'huile.

6. Ajouter l'huile en filet tout en mélangeant avec un fouet de cuisine. Saler.

Salade de macaroni plume au poulet

(pour 4 personnes)

500 mL	(2 tasses) de macaroni "plume" cuits
1	avocat pelé et coupé en quartiers
1	piment rouge émincé
2	pommes évidées, pelées et émincées
1	poitrine de poulet

cuite et émincée
125 mL (½ tasse) de vinaigrette à l'estragon*
quelques gouttes de jus de citron
noix et raisins secs
sel et poivre

Mettre les macaronis cuits dans un bol à mélanger.

Ajouter les avocats et les piments rouges; saler, poivrer et arroser le tout de jus de citron.

Ajouter les pommes et le poulet; incorporer le tout.

Ajouter la vinaigrette et assaisonner au goût.

Verser la salade dans un plat de service. Parsemer le tout de noix et de raisins. Servir.

Technique de la vinaigrette à l'estragon

* Vinaigrette à l'estragon:

15 mL	(1 c. à soupe) de moutarde de Dijon
30 mL	(2 c. à soupe) d'oignons verts hachés
15 mL	(1 c. à soupe) d'estragon haché
1	jaune d'oeuf
60 mL	(4 c. à soupe) de vinaigre à l'estragon

120 mL (8 c. à soupe) d'huile d'olive
quelques gouttes de sauce Worcestershire
sel et poivre

Mettre la moutarde et les oignons verts dans un bol à mélanger. Poivrer généreusement. Ajouter l'estragon. Ajouter le vinaigre à l'estragon; mélanger le tout. Ajouter l'huile en filet tout en mélangeant avec un fouet de cuisine.

Ajouter le jaune d'oeuf et la sauce Worcestershire; mélanger à nouveau. Corriger l'assaisonnement.

Verser la vinaigrette sur les macaronis.

Décorer la salade avec des quartiers de tomates (facultatif).

1. Mettre la moutarde, les oignons verts, l'estragon et le poivre dans un bol à mélanger.

2. Ajouter le vinaigre à l'estragon.

3. Remuer le tout avec un fouet de cuisine.

4. Ajouter l'huile en filet tout en mélangeant avec le fouet.

5. Ajouter le jaune d'oeuf.

6. Ajouter la sauce Worcestershire.

Salade du chef

(pour 4 personnes)

2	pommes évidées et émincées
1	piment vert émincé
2	oignons verts hachés
1	branche de céleri émincée
18	tomates naines coupées en deux
½	concombre pelé, évidé et émincé
12	asperges cuites et coupées en morceaux de 2,5 cm (1 po.) sel et poivre

jus de citron

Ingrédients de la sauce:

45 mL	(3 c. à soupe) de piments doux hachés
45 mL	(3 c. à soupe) de cornichons hachés
45 mL	(3 c. à soupe) d'oignons hachés
125 mL	(½ tasse) de ketchup
5 mL	(1 c. à thé) de raifort
50 mL	(¼ tasse) de mayonnaise

30 mL	(2 c. à soupe) de crème sure paprika jus de citron

Mettre les pommes, les piments, les oignons, le céleri, les tomates, les concombres et les asperges dans un bol. Saler, poivrer et arroser de jus de citron. Mettre tous les ingrédients de la sauce dans un bol et bien les mélanger. Verser la sauce sur les légumes. Corriger l'assaisonnement et mélanger le tout. Servir sur des feuilles de laitue.

Technique de la salade du chef

1. Mettre les piments doux dans un bol.

2. Ajouter les cornichons hachés.

3. Ajouter les oignons hachés.

4. Ajouter le ketchup et le raifort.

5. *Ajouter la mayonnaise et le paprika.*

6. *Mélanger le tout et ajouter la crème sure.*

OEUFS ET CRÊPES

Crêpes farcies aux aubergines

(pour 4 personnes)

Première partie: la pâte à crêpe

250 mL (1 tasse) de farine tout usage
3   œufs
180 mL (³/₄ tasse) de lait
180 mL (³/₄ tasse) d'eau
15 mL   (1 c. à soupe) d'huile
        une pincée de sel

Tamiser la farine et le sel dans un bol à mélanger. Ajouter le lait et l'eau; mélanger le tout avec un fouet de cuisine. Ajouter les œufs et mélanger à nouveau. Ajouter l'huile et mélanger. Couvrir la pâte avec un papier ciré placé directement sur la pâte.
Réfrigérer pendant 1 heure.

Deuxième partie: la farce

30 mL   (2 c. à soupe) d'huile
1   oignon haché
1   aubergine pelée et coupée en dés
1   boîte de tomates, 796 mL (28 onces), égouttées et hachées
115 g   (¹/₄ livre) de bœuf haché
2   gousses d'ail, écrasées et hachées
12   tranches de fromage mozzarella
500 mL (2 tasses) de sauce blanche, pas trop épaisse
        sel et poivre

Préchauffer le four à 190°C (375°F).

Faire chauffer l'huile dans une sauteuse, à feu moyen.
Ajouter les oignons et les faire cuire à feu moyen de 2 à 3 minutes. Ajouter les aubergines et l'ail. Saler, poivrer et mélanger le tout. Couvrir et faire cuire pendant 20 minutes en remuant de temps en temps. Ajouter les tomates et mélanger le tout. Ajouter la viande et assaisonner au goût; faire cuire à feu doux de 30 à 35 minutes. Farcir les crêpes avec le mélange, ajouter le fromage et rouler les crêpes. Placer les crêpes roulées dans un plat allant au four, les recouvrir de sauce et les garnir de tranches de fromage. Faire cuire au four pendant 15 minutes. Servir.

Technique des crêpes farcies aux aubergines

1. Mettre les oignons dans une sauteuse contenant de l'huile chaude.

2. Ajouter les aubergines.

3. Ajouter l'ail.

4. Ajouter les tomates.

5. *Ajouter la viande hachée.*

6. *Farcir les crêpes avec le mélange.*

7. *Placer une tranche de fromage sur le mélange d'aubergines et rouler les crêpes.*

Crêpes aux crevettes

(pour 4 personnes)

Première partie:
les crêpes

250 mL	(1 tasse) de farine tout usage
	une pincée de sel
3	œufs entiers
50 mL	(¹/₄ tasse) d'eau
250 mL	(1 tasse) de lait
50 mL	(2 c. à soupe) d'huile végétale

Tamiser la farine et le sel dans un bol. Ajouter les œufs et l'eau; mélanger le tout avec un fouet de cuisine.

Ajouter le lait, bien mélanger et passer le tout au tamis.

Ajouter l'huile, mélanger couvrir la pâte avec un papier ciré. Réfrigérer pendant 1 heure.

Beurrer une poêle à crêpe et la faire chauffer à feu moyen. À l'aide d'une petite louche, verser de la pâte dans la poêle et faire cuire chaque crêpe 2 minutes de chaque côté.

Deuxième partie:
la garniture

45 mL	(3 c. à soupe) de margarine
2	oignons verts hachés
10	champignons hachés
450 g	(1 livre) de petites crevettes entières
45 mL	(3 c. à soupe) de farine
750 mL	(3 tasses) de lait chaud
45 mL	(3 c. à soupe) de fromage parmesan râpé
	sel et poivre
	une pincée de muscade

Préchauffer le four à 200°C (400°F).

A feu moyen, faire chauffer la margarine dans une casserole. Ajouter les oignons et les champignons; saler et poivrer. Couvrir et faire cuire pendant 2 minutes. Ajouter la farine, mélanger et continuer la cuisson pendant 2 minutes.

Ajouter le lait chaud et mélanger le tout.

Ajouter la muscade et faire cuire à feu doux de 7 à 8 minutes. Ajouter les crevettes et faire mijoter à feu très doux de 2 à 3 minutes.

Beurrer un plat à gratin. Farcir les crêpes avec 30 mL (2 c. à soupe) de garniture. Rouler les crêpes et les placer dans le plat beurré; recouvrir le tout de sauce, parsemer de fromage et faire cuire au four pendant 4 minutes. Servir.

Quiche aux oignons

(pour 4 à 6 personnes)

Première partie: la pâte

500 mL (2 tasses) de farine
175 mL (¾ tasse) de saindoux
1 oeuf battu
une grosse pincée de sel
eau froide si nécessaire

Tamiser la farine et le sel dans un bol à mélanger. Faire un trou au milieu de la farine et y mettre le saindoux.

Incorporer le saindoux à la farine à l'aide d'un couteau à pâte.

Note: Vous devez obtenir un mélange granulé.

Ajouter l'oeuf et l'eau froide et former une boule avec le mélange. Envelopper la pâte dans un papier ciré et la faire reposer au réfrigérateur pendant 1 heure.

Retirer la pâte du réfrigérateur et la laisser reposer 10 minutes à la température de la pièce.
Rouler la moitié de la pâte et foncer un moule à tarte.
Mettre de côté.
Note: On peut congeler le reste de la pâte.

Préparation de la garniture:

4 oignons d'Espagne, émincés
45 mL (3 c. à soupe) de beurre
30 mL (2 c. à soupe) de farine
5 mL (1 c. à thé) de sauce Worcestershire
15 mL (1 c. à soupe) de persil haché
2 oeufs battus
125 mL (½ tasse) de crème

à 35%
1 mL (¼ c. à thé) de muscade
sel et poivre

Faire chauffer le beurre dans une sauteuse à feu moyen.
Ajouter les oignons et les faire cuire de 8 à 10 minutes.
Note: Il faut faire brunir les oignons. Ajouter la farine, bien mélanger et continuer la cuisson à feu doux de 3 à 4 minutes. Retirer la sauteuse du feu et verser le mélange dans un bol. Ajouter la sauce Worcestershire et le persil; mélanger le tout.
Verser le mélange dans le fond de tarte et l'aplatir avec une spatule.
Mélanger les oeufs et la crème et ajouter la muscade.
Verser le tout sur les oignons.
Faire cuire au four pendant 30 minutes. Servir.

Soufflé aux courgettes

(pour 4 personnes)

4	courgettes lavées
45 mL	(3 c. à soupe) de beurre
1	échalote hachée
2	pommes de terre cuites avec la peau et pelées
2	jaunes d'oeufs
3	blancs d'oeufs battus en neige très ferme
50 mL	(¼ tasse) de fromage mozzarella râpé
1 mL	(¼ c. à thé) de muscade

sel et poivre

Préchauffer le four à 190°C (375°F).

À l'aide d'un couteau d'office, faire une incision tout autour de la courgette dans le sens de la longueur.

Évider les courgettes. Hacher la chair et la mettre de côté.

Faire chauffer 15 mL (1 c. à soupe) de beurre dans une casserole. Ajouter la chair des courgettes et saler, poivrer.

Ajouter les échalotes, couvrir et faire cuire de 8 à 10 minutes.

Ajouter les pommes de terre chaudes, couvrir et faire cuire 3 minutes.

Passer le tout au moulin à légumes.

Ajouter le reste du beurre au mélange et incorporer les jaunes d'oeufs.

Ajouter le fromage et la muscade; mélanger le tout.

Incorporer les blancs d'oeufs battus en utilisant une spatule.

Farcir les courgettes avec le mélange et les faire cuire au four de 18 à 20 minutes.

Servir.

Soufflé d'oeufs

(pour 4 personnes)

œufs
mL (1 c. à soupe) d'oignon
haché
mL (⅓ tasse) de farine tout
usage
mL (¼ tasse) de fromage
cheddar coupé en
cubes
mL (¼ tasse) de fromage

suisse coupé en dés
5 mL (1 c. à thé) de poudre
à pâte
30 mL (2 c. à soupe) d'huile
végétale
sel et poivre

Tamiser la farine, la poudre à
pâte, le sel et le poivre dans un
bol.

Ajouter les œufs et bien mélanger le tout.
Ajouter tous les autres ingrédients (sauf l'huile végétale) et
mélanger.
À l'aide d'une cuillère à soupe,
verser de la pâte dans une poêle
à frire contenant de l'huile chaude et faire cuire le tout 2 minutes
de chaque côté.
Servir comme entrée ou avec un
rôti.

Omelette aux pommes de terre

(pour 2 personnes)

4	œufs battus avec une fourchette
30 mL	(2 c. à soupe) de lait
4	tranches de bacon enrobées de farine de maïs
2	pommes de terre cuites avec la peau et coupées en rondelles
15 mL	(1 c. à soupe) de beurre
15 mL	(1 c. à soupe) d'huile
5 mL	(1 c. à thé) de persil haché

sel et poivre

Préchauffer le four à 190°C (375°F).

Placer les tranches de bacon sur une grille et les faire cuire au four, à broil, pendant 5 minutes.

Retirer le bacon du four et le couper en lanières.

À feu moyen, faire chauffer l'huile dans une poêle à frire. Ajouter les pommes de terre, saler, poivrer et faire cuire 3 minutes de chaque côté.

Ajouter la moitié du bacon et le persil; saler, poivrer et faire cui pendant 2 minutes.

Tenir au chaud.

Mélanger le lait et les œufs ba tus.

À feu vif, faire chauffer le beur dans une poêle.

Ajouter les œufs et le reste du b con; faire cuire le tout très ra dement tout en mélangeant av une fourchette et en secouant poêle.

Après 1 à 2 minutes de cuisso rouler l'omelette sur elle-même servir avec les pommes de terr

Omelette au bacon de maïs

(our 2 personnes)

oignon vert émincé
tranches de bacon au
maïs*
œufs
mL   (3 c. à soupe) d'eau
mL   (1 c. à soupe) de persil
      haché
mL   (1 c. à soupe) de
      ciboulette hachée
mL   (2 c. à soupe) de

margarine
sel et poivre

Placer les tranches de bacon sur
la grille du four et les faire cuire
au four à « broil » de 2 à 3 minutes de chaque côté. Mettre les
œufs dans un bol à mélanger,
ajouter l'eau, le persil, la ciboulette et les oignons verts. Saler,
poivrer et mélanger le tout avec
une fourchette.

Faire chauffer la margarine dans
une poêle à omelette, à feu
moyen. Ajouter les œufs et se-
couer vigoureusement la poêle
tout en mélangeant les œufs
avec une fourchette; faire cuire le
tout pendant 2 minutes.
Plier l'omelette sur elle-même à
l'aide d'une fourchette. Servir
avec les tranches de bacon et
des pommes de terre sautées.
*Bacon enrobé de farine de maïs.

Oeufs, sauce aux oignons

(pour 4 personnes)

5 mL	(1 c. à thé) d'huile
30 mL	(2 c. à soupe) de beurre
1	oignon d'Espagne coupé en dés
5 mL	(1 c. à thé) de persil haché
1	petite gousse d'ail, écrasée et hachée
250 mL	(1 tasse) de sauce brune chaude (commerciale ou maison)
8	oeufs battus
1	tête de brocoli cuit à la vapeur de 7 à 10 minutes
	sel et poivre

Faire chauffer l'huile dans une poêle à frire, à feu moyen.

Ajouter les oignons et les faire cuire de 4 à 5 minutes.

Ajouter le persil et l'ail, continuer la cuisson pendant 2 minutes. Ajouter le persil et l'ail; continuer la cuisson pendant 2 minutes. Ajouter la sauce et mélanger le tout. Assaisonner à goût et faire mijoter à feu très doux pendant 3 minutes. Retirer la poêle du feu et mettre de côté.

Faire chauffer le beurre dans une poêle à frire.

Ajouter les oeufs battus; saler, poivrer et faire cuire de 2 à 3 minutes tout en les mélangeant avec une cuillère de bois.

Dès que les oeufs sont cuits, ajouter la sauce aux oignons; mélanger le tout délicatement. Servir avec du brocoli.

Oeufs à l'espagnole

(pour 4 personnes)

4	tomates coupées en deux et arrosées de jus de citron
5 mL	(1 c. à thé) d'huile d'olive
30 mL	(2 c. à soupe) de beurre
25	champignons lavés et coupés en dés
2	échalotes hachées
4	oeufs battus
4	tranches de bacon

croustillant coupées en dés

sel et poivre

Préchauffer le four à 180° C (350°F).

Placer les demi-tomates dans un plat allant au four; saler, poivrer et les arroser d'huile d'olive.

Faire cuire au four de 7 à 8 minutes (5 minutes au micro-onde).

Retirer du four et mettre de côté.

Faire fondre le beurre dans une poêle en téflon sur un feu vif.

Ajouter les champignons et les faire cuire 2 minutes.

Saler, poivrer.

Ajouter les échalotes, faire cuire 2 minutes.

Ajouter les oeufs battus, mélanger le tout avec une cuillère en bois ou une spatule; faire cuire à feu vif pendant 2 minutes.

Saler, poivrer, farcir les tomates et garnir le tout de bacon.

Servir.

Oeufs durs au safran

(pour 4 personnes)

8	oeufs cuits durs
45 mL	(3 c. à soupe) de beurre
60 mL	(4 c. à soupe) de farine
375 mL	(1½ tasse) de lait chaud
1 mL	(¼ c. à thé) de safran

1 mL	(¼ c. à thé) de muscade
50 mL	(¼ tasse) de fromage parmesan râpé
	sel et poivre

Préchauffer le four à 190°C (375°F).

Couper les oeufs en deux.

Placer les blancs dans un plat à gratin et les mettre de côté.

Passer les jaunes d'oeufs au tamis en les pressant avec le dos d'une cuillère. Mettre de côté.

Faire fondre le beurre dans une casserole, à feu moyen. Ajouter la farine, mélanger et faire cuire le tout à feu doux pendant 2 minutes.

Ajouter la moitié du lait chaud; saler, poivrer et prolonger la cuisson à feu doux pendant 4 minutes pour obtenir une sauce de consistance très épaisse.

Verser la moitié de la sauce dans le bol contenant les jaunes d'oeufs et mélanger le tout. Mettre de côté.

Ajouter le reste du lait chaud à la casserole contenant le reste de la sauce; mélanger le tout et assaisonner au goût.

Ajouter le safran et la muscade; faire mijoter la sauce à feu doux de 10 à 12 minutes. ATTENTION: la sauce ne doit pas devenir trop épaisse. Si nécessaire, ajouter du lait chaud.

Farcir les blancs d'oeufs avec le mélange de jaunes d'oeufs.

Replacer les blancs farcis dans le plat à gratin et recouvrir le tout de sauce.

Parsemer de fromage râpé et faire cuire au four pendant 15 minutes.

Servir.

Riz au safran

(pour 4 personnes)

250 mL	(1 tasse) de riz à grains longs
15 mL	(1 c. à soupe) de beurre
30 mL	(2 c. à soupe) d'oignons hachés
	une pincée de safran
375 mL	(1½ tasse) de bouillon

	de poulet chaud
1	feuille de laurier
	sel et poivre

Préchauffer le four à 180°C (350°F).

Faire chauffer le beurre dans une casserole allant au four.

Ajouter les oignons et faire cuire pendant 2 minutes.

Ajouter le safran et le riz, mélanger et faire cuire pendant 2 minutes.

Ajouter le bouillon de poulet chaud.

Mélanger le tout.

Ajouter la feuille de laurier et faire cuire au four de 17 à 18 minutes.

Oeufs à la Hussard

(pour 4 personnes)

4	oeufs
12	tranches de bacon croustillant
15 mL	(1 c. à soupe) d'huile
30 mL	(2 c. à soupe) de beurre
45 mL	(3 c. à soupe) d'oignons hachés
227 g	(½ livre) de champignons hachés
2	tomates pelées et hachées
1	gousse d'ail écrasée et hachée
15 mL	(1 c. à soupe) de persil haché
22 mL	(1½ c. à soupe) de pâte de tomates sel et poivre

Préchauffer le four à 120°C (250°F).

Faire chauffer l'huile dans une sauteuse, à feu moyen.

Ajouter les oignons; faire cuire 3 minutes.

Ajouter les champignons; saler, poivrer et faire cuire à feu vif de 4 à 5 minutes.

Ajouter les tomates et l'ail; mélanger et faire cuire de 3 à 4 minutes. Parsemer de persil haché.

Ajouter la pâte de tomates; assaisonner au goût et mélanger le tout. Tenir au chaud dans le four.

Faire fondre le beurre dans une poêle, y casser les oeufs et les couvrir.

Faire cuire à feu moyen pendant 3 minutes.

Servir les oeufs sur la sauce et accompagner le tout de bacon.

93

Oeufs brouillés

(pour 4 personnes)

45 mL	(3 c. à soupe) de beurre
4	tranches de bacon en lanières, enrobées de farine de maïs
227 g	(¹/₂ livre) de champignons, lavés et émincés
6	œufs battus à la fourchette
30 mL	(2 c. à soupe) de lait
4	brioches à la cannelle, coupées en deux et grillées
	sel et poivre

Faire chauffer 15 mL (1 c. à soupe) de beurre dans une poêle à frire, à feu moyen. Ajouter les lanières de bacon et faire cuire pendant 3 minutes. Ajouter les champignons, saler, poivrer et continuer la cuisson pendant 3 minutes.

Retirer le tout de la poêle et tenir au chaud dans un four à 40°C (100°F). Verser le lait dans les œufs battus et mélanger le tout. Faire fondre le reste du beurre dans la poêle.

Ajouter les œufs et mélanger le tout avec une fourchette tout en secouant la poêle.

Saler, poivrer et faire cuire pendant 2 minutes. Servir avec les champignons, le bacon et les brioches.

Tomates farcies aux oeufs durs

(pour 4 personnes)

4	tomates évidées
6	œufs cuits dur
1	branche de céleri coupée en petits dés
¹/₂	pomme pelée et coupée en petits dés
45 mL	(3 c. à soupe) de

mayonnaise
quelques gouttes de
sauce Tabasco
sel et poivre
huile

Saler, poivrer l'intérieur des tomates et verser quelques gouttes d'huile dans les tomates évidées. Mettre de côté.

Hacher les œufs et les mettre dans un bol à mélanger.

Ajouter le reste des ingrédients, saler, poivrer et bien mélanger le tout.

Farcir les tomates évidées avec le mélange d'œufs et les placer sur un plat de service recouvert de feuilles de laitue.

Servir.

RIZ ET PÂTES ALIMENTAIRES

Riz aux herbes

(pour 4 personnes)

15 mL	(1 c. à soupe) de beurre
30 mL	(2 c. à soupe) de ciboulette hachée
15 mL	(1 c. à soupe) de persil haché
3 mL	(¹/₂ c. à thé) de romarin
2	oignons verts finement hachés
250 mL	(1 tasse) de riz à grains longs
375 mL	(1¹/₂ tasse) de bouillon de poulet chaud
	sel et poivre

Préchauffer le four à 180°C (350°F).

A feu moyen, faire chauffer le beurre dans une casserole allant au four. Ajouter le riz, les oignons verts et les herbes; saler, poivrer et bien mélanger le tout.

Faire cuire à feu doux de 2 à 3 minutes.

Ajouter le bouillon de poulet chaud, couvrir et amener à ébullition; faire cuire au four pendant 18 minutes. Servir.

Croquettes de riz

(pour 4 personnes)

250 mL (1 tasse) de riz à long grain
500 mL (2 tasses) de lait chaud
30 mL (2 c. à soupe) de persil haché
250 mL (1 tasse) de viande de boeuf haché, cuite
125 mL (½ tasse) de fromage parmesan râpé
1 oeuf battu
45 mL (3 c. à soupe) de crème à 35%
30 mL (2 c. à soupe) de farine sel et poivre

Mettre le riz dans une casserole contenant du lait chaud; saler, poivrer et amener le tout à ébullition. Faire cuire le riz à feu doux jusqu'à ce qu'il absorbe complètement le lait.

Retirer la casserole du feu. Ajouter le persil et la viande cuite; mélanger le tout.

Ajouter le fromage et la farine; bien mélanger.

Ajouter l'oeuf battu et la crème. Remettre la casserole sur l'élément du feu; faire cuire le mélange de 3 à 4 minutes tout en mélangeant avec une cuillère en bois. Retirer le tout du feu et laisser refroidir au réfrigérateur de 3 à 4 heures.

Former les croquettes.

Deuxième partie:

250 mL (1 tasse) de farine
2 oeufs battus
250 mL (1 tasse) de biscuits soda écrasés
huile d'arachide pour la friture chauffée à 180°C (350°F)

Rouler les croquettes dans la farine, les tremper dans les oeufs battus et les enrober de chapelure de biscuits soda.

Plonger les croquettes pendant 3 minutes dans l'huile chaude. Servir.

Riz aux moules

(pour 4 personnes)

1,5 L	(6 tasses) de moules brossées et lavées
500 mL	(2 tasses) d'eau froide
30 mL	(2 c. à soupe) d'huile d'olive
2	oignons hachés
15 mL	(1 c. à soupe) de persil haché
1	poireau émincé (le blanc seulement)
2	tomates coupées en quartiers
1	gousse d'ail écrasée et hachée
250 mL	(1 tasse) de riz lavé
250 mL	(1 tasse) de bouillon de poulet chaud
1 mL	(¼ c. à thé) de fenouil sel et poivre

Préchauffer le four à 180°C (350°F).

Mettre les moules dans une casserole. Ajouter l'eau froide; couvrir et faire cuire de 4 à 5 minutes à feu moyen pour faire ouvrir les moules. Remuer le tout une fois pendant la cuisson.

Retirer et égoutter les moules. Mettre de côté.

Faire chauffer l'huile dans une sauteuse, à feu moyen. Ajouter les oignons et le persil; faire cuire de 2 à 3 minutes.

Ajouter les poireaux et continuer la cuisson de 2 à 3 minutes.

Ajouter les tomates, l'ail et le fenouil; mélanger le tout.

Ajouter le riz et le bouillon de poulet; couvrir et faire cuire au four pendant 18 minutes.

4 minutes avant la fin de la cuisson, ajouter les moules et couvrir.

Technique du riz aux moules

1. Mettre les oignons et le persil dans une sauteuse.

2. Ajouter les poireaux.

3. Ajouter les tomates et faire cuire le tout.

4. Ajouter le riz; saler, poivrer.

5. Faire cuire les moules de 4 à 5 minutes pour les faire ouvrir.

Riz à l'ail et au safran

(pour 4 personnes)

250 mL	(1 tasse) de riz à grains longs, lavé et égoutté
15 mL	(1 c. à soupe) de beurre
45 mL	(3 c. à soupe) d'oignons hachés
1 mL	(1 c. à thé) de safran
1	gousse d'ail écrasée et hachée
375 mL	(1½ tasse) de bouillon

	de poulet chaud
½	piment vert coupé en tranches
½	piment rouge coupé en tranches
	sel et poivre

Préchauffer le four à 180°C (350°F).
Faire chauffer le beurre dans une casserole allant au four.

Ajouter les oignons et l'ail; faire cuire 2 minutes.
Ajouter le riz, mélanger et faire cuire à feu vif de 3 à 4 minutes.
Ajouter le safran et le bouillon de poulet; saler, poivrer.
Couvrir et faire cuire au four pendant 18 minutes.
6 minutes avant la fin de la cuisson, ajouter les piments.
Servir.

Riz pilaf au poulet

(pour 4 personnes)

15 mL	(1 c. à soupe) de beurre
15 mL	(1 c. à soupe) de persil
45 mL	(3 c. à soupe) d'oignons hachés
250 mL	(1 tasse) de riz à grains longs lavé
1	boîte de tomates de 796 mL (28 onces), égouttées et hachées
375 mL	(1½ tasse) de poulet cuit émincé
1	feuille de laurier
2 mL	(½ c. à thé) d'estragon
300 mL	(1¼ tasse) de bouillon de poulet chaud
125 mL	(½ tasse) de petits pois verts cuits
15 mL	(1 c. à soupe) de beurre sel et poivre

Préchauffer le four à 180ºC (350ºF).

Mettre 15 mL (1 c. à soupe) de beurre et le persil dans une casserole allant au four.

Dès que le beurre est fondu, ajouter les oignons et les faire cuire pendant 3 minutes.

Ajouter le riz, mélanger et faire cuire pendant 3 minutes pour le brunir.

Saler, poivrer.

Ajouter les tomates; mélanger le tout.

Ajouter les morceaux de poulet, les épices et le bouillon de poulet; couvrir et faire cuire au four pendant 18 minutes.

5 minutes avant la fin de la cuisson, ajouter les petits pois.

Dès que le riz est cuit, le retirer du four et ajouter 15 mL (1 c. à soupe) de beurre. Mélanger le tout avec une fourchette.

Servir.

Technique du riz pilaf au poulet

1. Mettre le beurre et le persil dans une casserole allant au four.

2. Ajouter les oignons hachés.

3. Ajouter le riz et mélanger le tout.

4. Faire brunir le riz pendant 3 minutes.

5. Ajouter les tomates.

6. *Ajouter les morceaux de poulet.*

7. *Ajouter les épices; mélanger de nouveau.*

8. *Ajouter le bouillon de poulet chaud.*

9. *5 minutes avant la fin de la cuisson, ajouter les petits pois.*

10. *Ajouter un morceau de beurre; mélanger le tout.*

Macaroni aux anchois

(pour 4 personnes)

1	paquet de macaroni
30 mL	(2 c. à soupe) d'huile d'olive
1	petite boîte de filets d'anchois égouttés et hachés
375 mL	(1½ tasse) de fondue de tomates*
30 mL	(2 c. à soupe) de beurre
50 mL	(¼ tasse) de fromage gruyère râpé
	sel et poivre

Faire cuire les macaroni jusqu'à ce qu'ils soient presque cuits et encore fermes.

Bien égoutter les macaroni et les placer dans une casserole légèrement beurrée. Saler, poivrer; cou-vrir et faire gonfler pendant quelques minutes à feu très doux.

Verser l'huile dans une sauteuse. Ajouter les anchois et faire cuire pendant 3 minutes. Dès que les anchois commencent à former une pâte, ajouter la fondue de tomates. Mélanger le tout.

Mettre le reste du beurre dans la casserole contenant les maca-roni; bien mélanger le tout.

Verser les macaroni dans la fondue de tomates, mélanger et faire cuire à feu très doux de 6 à 7 minutes.

Parsemer le tout de fromage râpé. Servir.

*Fondue de tomates:

15 mL	(1 c. à soupe) d'huile d'olive
1	oignon finement haché
1	gousse d'ail écrasée et hachée
1	boîte 796 mL (28 onces) de tomates égouttées et hachées
30 mL	(2 c. à soupe) de pâte de tomates
1 mL	(¼ c. à thé) d'origan une pincée de sucre sel et poivre

Faire chauffer l'huile dans une sauteuse, à feu moyen.

Ajouter les oignons et l'ail; faire cuire pendant 2 minutes.

Ajouter les tomates et tous les autres ingrédients; faire cuire à feu doux de 10 à 12 minutes.

Assaisonner au goût et servir.

Boulettes de viande et nouilles avec sauce brune

30 mL	(2 c. à soupe) d'huile
45 mL	(3 c. à soupe) de farine
500 mL	(2 tasses) de bouillon de bœuf chaud
1	paquet de nouilles aux œufs, cuites selon le mode d'emploi sur le paquet
	quelques gouttes de sauce Tabasco
	quelques gouttes de sauce Worcestershire
	sel et poivre

(pour 4 personnes)

	œuf
0 g	(1 livre) de bœuf haché

Mettre le bœuf haché dans un bol à mélanger. Ajouter la sauce Tabasco et la sauce Worcestershire; mélanger le tout.

Ajouter l'œuf entier et saler, poivrer; bien mélanger la viande pendant 2 minutes.

Former des petites boulettes.

Faire chauffer l'huile dans une poêle. Ajouter les boulettes et les faire cuire de 2 à 3 minutes pour les saisir dans tous les sens. Ajouter la farine et mélanger le tout rapidement.

Ajouter le bouillon de bœuf et mélanger délicatement pour ne pas briser les boulettes. Assaisonner au goût et faire mijoter pendant 4 minutes. Servir sur des nouilles aux œufs.

Gratin de poulet ou de dinde aux spirales

(pour 4 personnes)

30 mL	(2 c. à soupe) de beurre
1	oignon rouge haché
227 g	(½ livre) de champignons hachés
1	boîte 796 mL (28 onces) de tomates égouttées et hachées
250 mL	(1 tasse) de bouillon de poulet chaud
1	gousse d'ail écrasée et hachée
375 mL	(1½ tasse) de dinde ou de poulet cuit coupé en gros dés
370 mL	(1½ tasse) de nouilles spirales cuites
30 mL	(2 c. à soupe) de fromage parmesan râpé
15 mL	(1 c. à soupe) de chapelure
	sel et poivre

Préchauffer le four à 200°C (400°F).

Faire chauffer le beurre dans une sauteuse, à feu moyen. Ajouter les oignons et les faire cuire pendant 3 minutes.

Ajouter les champignons; saler, poivrer. Faire cuire à feu vif pendant 4 minutes.

Ajouter les tomates; mélanger le tout.

Ajouter le bouillon de poulet et l'ail; amener à ébullition et faire cuire de 7 à 8 minutes.

Ajouter les morceaux de poulet ou de dinde. Ajouter les spirales; bien mélanger et assaisonner au goût. Faire mijoter pendant quelques minutes.

Verser le tout dans un plat allant au four. Parsemer le mélange de fromage râpé et de chapelure.

Faire cuire au four pendant 35 minutes. Servir.

Technique du gratin de poulet ou de dinde aux spirales

1. Faire cuire les oignons dans une sauteuse contenant du beurre chaud.

2. Ajouter les champignons et mélanger le tout.

3. Ajouter les tomates.

4. Ajouter le bouillon de poulet chaud.

5. Ajouter l'ail.

6. Ajouter les morceaux de poulet ou de dinde; mélanger le tout.

Fettucini à la dinde

(pour 4 personnes)

1	paquet de fettucini
15 mL	(1 c. à soupe) d'huile d'olive
45 mL	(3 c. à soupe) d'oignon haché
2	boîtes de 796 mL (28 onces) de tomates, égouttées et hachées
375 mL	(1½ tasse) de dinde

cuite, émincée

1	gousse d'ail écrasée et hachée
30 mL	(2 c. à soupe) de pâte de tomates
1 mL	(¼ c. à thé) d'origan une pincée de sucre sel et poivre

Faire cuire les fettucini selon le mode d'emploi sur le paquet.

Faire chauffer l'huile dans une sauteuse, à feu moyen. Ajouter les oignons, couvrir et faire cuire 2 minutes.

Ajouter les tomates hachées; mélanger le tout.

Ajouter l'ail, la pâte de tomates, le sucre et les épices; mélanger, saler et poivrer. Faire cuire de 10 à 12 minutes sans couvercle.

Ajouter la dinde; faire mijoter de 3 à 4 minutes. Servir sur les fettucini.

Manicotti à la dinde

(pour 4 personnes)

16	manicotti cuits selon le mode d'emploi sur le paquet
30 mL	(2 c. à soupe) d'huile
45 mL	(3 c. à soupe) d'oignons rouges hachés
114 g	(¼ livre) de champignons lavés et finement hachés
1	branche de céleri finement hachée
30 mL	(2 c. à soupe) de farine
250 mL	(1 tasse) de bouillon de poulet chaud
375 mL	(1½ tasse) de dinde cuite coupée en dés
	sauce tomate (voir recette des fettucini)
	tranches de fromage mozzarella
	persil haché
	sel et poivre

Préchauffer le four à 190°C (375°F).

Faire chauffer l'huile à feu moyen dans une sauteuse. Ajouter les oignons, le persil et les champignons; faire cuire 2 minutes.

Ajouter le céleri; laisser cuire 2 minutes.

Ajouter la farine; mélanger le tout. Ajouter le bouillon de poulet. Assaisonner au goût. Ajouter la dinde et faire mijoter de 2 à 3 minutes. Verser le mélange dans un mélangeur et mettre en purée. Farcir les manicotti avec le mélange en utilisant une cuillère. Placer les manicotti farcis dans un plat beurré allant au four, les recouvrir de sauce tomates et ajouter quelques tranches de fromage mozzarella.

Faire cuire au four pendant 8 minutes. Servir.

Spaghetti aux palourdes

(pour 4 personnes)

30 mL	(2 c. à soupe) de beurre
1	oignon haché
2	boîtes de palourdes égouttées
500 mL	(2 tasses) de liquide chaud, composé de jus de parlourdes et d'eau froide pour obtenir 500 mL (2 tasses)
60 mL	(4 c. à soupe) de farine
250 mL	(1 tasse) de crème à 15% chaude
15 mL	(1 c. à soupe) de persil haché
3 mL	(½ c. à thé) de fenouil sel et poivre

Faire cuire du spaghetti pour 4 personnes en suivant le mode d'emploi sur le paquet.

Faire chauffer le beurre dans une casserole, à feu moyen.

Ajouter les oignons, couvrir et faire cuire à feu doux pendant 3 minutes.

Ajouter les palourdes et la fari… mélanger délicatement, couvri… faire cuire pendant 2 minutes.

Ajouter le liquide chaud des … lourdes, mélanger et ajouter … fenouil; faire mijoter à feu d… pendant 2 minutes.

Saler légèrement et poivrer. … jus des palourdes est déjà sa…

Ajouter la crème et laisser épa… sir le tout.

Garnir de persil haché et se… sur les spaghetti bien égoutt…

Technique des "Spaghetti aux palourdes"

1. *Mettre les oignons dans une casserole contenant le beurre chaud.*

2. *Ajouter les palourdes égouttées.*

Ajouter la farine.

4. *Bien mélanger le tout et faire cuire avec un couvercle.*

Ajouter le liquide.

6. *Ajouter le persil et la crème. Assaisonner au goût.*

Plumes à la COCO

(pour 4 personnes)

2	côtes de porc coupées en cubes
350 g	(¾ livre) de boeuf haché en boulettes
4	escalopes de veau roulées
30 mL	(2 c. à soupe) d'huile d'olive
1	oignon haché
1	boîte de tomates de 796 mL (28 onces), égouttées et hachées
45 mL	(3 c. à soupe) de pâte de tomates
125 mL	(½ tasse) de bouillon de poulet chaud
1	gousse d'ail écrasée et hachée
1 mL	(¼ c. à thé) de thym
2 mL	(½ c. à thé) d'origan
500 mL	(2 tasses) de macaroni "plumes" cuit et chaud sel et poivre

Faire chauffer l'huile dans une sauteuse, à feu moyen. Ajouter les oignons; faire cuire 3 minutes. Ajouter les cubes de porc; faire cuire de 4 à 5 minutes. Ajouter les boulettes de viande et les faire cuire de tous les côtés de 5 à 6 minutes.

Ajouter le veau roulé; saler, poivrer et continuer la cuisson de 3 à 4 minutes. Retirer la viande et la mettre de côté.

Mettre les tomates, la pâte de tomates, l'ail et les épices dans la sauteuse. Saler, poivrer et ajouter le bouillon de poulet; faire cuire de 5 à 6 minutes.

Remettre la viande dans la sauce et assaisonner au goût; couvrir et faire cuire dans un four préchauffé à 180°C (350°F), de 8 à 10 minutes.

Placer le macaroni cuit dans un plat de service. Garnir avec la viande et servir avec la sauce.

Technique des plumes à la COCO

1. Les côtes de porc, les boulettes de boeuf, les esca-lopes de veau.

2. Placer les cubes de porc dans la sauteuse contenant les oignons.

3. Ajouter les boulettes de boeuf et saisir le tout.

4. Ajouter le veau roulé.

5. Retirer la viande et la mettre de côté. Mettre les tomates, l'ail et les épices dans la sauteuse.

6. Ajouter la pâte de tomates; bien mélanger le tout.

Linguini au homard

(pour 4 personnes)

4	portions de linguini cuit et chaud
30 mL	(2 c. à soupe) de beurre
1	homard cuit ou en boîte, en morceaux
25	champignons coupés en dés
500 mL	(2 tasses) de sauce blanche chaude (pas trop épaisse)
15 mL	(1 c. à soupe) de persil haché
45 mL	(3 c. à soupe) de fromage parmesan râpé sel et poivre

Faire chauffer le beurre dans une casserole, à feu moyen.

Ajouter le homard et les champignons; faire cuire pendant 3 minutes. Saler, poivrer; ajouter sauce blanche et faire mijoter tout de 5 à 6 minutes.

Ajouter le persil et assaisonner au goût.

Placer les linguini sur un plat service chaud, recouvrir de sauce au homard et parsemer le tout de fromage râpé.

Servir.

116

Technique: Linguini au homard

1. Plonger les linguini dans l'eau bouillante salée et huilée.

2. Mélanger avec une cuillère en bois pendant la cuisson.

3. Mettre le homard dans une casserole contenant du beurre chaud.

4. Ajouter les champignons.

5. Ajouter la sauce blanche chaude.

6. Ajouter le persil.

7. Placer les linguini sur un plat de service.

8. Recouvrir le tout de sauce.

Salade de nouilles et de jambon

(pour 4 personnes)

30 mL	(2 c. à soupe) de beurre ou de margarine
1	oignon haché
15 mL	(1 c. à soupe) de persil haché
227 g	(½ livre) de champignons lavés et émincés
45 mL	(3 c. à soupe) de farine tout usage
750 mL	(3 tasses) de bouillon de poulet chaud
38 mL	(2½ c. à soupe) de

	crème à 35% ou 15%
5	tranches de jambon, coupées en lanières
625 mL	(2½ tasses) de nouilles en forme de « spirale » sel et poivre

Faire cuire les nouilles selon le mode d'emploi sur le paquet. Mettre de côté.

Faire chauffer le beurre dans une casserole à feu moyen.

Ajouter les oignons et le persil; faire cuire à feu doux pendant 3 minutes.

Ajouter les champignons, sale poivrer et faire cuire pendant minutes, couvrir et continuer cuisson pendant 3 minutes.

Ajouter la farine et bien mélang le tout; continuer la cuisson pe dant 1 minute.

Ajouter le bouillon de poul chaud et mélanger à nouveau.

Ajouter la crème et assaisonn au goût; faire mijoter le tout c 5 à 6 minutes.

Ajouter le jambon et les nouille mélanger et faire mijoter penda 2 minutes.

Servir.

118

Technique de la "Salade de nouilles et de jambon"

1. Mettre les oignons dans une casserole contenant u beurre chaud et ajouter le persil.

2. Ajouter les champignons.

. Ajouter la farine et bien mélanger le tout.

4. Faire cuire la farine et les champignons pendant 1 minute.

. Ajouter le bouillon de poulet haud.

6. Ajouter la crème.

7. Ajouter les lanières de jambon.

VOLAILLES

Tarte au poulet

(pour 4 personnes)

* méthode rapide

Préparation du poulet:

2   *poitrines de poulet désossées*
1   *branche de céléri coupée en dés*
1   *oignon coupé en dés*
2   *carottes coupées en dés*
1   *feuille de laurier*
       sel et poivre

Retirer la peau des poitrines.
Mettre les poitrines et le reste des ingrédients dans une casserole; recouvrir d'eau froide, amener à ébullition et faire cuire à feu très doux de 18 à 20 minutes. Retirer les poitrines et les mettre de côté. Passer le bouillon de cuisson au tamis.

Préparation de la tarte:

3   *carottes coupées en dés*
4   *pommes de terre pelées et coupées en dés*
3   *oignons verts coupés en 4*
227 g   *(½ livre) de champignons coupés en dés*
45 mL   *(3 c. à soupe) de beurre*
45 mL   *(3 c. à soupe) de farine*
1,6 L   *(5 tasses) du bouillon de cuisson ou bouillon de poulet chaud*
        sel et poivre

Pour la pâte: utilisez votre pâte à tarte préférée ou une pâte feuilletée commerciale
Préchauffer le four à 190°C (375°F).

Technique de la tarte au poulet

1. *Faire cuire les carottes et les pommes de terre dans une casserole contenant du bouillon de poulet.*

2. *3 minutes avant la fin de la cuisson, ajouter les oignons et les champignons.*

3. *Ajouter les morceaux de poulet cuits.*

4. *Faire fondre le beurre dans une casserole. Ajouter la farine et faire cuire le tout pendant 3 minutes.*

Faire cuire les pommes de terre et les carottes dans une casserole contenant 500 mL (2 tasses) de bouillon de poulet pendant 6 minutes.

Ajouter les champignons et les oignons; faire cuire 3 minutes. Couper les poitrines de poulet en gros cubes. Ajouter les morceaux de poulet au bouillon et faire mijoter le tout de 3 à 4 minutes. Egoutter le tout et mettre le poulet et les légumes de côté.

Faire fondre le beurre dans une casserole. Ajouter la farine et faire cuire pendant 3 minutes.

Ajouter 750 mL (3 tasses) de bouillon de poulet et mélanger avec un fouet de cuisine; amener à ébullition.

Ajouter le poulet et les légumes, mélanger et verser le tout dans 4 bols à gratin. Recouvrir de pâte et faire cuire au four pendant 20 minutes.

5. *Ajouter le bouillon de poulet chaud et mélanger. Ajouter les légumes et le poulet. Assaisonner au goût.*

Poitrines de poulet à la chapelure

(pour 4 personnes)

2	poitrines de poulet désossées et lavées
3	oeufs
5 mL	(1 c. à thé) d'huile
15 mL	(1 c. à soupe) de sauce soya
250 mL	(1 tasse) de farine
250 mL	(1 tasse) de chapelure
45 mL	(3 c. à soupe) d'huile

d'arachide
sel et poivre

Préchauffer le four à 200°C (400°F).

Mettre les oeufs dans un bol. Ajouter l'huile et la sauce soya; bien mélanger le tout avec un fouet de cuisine.

Saler, poivrer et enfariner les poitrines de poulet.

Tremper les poitrines dans le mélange d'oeufs battus et les enrober de chapelure.

Faire chauffer l'huile d'arachide dans une poêle à frire, à feu moyen. Ajouter les poitrines et les faire cuire de 2 à 3 minutes de chaque côté.

Placer les poitrines dans un plat allant au four et les faire cuire au four de 16 à 18 minutes.

Servir avec une sauce barbecue épicée (facultatif).

Technique des poitrines de poulet à la chapelure

1. *Poitrines de poulet désossées, lavées et asséchées.*

2. *Fariner, saler et poivrer les poitrines.*

3. *Mettre les oeufs dans un bol. Ajouter l'huile et la sauce soya.*

4. *Tremper les poitrines dans le mélange d'oeufs.*

5. *Enrober le tout de chapelure.*

6. *Faire cuire 2 minutes de chaque côté et finir la cuisson au four.*

Ailerons de poulet à l'ail

(pour 4 personnes)

24	ailerons de poulet lavés et égouttés
45 mL	(3 c. à soupe) de sirop d'érable
2	gousses d'ail écrasées et hachées
15 mL	(1 c. à soupe) de sauce soya
30 mL	(2 c. à soupe) d'huile
375 mL	(1½ tasse) de bouillon de poulet chaud
	poivre du moulin
	sel et jus de citron

Préchauffer le four à 200°C (400°F).

Mettre tous les ingrédients (sauf les ailerons) dans une casserole. Remuer le tout.

Amener à ébullition et faire cuire 3 minutes.

Placer les ailerons de poulet dans un bol. Verser la marinade chaude sur les ailerons et faire mariner pendant 1 heure.

Retirer les ailerons et les placer dans un plat allant au four.

Faire cuire au four de 15 à 18 minutes tout en badigeonnant les ailerons plusieurs fois pendant la cuisson.

Technique des ailerons de poulet à l'ail

1. Mettre le sirop d'érable dans un bol.

2. Ajouter l'ail.

3. Ajouter la sauce soya.

4. Ajouter l'huile.

5. *Ajouter le bouillon de poulet chaud.*

6. *Amener le tout à ébullition et faire cuire 3 minutes. Verser la marinade chaude sur les ailerons de poulet.*

Ailerons de poulet à l'érable

(pour 4 personnes)

8 à 12	ailerons de poulet lavés et asséchés
30 mL	(2 c.à soupe) de vinaigre d'estragon
60 mL	(4 c. à soupe) de sirop d'érable
30 mL	(2 c. à soupe) d'huile
5 mL	(1 c. à thé) de sauce soya
5 mL	(1 c. à thé) de moutarde sèche
2	gousses d'ail écrasées

et hachées
quelques gouttes de
jus de citron
sel et poivre

Huiler et préchauffer la grille du barbecue.

Placer les ailerons de poulet dans un bol. Ajouter le vinaigre, le sirop d'érable, saler et poivrer, bien mélanger le tout. Ajouter tous les autres ingrédients, bien incorporer le tout. Laisser mariner pendant 1 heure.

Note: La marinade peut être faite la veille et le poulet peut mariner 1 journée.

Placer les ailerons de poulet sur la grille du barbecue. Couvrir pendant les 6 premières minutes de cuisson. Temps de cuisson: 20 à 25 minutes.

Badigeonner les ailerons de marinade pendant la cuisson.

Les ailerons sont cuits lorsque la chair se détache facilement des os. Servir avec du pain à l'ail ou une trempette de crème sure.

Technique des ailerons de poulet à l'érable

1. Placer les ailerons de poulet dans un bol. Ajouter le vinaigre d'estragon.

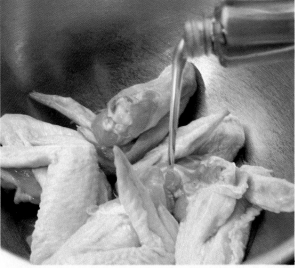

2. Ajouter le sirop d'érable; mélanger le tout. Saler, poivrer.

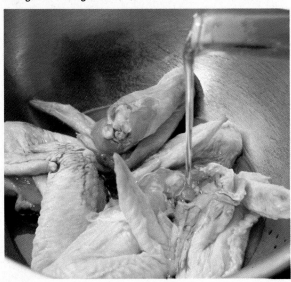

3. Ajouter l'huile.

4. Ajouter la sauce soya, mélanger le tout.

5. *Ajouter la moutarde.*

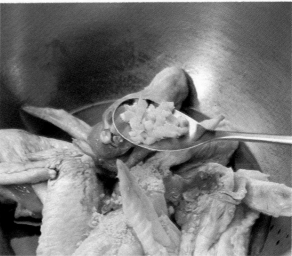

6. *Ajouter l'ail, mélanger et faire mariner pendant 1 heure.*

Cailles au riz épicé

(pour 4 personnes)

Première partie: le riz épicé aux piments

250 mL (1 tasse) de riz à grains longs lavé
750 mL (3 tasses) d'eau froide
15 mL (1 c. à soupe) de poudre de cari
3 mL (¹/₂ c. à thé) de piments rouges broyés
sel

Verser l'eau dans une casserole, saler et amener à ébullition.
Ajouter la poudre de cari et le riz; mélanger le tout.
Ajouter les piments broyés et amener à ébullition; couvrir et faire cuire à feu très doux pendant 18 minutes. Mettre de côté.

Deuxième partie: les cailles

4 cailles coupées en deux
30 mL (2 c. à soupe) d'huile d'olive
2 gousses d'ail écrasées et hachées
15 mL (1 c. à soupe) de sauce soya
45 mL (3 c. à soupe) d'oignons hachés
1 piment vert coupé en dés
1 piment rouge coupé en dés
piments rouges broyés
sel et poivre
riz épicé

Préchauffer le four à 200°C (400°F).
Placer les cailles sur un plat de service, les arros
avec 15 mL (1 c. à soupe) d'huile et 15 mL (1 c. à
soupe) de sauce soya. Parsemer d'ail et sale
poivrer; laisser mariner pendant 15 minutes. Plac
le tout au four, à broil, à 15 cm (6 po.) de l'éléme
supérieur; faire cuire de 16 à 18 minutes selon le
grosseur. Faire chauffer l'huile dans une poêle
frire, à feu moyen. Ajouter les oignons, les pimen
verts et rouges; faire cuire pendant 2 minutes.
Ajouter le riz épicé et les piments rouges broyé
faire cuire pendant 3 minutes. Garnir un plat c
service de riz et placer les cailles sur le riz. Serv

Technique des cailles au riz épicé

1. Placer les cailles sur un plat de service ou une assiette et les arroser d'huile d'olive.

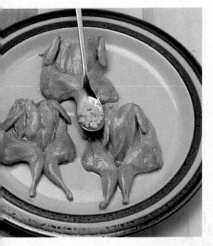

2. Ajouter l'ail haché.

3. Arroser le tout de sauce soya.

Mettre les oignons et s piments dans la casse-e ou une poêle à frire.

Ajouter les piments ges.

6. Ajouter les piments broyés.

7. Ajouter le riz épicé.

Chow-mein au poulet

(pour 4 personnes)

1	poitrine de poulet sans peau, désossée et émincée ou coupée en lanières
45 mL	(3 c. à soupe) d'huile
1	oignon haché
2	branches de céleri coupées en dés
50 mL	(¼ tasse) d'eau froide
15 mL	(1 c. à soupe) de persil haché
375 mL	(1½ tasse) de bouillon de boeuf chaud
30 mL	(2 c. à soupe) de sauce soya
15 mL	(1 c. à soupe) de fécule de maïs
45 mL	(3 c. à soupe) d'eau froide
375 mL	(1½ tasse) de germes de blé en boîte, égouttés
5 à 6	châtaignes d'eau (en boîte) émincées sel et poivre

Faire chauffer 15 mL (1 c. à soupe) d'huile dans une sauteuse. Ajouter les morceaux de poulet et les faire saisir de 3 à 4 minutes. Retirer le poulet de la sauteuse et mettre de côté.

Verser le reste de l'huile dans la sauteuse et la faire chauffer. Ajouter les oignons; faire cuire de 3 à 4 minutes.

Ajouter le céleri et continuer la cuisson de 3 à 4 minutes.

Ajouter l'eau et continuer la cuisson de 4 à 5 minutes.

Ajouter les morceaux de poulet, le bouillon de boeuf et le persil haché; poivrer. Couvrir et faire cuire de 10 à 12 minutes.

Mélanger la fécule de maïs et l'eau froide. Incorporer au mélange. Ajouter la sauce soya et remuer le tout.

Ajouter les germes de blé et les châtaignes d'eau; faire mijoter pendant quelques minutes.

Garnir le tout de châtaignes d'eau et servir.

Technique du chow-mein au poulet

1. Faire cuire les oignons dans une sauteuse.

2. Ajouter le céleri et l'eau.

3. Ajouter le poulet.

4. Ajouter les épices et le bouillon de boeuf.

5. Ajouter la fécule de maïs diluée.

6. Ajouter les germes de blé.

Cuisses de poulet au paprika

(pour 4 personnes)

30 mL	(2 c. à soupe) d'huile
1	oignon d'Espagne émincé
5 mL	(1 c. à thé) de paprika
4	cuisses de poulet
1	boîte de tomates égouttées et hachées
500 mL	(2 tasses) de bouillon de poulet chaud
15 mL	(1 c. à soupe) de pâte de tomates
15 mL	(1 c. à soupe) de fécule de maïs
45 mL	(3 c. à soupe) d'eau froide
1	gousse d'ail écrasée et hachée
	sel et poivre

Préchauffer le four à 180°C (350°F).
Faire chauffer l'huile dans une sauteuse, à feu moyen.

Ajouter les oignons et les faire cuire de 3 à 4 minutes pour les brunir.
Ajouter le paprika et bien mélanger le tout.
Ajouter les cuisses de poulet, saler, poivrer et faire cuire de 7 à 8 minutes de chaque côté.
Ajouter les tomates et l'ail; mélanger le tout.
Ajouter le bouillon de poulet et la pâte de tomates, couvrir et faire cuire au four de 40 à 45 minutes.
Retirer les cuisses et les placer sur un plat de service.
Mélanger la fécule de maïs et l'eau froide.
Ajouter le mélange à la sauce et faire cuire de 2 à 3 minutes sur l'élément du poêle.
Verser sur les cuisses de poulet et servir.

Technique des cuisses de poulet au paprika

Mettre les oignons dans une sauteuse contenant de l'ile chaude.

2. Ajouter le paprika.

Ajouter les cuisses de poulet.

4. Retourner les cuisses de poulet.

Ajouter les tomates.

6. Ajouter le bouillon de poulet.

Dinde farcie aux pommes et au riz

(pour 6 à 8 personnes)

1	dinde de 6,8 kg (15 livres) lavée et salée à l'intérieur
60 mL	(4 c. à soupe) de beurre clarifié
30 mL	(2 c. à soupe) d'huile végétale
1	oignon d'Espagne finement haché
2	branches de céleri finement hachées
3	pommes pour cuire, pelées, évidées et hachées
375 mL	(1½ tasse) de riz à grains longs cuit
5	tranches de pain blanc coupées en cubes
1	oeuf entier
5 mL	(1 c. à thé) de piment de Jamaïque moulu
2 mL	(½ c. à thé) de thym
2 mL	(½ c. à thé) d'estragon
	une pincée de clou de girofle
	sel et poivre

Temps de cuisson: 15 minutes livre

Préchauffer le four à 180° (350°F).

Faire chauffer l'huile dans un sauteuse, à feu moyen. Ajoute les oignons, couvrir et faire cui à feu doux de 5 à 6 minutes.

Ajouter le céleri et continuer cuisson de 4 à 5 minutes.

Ajouter les pommes, couvrir

136

faire cuire de 5 à 6 minutes.
Ajouter le riz cuit et les épices; bien mélanger.

Ajouter les cubes de pain et bien incorporer le tout.

Retirer la sauteuse du feu.

Ajouter l'oeuf et mélanger rapidement.

Farcir la dinde.

Badigeonner la dinde de beurre clarifié et la faire cuire au four. Retourner la dinde une fois pendant la cuisson et saler, poivrer. Badigeonner le tout de beurre clarifié.

Servir la dinde avec une sauce.

Préparation de la sauce:

1	oignon haché
1	feuille de laurier
15 mL	(1 c. à soupe) de persil haché
500 mL	(2 tasses) de bouillon de poulet chaud
15 mL	(1 c. à soupe) de persil haché
15 mL	(1 c. à soupe) de pâte de tomates
30 mL	(2 c. à soupe) de fécule de maïs
45 mL	(3 c. à soupe) d'eau froide
45 mL	(3 c. à soupe) de sauce aux canneberges quelques gouttes de sauce soya sel et poivre

Dès que la dinde est cuite, la retirer du four et la mettre de côté. Placer le plat à rôtir sur l'élément du poêle et retirer les ¾ du gras qui se trouve dans le plat.

Ajouter les oignons et faire cuire à feu très vif de 5 à 6 minutes.

Ajouter les épices et le bouillon de poulet; remuer et faire cuire de 3 à 4 minutes. Ajouter la pâte de tomates; mélanger le tout. Ajouter la sauce aux canneberges et la sauce soya.

Mélanger la fécule de maïs et l'eau froide. Incorporer le mélange à la sauce. Faire mijoter pendant quelques minutes. Passer la sauce au tamis. Servir.

Technique de la dinde farcie aux pommes et au riz

1. Faire cuire les oignons et le céleri dans une sauteuse contenant de l'huile chaude.

2. Ajouter les pommes.

3. Ajouter le riz cuit; bien mélanger.

4. Ajouter le pain et les épices.

5. Retirer du feu. Ajouter l'oeuf et bien mélanger le tout pour lier la farce. Saler, poivrer.

Doigts de poulet à la friture

(pour 4 personnes)

1½	poitrine de poulet désossé et sans peau
250 mL	(1 tasse) de farine
2	oeufs battus
5 mL	(1 c. à thé) d'huile
250 mL	(1 tasse) de chapelure sauce soya sel et poivre huile d'arachide pour la friture chauffée à 190°C (375°F)

Placer les poitrines dans une assiette et les arroser de sauce soya. Laisser mariner pendant 10 minutes.

Couper le poulet en lanières et les enfariner. Saler, poivrer.

Ajouter 5 mL (1 c. à thé) d'huile aux oeufs battus; mélanger le tout. Tremper les lanières de poulet dans les oeufs et les enrober de chapelure.

Plonger les morceaux de poulet dans l'huile chaude et les faire frire de 3 à 4 minutes.

Servir avec une sauce aux fruits.

Sauce aux fruits:

250 mL	(1 tasse) de jus d'ananas
30 mL	(2 c. à soupe) de sauce soya
15 mL	(1 c. à soupe) de cassonade
15 mL	(1 c. à soupe) de beurre
22 mL	(1½ c. à soupe) de fécule de maïs
45 mL	(3 c. à soupe) d'eau froide quelques gouttes de sauce Worcestershire sel et poivre

Dans une casserole, mettre le jus d'ananas, la sauce soya, la cassonade, le beurre et la sauce Worcestershire; saler, poivrer et amener le tout à ébullition.

Mélanger la fécule de maïs et l'eau froide.

Incorporer le mélange à la sauce tout en mélangeant avec un fouet de cuisine; continuer la cuisson pendant 2 minutes.

Servir.

Technique des doigts de poulet à la friture

1. Poitrines de poulet désossées.

2. Arroser les poitrines de sauce soya.

3. Couper le poulet en lanières.

4. Enfariner, saler et poivrer.

5. *Tremper les morceaux de poulet dans les oeufs battus.*

6. *Enrober de chapelure.*

7. *Produit fini.*

Emincés de dinde aux champignons

(pour 4 personnes)

½	poitrine de dinde cuite
30 mL	(2 c. à soupe) de beurre
227 g	(½ livre) de champignons émincés
375 mL	(1½ tasse) de bouillon de poulet chaud
15 mL	(1 c. à soupe) de fécule de maïs
45 mL	(3 c. à soupe) d'eau froide
30 mL	(2 c. à soupe) de

sauce H.P. aux fruits
sel et poivre

Trancher le morceau de dinde.
Faire chauffer 15 mL (1 c. à soupe) de beurre dans une sauteuse, à feu moyen.
Ajouter les tranches de dinde et les faire réchauffer 2 minutes de chaque côté.
Tenir au chaud dans un four à 70°C (150°F).
Mettre le reste du beurre dans une sauteuse. Ajouter les champignons et saler, poivrer; faire cuire 3 minutes.
Ajouter le bouillon de poulet et faire mijoter le tout pendant 3 minutes.
Mélanger la fécule de maïs et l'eau froide. Incorporer le mélange à la sauce.
Ajouter la sauce aux fruits et mélanger le tout.
Verser la sauce sur les tranches de dinde et servir.

Technique des émincés de dinde aux champignons

1. Voici la poitrine de dinde cuite telle que vendue dans les grandes chaînes d'alimentation.

2. Faire sauter les tranches de dinde dans le beurre chaud.

3. Ajouter les champignons et le bouillon de poulet à une sauteuse contenant du beurre chaud.

4. Épaissir la sauce avec de la fécule de maïs.

5. Attention: la sauce ne doit pas être trop épaisse.

6. Ajouter la sauce H.P. aux fruits pour varier le goût.

Fricassée de poulet

(pour 4 personnes)

15 mL	(1 c. à soupe) de beurre
1	oignon haché
500 mL	(2 tasses) de poulet cuit coupé en cubes
1	piment rouge coupé en gros dés
5	pommes de terre pelées et coupées en gros dés

500 mL (2 tasses) de bouillon de poulet chaud
feuille de laurier
persil haché
sel et poivre

Faire chauffer le beurre dans une sauteuse, à feu moyen. Ajouter les oignons et les faire cuire pendant 1 minute.

Ajouter les morceaux de poulet, poivrer et faire cuire 3 minutes. Ajouter les piments et les pommes de terre; mélanger le tout. Ajouter le bouillon de poulet et les épices. Amener à ébullition et faire cuire à feu doux, sans couvrir, jusqu'à ce que les pommes de terre soient cuites et le liquide absorbé. Saler et servir.

Technique de la fricassée de poulet

1. Faire cuire les oignons dans le beurre fondu.

2. Ajouter les morceaux de poulet; faire cuire 3 minutes.

3. Ajouter les piments.

4. Ajouter les pommes de terre. Saler, poivrer.

5. *Ajouter le bouillon de poulet chaud.*

6. *Ajouter les épices; mélanger le tout.*

143

Pâté chinois à la dinde

(pour 4 personnes)

15 mL	(1 c. à soupe) d'huile végétale
1	oignon haché
15 mL	(1 c. à soupe) de persil haché
500 mL	(2 tasses) de dinde cuite en morceaux
375 mL	(1½ tasse) de blé d'Inde en crème
500 mL	(2 tasses) de purée de pommes de terre
15 mL	(1 c. à soupe) de beurre
	sel et poivre

Préchauffer le four à 190°C (375°F).

Faire chauffer l'huile dans une sauteuse. Ajouter les oignons et les faire cuire pendant 3 minutes. Ajouter le persil et la dinde; saler, poivrer et mélanger le tout. Faire cuire de 3 à 4 minutes.

Verser le mélange dans un plat allant au four.

Recouvrir la dinde de blé d'Inde en crème.

Couvrir le tout de purée de pommes de terre.

Placer quelques petits morceaux de beurre sur les pommes de terre.

Faire cuire le tout au four pendant 25 minutes.

Servir avec du ketchup.

Technique du pâté chinois à la dinde

1. Faire cuire les oignons et le persil dans une sauteuse.

2. Ajouter les morceaux de dinde.

3. Verser le tout dans un plat allant au four.

4. Recouvrir la dinde de blé d'Inde en crème.

5. *Ajouter la purée de pommes de terre.*

6. *Ajouter des morceaux de beurre.*

Poitrines de poulet aux noix d'acajou

(pour 4 personnes)

2	grosses poitrines de poulet désossées et sans peau
2	blancs d'œufs
15 mL	(1 c. à soupe) de fécule de maïs
15 mL	(1 c. à soupe) de sauce soya
15 mL	(1 c. à soupe) d'huile végétale
2	piments verts émincés
250 mL	(1 tasse) de pousses de bambou émincées
20	noix d'acajou
375 mL	(1½ tasse) de bouillon de poulet chaud
15 mL	(1 c. à soupe) de fécule de maïs
45 mL	(3 c. à soupe) d'eau froide
	sel et poivre
	oignons verts pour la garniture

Couper les poitrines de poulet en grosses lanières.

Mettre les blancs d'œufs dans un bol, ajouter 15 mL (1 c. à soupe) de fécule de maïs et mélanger le tout avec un fouet de cuisine. Ajouter les lanières de poulet et la sauce soya; bien mélanger et faire mariner le tout de 7 à 8 minutes.

Faire chauffer l'huile dans une sauteuse à feu vif. Ajouter les morceaux de poulet et faire saisir le tout de 3 à 4 minutes de chaque côté.

Ajouter les piments, les pousses de bambou et les noix d'acajou; bien mélanger et faire cuire le tout pendant 2 minutes.

Ajouter le bouillon de poulet et faire mijoter à feu doux de 7 à 8 minutes. Mélanger 15 mL (1 c. à soupe) de fécule de maïs et 45 mL (3 c. à soupe) d'eau froide. Verser le mélange dans le liquide et faire mijoter pendant 2 minutes. Assaisonner au goût et servir.

146

Technique des "Poitrines de poulet aux noix d'acajou"

Mettre les blancs d'oeufs dans un bol.

2. Ajouter la fécule de maïs.

Mélanger le tout et ajouter les lanières de poulet.

4. Ajouter la sauce soya.

Saisir les morceaux de poulet dans l'huile chaude.

6. Ajouter les piments verts, les pousses de bambou et les noix d'acajou.

Poulet braisé aux concombres

(pour 4 personnes)

1	poulet de 1,8 à 2 kg (4 à 5 livres), lavé et asséché
30 mL	(2 c. à soupe) de beurre
5 mL	(1 c. à thé) d'huile végétale
1	oignon haché
½	concombre anglais coupé en dés
1	boîte de tomates égouttées et hachées
1	gousse d'ail écrasée et hachée
15 mL	(1 c. à soupe) de persil haché
1 mL	(¼ c. à thé) de thym
375 mL	(1½ tasse) de bouillon de poulet chaud
5 mL	(1 c. à thé) de fécule de maïs
30 mL	(2 c. à soupe) d'eau froide
	sel et poivre

Préchauffer le four à 180°C (350°F).

Couper le poulet en 8 morceaux, saler et poivrer.

Faire chauffer le beurre et l'huile dans une sauteuse, à feu moyen. Ajouter les morceaux de poulet et les saisir de 3 à 4 minutes chaque côté.

Ajouter les oignons et continuer la cuisson pendant 2 minutes. Ajouter les concombres, les tomates et le bouillon de poulet; mélanger le tout.

Ajouter les épices, couvrir et faire cuire au four de 30 à 35 minutes. Retirer la sauteuse du four. Retirer les morceaux de poulet et les placer dans un plat de service.

Mélanger la fécule de maïs et l'eau froide. Ajouter le mélange à la sauce et faire cuire 2 minutes. Verser sur les morceaux de poulet.

Servir le tout avec un riz blanc.

Technique du poulet braisé aux concombres

1. Placer les morceaux de poulet dans une sauteuse contenant du beurre chaud.

2. Faire saisir les morceaux de 3 à 4 minutes de chaque côté.

3. Ajouter les oignons hachés.

4. Ajouter les concombres.

5. Ajouter les tomates et les épices.

6. Ajouter le bouillon de poulet chaud.

Poitrines de poulet farcies

(pour 4 personnes)
Première partie: la farce

30 mL	(2 c. à soupe) de beurre
60 mL	(4 c. à soupe) d'oignons finement hachés
227 g	(½ livre) de champignons lavés et hachés
3 mL	(½ c. à thé) d'estragon
30 mL	(2 c.à soupe) de chapelure
1	œuf battu sel et poivre

Faire fondre le beurre dans une sauteuse, à feu moyen.
Ajouter les oignons et les faire cuire pendant 2 minutes. Ajouter les champignons et l'estragon; saler, poivrer et faire cuire pendant 4 minutes. Mélanger le tout. Ajouter la chapelure et mélanger à nouveau. Retirer la casserole du feu et laisser refroidir le tout pendant 3 minutes. Ajouter l'œuf et bien mélanger la farce.

Deuxième partie:
les poitrines

4	demi-poitrines de poulet, désossées et aplaties entre deux feuilles de papier ciré
30 mL	(2 c. à soupe) de beurre ou de margarine
2	piments verts, émincés finement
30	champignons émincés
500 mL	(2 tasses) de bouillon de poulet chaud, très léger
5 mL	(1 c. à thé) de purée de tomates
23 mL	(1½ c. à soupe) de fécule de maïs
45 mL	(3 c. à soupe) d'eau froide sel et poivre

Préchauffer le four à 180°C (350°F).
Saler, poivrer les poitrines de poulet et étendre la farce sur les poitrines. Rouler les poitrines et les ficeler avec un fil mince. (N... pas trop serrer.) Faire chauffer l... beurre dans une sauteuse à fe... moyen. Ajouter les poitrines ... les saisir 3 minutes de chaqu... côté. Ajouter les piments et le... champignons; saler, poivrer ... faire saisir le tout pendant 3 m... nutes. Ajouter le bouillon de pou... let, la purée de tomates et ame... ner à ébullition; faire cuire au fo... pendant 18 minutes. Retirer l... sauteuse du four.
Placer les poitrines de poulet su... un plat de service chaud. Place... la sauteuse sur l'élément d... poêle réglé à feu doux. Mélange... la fécule de maïs et l'eau froide... Verser le mélange dans la sauc... et mélanger le tout; faire mijote... de 2 à 3 minutes. Verser sur le... poitrines et servir.

Technique des poitrines de poulet farcies

1. *Mettre les oignons dans une sau... teuse contenant du beurre chaud.*

2. *Ajouter les champignons.*

3. *Ajouter la chapelure.*

4. *Ajouter un oeuf battu et mélan... ger le tout. Farcir les poitrines d... poulet.*

Placer les poitrines farcies dans e poêle contenant du beurre aud.

6. *Retourner les poitrines et continuer la cuisson pour les saisir.*

7. *Ajouter les piments verts et les champignons.*

Poulet bouilli
aux légumes frais

(pour 4 personnes)

1	poulet de 2 à 2,3 kg (4½à 5 livres) lavé
4 à 5	feuilles de céleri
1	oignon d'Espagne piqué d'un clou de girofle
2	feuilles de laurier

15	grains de poivre
6	branches de persil
5 mL	(1 c. à thé) d'estragon
1	poireau coupé en quatre et lavé
4	carottes pelées
½	navet coupé en quatre
4	oignons pelés et coupés

	en deux
4	pommes de terre, pelées, lavées et coupées en quatre
45 mL	(3 c. à soupe) de saindoux
52 mL	(3½ c. à soupe) de farine
750 mL	(3 tasses) du liquide de cuisson
125 mL	(½ tasse) de crème épaisse à la française persil haché sel et poivre

Technique du poulet bouilli
aux légumes frais

1. Placer le poulet lavé dans une grande casserole. Ajouter les feuilles de céleri et l'oignon d'Espagne.

2. Ajouter les feuilles de laurier, les grains de poivre, l'estragon et saler. Recouvrir le tout d'eau froide.

3. Placer les légumes dans une casserole et les recouvrir du liquide de cuisson; faire cuire le tout.

4. Dès que les légumes sont cuits, les plonger dans l'eau froide pour conserver leur couleur.

5. Ajouter la farine dans le saindoux fondu et faire cuire le tout.

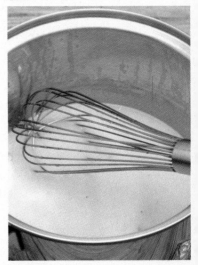

6. Ajouter 750 mL (3 tasses) de bouillon de cuisson; remuer le tout. Ajouter la crème épaisse à la française; remuer de nouveau.

Temps de cuisson: amener à ébullition et faire cuire à feu très doux de 20 à 25 minutes par livre. Mettre le poulet dans une grande casserole. Ajouter les feuilles de céleri et de laurier, l'oignon d'Espagne et les épices. Saler.

Recouvrir le tout d'eau froide. Amener à ébullition et faire cuire à feu très doux, partiellement couvert, pendant 1 heure 30 minutes ou plus, dépendant du poids.

Dès que le poulet est cuit, le retirer et le mettre de côté.

Placer tous les légumes frais dans une casserole et les recouvrir du liquide de cuisson; faire cuire le tout.

Dès que les légumes sont cuits, les retirer et les plonger dans un bol contenant de l'eau froide. Mettre de côté.

Faire chauffer le saindoux dans une casserole à feu moyen. Ajouter la farine; faire cuire 2 minutes. Ajouter 750 mL (3 tasses) du liquide de cuisson; remuer et faire cuire de 5 à 6 minutes.

Ajouter la crème épaisse, le poulet coupé en 8 morceaux et les légumes égouttés. Parsemer de persil haché; faire mijoter de 4 à 5 minutes. Servir.

Suprême de poulet

(pour 4 personnes)

2	poitrines de poulet désossées et coupées en deux (sans peau)
30 mL	(2 c. à soupe) de beurre
5 mL	(1 c. à thé) d'huile
15 mL	(1 c. à soupe) de pâte de tomates
500 mL	(2 tasses) de bouillon de poulet chaud
22 mL	(1½ c. à soupe) de fécule de maïs
45 mL	(3 c. à soupe) d'eau froide
125 mL	(½ tasse) de crème sure
45 mL	(3 c. à soupe) de fromage parmesan
	sel et poivre

Préchauffer le four à 180°C (350°F).

Faire chauffer le beurre et l'huile dans une sauteuse, à feu moyen. Ajouter les poitrines de poulet; faire cuire de 7 à 8 minutes de chaque côté. Saler, poivrer.

Couvrir la sauteuse avec un papier d'aluminium et faire cuire le tout au four de 20 à 25 minutes, selon la grosseur des poitrines.

Dès que les poitrines sont cuites, les retirer et les mettre de côté.

Placer la sauteuse sur l'élément du poêle et y ajouter la pâte de tomates et le bouillon de poulet; remuer le tout.

Mélanger la fécule de maïs et l'eau froide. Incorporer le mélange à la sauce. Amener à ébullition et faire cuire pendant 3 minutes pour épaissir le liquide. Ajouter la crème sure et saler, poivrer. Ajouter le fromage et mélanger le tout.

Remettre les poitrines de poulet dans la sauce et faire mijoter le tout à feu très doux de 4 à 5 minutes. Servir.

Technique du suprême de poulet

1. *Faire saisir et cuire les poitrines de poulet.*

2. *Retirer les poitrines et les mettre de côté.*

3. *Mettre la pâte de tomates dans la sauteuse.*

4. *Ajouter le bouillon de poulet chaud.*

5. *Ajouter la fécule de maïs diluée.*

6. *Ajouter la crème sure.*

7. *Ajouter le fromage parmesan râpé.*

8. *Remettre les poitrines de poulet dans la sauce.*

Dinde en fête

(pour 12 à 16 personnes)

Première partie: le riz

*250 mL (1 tasse) de riz à grains longs, lavé et
égoutté*
15 mL (1 c. à soupe) de beurre
500 mL (2 tasses) d'eau froide

sel et poivre blanc

Mettre le beurre dans une casserole et le fai
chauffer à feu moyen. Ajouter le riz, saler, poivr
et faire cuire de 2 à 3 minutes pour permettre au r
de brunir. Ajouter l'eau froide, amener à ébullitio
couvrir et faire cuire à feu très doux pendant 1
minutes. Mettre de côté.

Deuxième partie: la farce

60 mL	(4 c. à soupe) de beurre
1¹/₂	oignon haché
30 mL	(2 c. à soupe) de persil
250 mL	(1 tasse) de céleri
250 mL	(1 tasse) de marrons (châtaignes)
500 mL	(2 tasses) de pain sec (vieux de 2 jours), en morceaux
2	œufs battus
3 mL	(¹/₂ c. à thé) de sauge
1	recette de riz
	sel et poivre

À feu moyen, faire fondre le beurre dans une sauteuse. Ajouter les oignons, le persil et le céleri; saler, poivrer et faire cuire pendant 3 minutes. Ajouter les marrons et le riz; mélanger le tout et faire cuire pendant 2 minutes. Ajouter la sauge et le pain, mélanger et verser le tout dans un bol à mélanger. Ajouter les œufs, mélanger et corriger l'assaisonnement. Farcir la dinde.

Troisième partie: la dinde

5 à 6 k	1 dinde (12 à 15 livres)
115 g	(¹/₄ livre) de beurre ou de margarine fondue
2	oignons coupés en gros dés
1	branche de céleri, coupée en gros dés
1 L	(4 tasses) de bouillon de poulet chaud
60 mL	(4 c. à soupe) de fécule de maïs
90 mL	(6 c. à soupe) d'eau froide
	sel et poivre

Préchauffer le four à 180°C (350°F).
Temps de cuisson: 20 minutes la livre.
Placer la dinde dans un plat à rôtir et la badigeonner de margarine ou de beurre fondu; faire cuire au four à 180°C (350°F) pendant 1 heure. Retourner la dinde et continuer la cuisson au four à 160°C (325°F) pendant 1 heure.
Note: Il est très important de badigeonner la dinde de 6 à 7 fois pendant la cuisson.
Retourner la dinde de nouveau. Saler, poivrer la dinde et la badigeonner de beurre fondu; continuer la cuisson selon le poids de la dinde. 1 heure avant la fin de la cuisson, ajouter les légumes au choix. Dès que la dinde est cuite, la retirer du four et la placer sur un plat de service. Tenir au chaud dans le four à 38°C (100°F). Verser le gras de la dinde et les légumes dans une casserole; amener à ébullition et retirer le maximum de gras. Ajouter le bouillon de poulet chaud, assaisonner au goût et faire mijoter de 10 à 12 minutes. Mélanger la fécule de maïs et l'eau froide. Verser le mélange dans la sauce, assaisonner au goût et faire mijoter pendant 1 minute.
Passer la sauce au tamis et la servir avec la dinde.

Technique de la farce de la dinde

1. Mettre le riz dans une casserole contenant du beurre chaud.

2. Dès que le riz commence à brunir, bien mélanger le tout.

3. Ajouter l'eau froide, couvrir et continuer la cuisson à feu très doux.

➤

4. *Mettre les oignons dans une sauteuse contenant du beurre.*

5. *Ajouter le persil.*

6. *Ajouter le céleri.*

7. *Ajouter les marrons.*

8. *Ajouter le riz cuit.*

9. *Ajouter le pain.*

10. *Ajouter l'oeuf.*

11. *Bien mélanger le tout et assaisonner au goût.*

Tarte à la dinde

(pour 4 personnes)

1	abaisse de pâte feuilletée commerciale
30 mL	(2 c. à soupe) de beurre
2	échalotes hachées
227 g	(½ livre) de champignons coupés en dés
2	carottes coupées en bâtonnets, cuites
2	branches de céleri coupées en bâtonnets, cuits
2	pommes de terre coupées en dés, cuites
375 mL	(1½ tasse) de dinde cuite, coupée en dés
750 mL	(3 tasses) de sauce suprême*
1	oeuf battu avec 15 mL (1 c. à soupe) d'eau quelques gouttes de jus de citron une pincée de muscade une pincée de clou de girofle

sel et poivre

Préchauffer le four à 180°C (350°F).

Faire chauffer le beurre dans une sauteuse. Ajouter les champignons et les échalotes. Arroser le tout de jus de citron.

Saler, poivrer; couvrir et faire cuire de 3 à 4 minutes.

Ajouter les légumes cuits, la dinde et la sauce suprême. Assaisonner au goût.

Ajouter les épices; faire mijoter à feu très doux de 4 à 5 minutes.

Verser le mélange dans un plat allant au four et recouvrir d'une abaisse de pâte feuilletée.

Badigeonner le tout d'oeuf battu.

Faire 3 ou 4 petites ouvertures sur la pâte pour permettre à la vapeur de s'échapper pendant la cuisson.

Faire cuire au four de 18 à 20 minutes. Servir.

* Sauce suprême

60 mL	(4 c. à soupe) de margarine
60 mL	(4 c. à soupe) de farine
875 mL	(3½ tasses) de bouillon de poulet chaud
50 mL	(¼ tasse) de crème épaisse à la française persil haché sel et poivre

Mettre la margarine dans une casserole, à feu moyen. Ajouter la farine et mélanger le tout avec une cuillère en bois; faire cuire 2 minutes.

Ajouter le bouillon de poulet et mélanger le tout avec un fouet de cuisine.

Amener à ébullition et faire cuire à feu doux pendant 15 minutes.

Ajouter la crème épaisse et assaisonner au goût; faire mijoter pendant 2 minutes.

Parsemer de persil haché.

Servir.

Piments farcis à la dinde ou au poulet

(pour 4 personnes)

4	piments verts coupés en deux (retirer les graines)
45 mL	(3 c. à soupe) de beurre
1	oignon rouge haché
114 g	(¼ livre) de champignons hachés
1	branche de céleri hachée
30 mL	(2 c. à soupe) de farine
375 mL	(1½ tasse) de bouillon

	de poulet chaud
500 mL	(2 tasses) de dinde ou de poulet cuit haché
	sauce Worcestershire
	sel et poivre
	sauce Tabasco

Préchauffer le four à 180ºC (350ºF).

Faire cuire les piments de 5 à 6 minutes dans l'eau bouillante salée.

Retirer les piments et les plonger dans l'eau froide. Égoutter et mettre de côté.

Faire fondre 15 mL (1 c. à soupe) de beurre dans une sauteuse. Ajouter les oignons; faire cuire 2 minutes.

Ajouter les champignons; faire cuire 3 minutes.

Ajouter le reste du beurre et le céleri; continuer la cuisson de 3 à 4 minutes.

Ajouter la farine et mélanger le tout. Ajouter le bouillon de poulet; mélanger de nouveau.

Ajouter les morceaux de poulet et assaisonner fortement; faire mijoter de 3 à 4 minutes.

Farcir les piments et les placer sur un plat allant au four; faire cuire de 8 à 10 minutes.

Technique des piments farcis à la dinde ou au poulet

1. Couper les piments en deux et retirer les graines.

2. Faire cuire les piments de 5 à 6 minutes dans l'eau bouillante salée.

3. Plonger les piments dans l'eau froide pour arrêter la cuisson.

4. Mettre les oignons dans la sauteuse.

5. Ajouter les champignons.

161

Technique des piments farcis à la dinde ou au poulet (suite)

6. Ajouter le beurre; mélanger le tout.

7. Ajouter le céleri; faire cuire de 3 à 4 minutes.

8. Ajouter la farine; mélanger de nouveau.

9. Ajouter le bouillon de poulet chaud.

10. Ajouter les morceaux de poulet ou de dinde.

Sandwich de dinde B.B.Q.

(pour 4 personnes)

4	petits pains (au choix)
8	tranches de dinde cuite, chaude
375 mL	(1½ tasse) de sauce B.B.Q.

Faire griller les petits pains et les placer sur un plat de service.

Placer des tranches de dinde sur le pain et napper le tout de sauce.

Servir avec des pommes de terre chips et des oignons verts.

Sauce B.B.Q.

15 mL	(1 c. à soupe) de beurre
45 mL	(3 c. à soupe) d'oignons hachés
15 mL	(1 c. à soupe) de miel
375 mL	(1½ tasse) de bouillon de boeuf chaud
15 mL	(1 c. à soupe) de pâte de tomates
30 mL	(2 c. à soupe) de ketchup
5 mL	(1 c. à thé) de sauce soya
22 mL	(1½ c. à soupe) de fécule de maïs
45 mL	(3 c. à soupe) d'eau froide
	sel et poivre

Faire fondre le beurre dans une petite casserole. Ajouter les oignons et les faire cuire pendant 3 minutes.

Ajouter le miel; faire cuire 2 minutes.

Ajouter tous les autres ingrédients (sauf la fécule de maïs et l'eau froide) et bien remuer le tout. Faire mijoter de 7 à 8 minutes.

Mélanger la fécule de maïs et l'eau froide. Incorporer le mélange à la sauce. Faire mijoter de 3 à 4 minutes et servir.

Vol-au-vent à la dinde

(pour 4 personnes)

8	petits vol-au-vent (de commerce)
30 mL	(2 c. à soupe) de beurre
3	oignons verts coupés en dés
227 g	(½ livre) de champignons coupés en dés
1	piment vert coupé en dés
1	piment rouge coupé en dés
500 mL	(2 tasses) de dinde cuite coupée en dés
500 mL	(2 tasses) de sauce blanche chaude
	sel et poivre
	paprika

Faire fondre le beurre dans une sauteuse, à feu moyen. Ajouter les oignons et les champignons; saler, poivrer. Couvrir et faire cuire pendant 4 minutes.

Ajouter les piments, couvrir et faire cuire 2 minutes.

Ajouter la dinde et la sauce blanche chaude. Assaisonner au goût.

Faire mijoter à feu très doux pendant 3 minutes.

Faire réchauffer les vol-au-vent dans le four pendant 3 minutes.

Verser le mélange de dinde sur les vol-au-vent et parsemer le tout de paprika. Servir.

Coquilles de dinde au cheddar

(pour 4 personnes)

500 mL	(2 tasses) de dinde cuite en morceaux
1	branche de céleri coupée en bâtonnets
2	carottes coupées en bâtonnets
1	poireau (le blanc seulement), lavé, coupé en quatre et en bâtonnets
500 mL	(2 tasses) de sauce blanche chaude
125 mL	(½ tasse) de fromage cheddar râpé
15 mL	(1 c. à soupe) de persil haché
	une pincée de muscade
	sel et poivre
	bouillon de poulet chaud

Préchauffer le four à 200°C (400°F).

Dans une casserole, mettre le céleri, les carottes et les poireaux; couvrir le tout de bouillon de poulet et faire cuire à feu moyen de 10 à 12 minutes.

Égoutter et mettre de côté.

Placer les légumes cuits dans une casserole.

Ajouter la dinde, la sauce blanche, le persil et la muscade; bien mélanger.

Verser le tout dans des coquilles et parsemer de fromage râpé.

Faire cuire au four de 7 à 8 minutes.

Servir.

Dinde aux piments

(pour 4 personnes)

30 mL	(2 c. à soupe) de beurre
625 mL	(2½ tasses) de dinde cuite coupée en lanières
½	oignon finement haché
1½	piment vert coupé en grosses lanières
1½	piment rouge coupé en grosses lanières
500 mL	(2 tasses) de bouillon de poulet chaud
15 mL	(1 c. à soupe) de pâte de tomates
22 mL	(1½ c. à soupe) de fécule de maïs
45 mL	(3 c. à soupe) d'eau froide
	sel et poivre
	paprika

Faire chauffer le beurre dans une sauteuse, à feu moyen.

Ajouter les oignons et les piments; saler, poivrer et faire cuire 3 minutes.

Couvrir et continuer la cuisson pendant 3 minutes.

Ajouter la dinde et le bouillon de poulet chaud; remuer et ajouter la pâte de tomates.

Mélanger la fécule de maïs et l'eau froide. Incorporer le mélange au liquide; remuer à nouveau.

Assaisonner au goût et faire mijoter à feu très doux de 4 à 5 minutes.

Servir.

Cailles en cocotte

(pour 4 personnes)

6	cailles lavées, salées et poivrées
30 mL	(2 c. à soupe) de beurre
24	pommes de terre à la parisienne
30 mL	(2 c. à soupe) d'échalotes hachées
15 mL	(1 c. à soupe) de persil haché
24	petites carottes
24	champignons lavés et entiers (retirer les tiges)
30 mL	(2 c. à soupe) de cognac
125 mL	(½ tasse) de fond ou bouillon de poulet chaud
125 mL	(½ tasse) de crème de 35%
15 mL	(1 c. à thé) de fécule de maïs
30 mL	(2 c. à soupe) d'eau froide
	sel et poivre

Préchauffer le four à 180°C (350°F).

Faire fondre le beurre dans une casserole allant au four.

Ajouter les cailles et les saisir sur un feu moyen.

Ajouter les pommes de terre et mélanger le tout.

Ajouter les échalotes et le persil; couvrir et faire cuire de 4 à 5 minutes. Ajouter les carottes et les champignons; saler, poivrer. Couvrir et faire cuire de 6 à 7 minutes. Ajouter le cognac et continuer la cuisson au four, avec le couvercle, de 5 à 6 minutes. Retirer la casserole du four et placer les cailles sur un plat de service. Garder au chaud.

Verser le bouillon de poulet dans la casserole et faire cuire le tout pendant 2 minutes. Ajouter la crème et assaisonner au goût.

Mélanger la fécule de maïs et l'eau froide.

Verser le mélange dans la sauce et faire mijoter le tout.

Verser sur les cailles et servir.

167

Poulet mariné à la sauce soya

(pour 4 personnes)

50 mL	(¹⁄₄ tasse) d'huile
50 mL	(¹⁄₄ tasse) de sauce soya
5 mL	(1 c. à thé) de sauce Worcestershire
5 mL	(1 c. à thé) de moutarde sèche
15 mL	(1 c. à soupe) d'ail écrasé et haché
45 mL	(3 c. à soupe) de vinaigre de vin
250 mL	(1 tasse) d'eau froide
1	poulet de 1,3 à 2 k (3 à 4 livres)
3	oignons verts hachés
15 mL	(1 c. à soupe) de sucre
15 mL	(1 c. à soupe) d'huile
375 mL	(1¹⁄₂ tasse) de bouillon de poulet chaud
15 mL	(1 c. à soupe) de fécule de maïs
45 mL	(3 c. à soupe) d'eau froide
	quelques gouttes de jus de citron
	sel et poivre

Préchauffer le four à 180°C (350°F).

Verser 50 mL (¹⁄₄ tasse) d'huile dans un bol. Ajouter la sauce soya, la sauce Worcestershire, la moutarde sèche et mélanger le tout avec un fouet de cuisine.

Ajouter l'ail; le vinaigre de vin et le jus de citron.

Couper le poulet en 8 morceaux et les placer dans un bol. Verser la marinade sur les morceaux de poulet, ajouter 250 mL (1 tasse) d'eau froide, le sucre et les oignons verts; faire mariner le tout pendant 1 heure au réfrigérateu[r].

Faire chauffer l'huile dans un[e] sauteuse, à feu vif. Ajouter le[s] morceaux de poulet et les sais[ir] à feu moyen, de 4 à 5 minute[s] de chaque côté.

Ajouter 250 mL (1 tasse) du [li]quide de la marinade et continu[er] la cuisson pendant 2 minutes.

Ajouter le bouillon de poulet. Mélanger la fécule de maïs et l'ea[u] froide. Ajouter le mélange a[u] poulet, mélanger et faire cuire [le] tout au four, sans couvercle, pe[n]dant 35 minutes.

Servir avec un légume vert.

Note: Cette marinade se conse[r]ve de 2 à 3 jours au réfrigérate[ur] et peut être utilisée avec le bœ[uf] ou le porc.

168

Technique du poulet mariné à la sauce soya:

. Mettre l'huile dans un bol à mélanger.

2. Ajouter la sauce soya.

. Ajouter la sauce Worcestershire.

4. Ajouter la moutarde sèche.

. Ajouter l'ail haché.

6. Ajouter le vinaigre de vin.

7. *Ajouter le jus de citron.*

8. *Couper le poulet en morceaux.*

9. *Mettre les morceaux de poulet dans un bol à mélanger et ajouter la marinade.*

10. *Ajouter l'eau froide pour que le poulet baigne dans la marinade.*

11. *Ajouter le sucre.*

12. *Parsemer d'oignons verts et faire mariner pendant 1 heure au réfrigérateur.*

Poulet aux amandes

(pour 4 personnes)

454 g	(1 livre) de poulet coupé en lanières de 2,5 cm (1 po.) (on peut utiliser des poitrines de poulet)
250 mL	(1 tasse) de farine
3	oeufs battus
50 mL	(¼ tasse) de lait
250 mL	(1 tasse) de chapelure de biscuits soda

écrasés
175 mL (¾ tasse) d'amandes
effilées
sel et poivre

Huile d'arachide chauffée à 180°C (350°F) pour la friture.
Saler et poivrer les lanières de poulet et bien les enfariner.
Mettre les oeufs dans un bol. Ajouter le lait; mélanger le tout avec un fouet de cuisine.
Mettre la chapelure de biscuits et les amandes dans un bol; mélanger le tout.
Tremper les morceaux de poulet dans les oeufs battus. Bien les enrober de chapelure en les pressant avec les doigts.
Plonger le tout dans l'huile chaude pendant 3 à 4 minutes.
Servir avec une sauce aux prunes commerciale.

Poulet sauté
au sirop d'érable

(pour 4 personnes)

2	poitrines de poulet, cuites, désossées et coupées en lanières
30 mL	(2 c. à soupe) de beurre
227 g	(½ livre) de champignons lavés et émincés
1	piment vert émincé
1	piment rouge émincé
1	échalote sèche hachée

30 mL	(2 c. à soupe) de sirop d'érable
375 mL	(1½ tasse) de bouillon de poulet chaud
15 mL	(1 c. à soupe) de fécule de maïs
30 mL	(2 c. à soupe) d'eau froide
	sel et poivre

Faire chauffer le beurre dans une sauteuse, à feu moyen. Ajouter les champignons et saler, poivrer; faire cuire de 4 à 5 minutes.

Ajouter les piments et l'échalote; mélanger et faire cuire 2 minutes.

Ajouter le sirop d'érable et le poulet; continuer la cuisson de 2 à 3 minutes.

Ajouter le bouillon de poulet chaud.

Mélanger la fécule de maïs et l'eau froide. Incorporer le mélange au bouillon; remuer le tout.

Faire mijoter de 4 à 5 minutes.

Servir accompagné de riz blanc.

Brochettes de poulet et de bacon

(pour 4 personnes)

1	poitrine de poulet désossée et coupée en gros dés
¼	courgette coupée en grosses rondelles
1	piment vert coupé en gros dés
1	piment rouge coupé en gros dés
20	gros champignons
8	tranches de bacon
5 mL	(1 c. à thé) de sauce soya

sel et poivre

Huiler et faire chauffer la grille du barbecue.

Mettre les courgettes, les piments et les champignons dans une casserole. Ajouter 375 mL (1½ tasse) d'eau, saler et amener à ébullition; faire cuire pendant 3 minutes.

Placer la casserole sous l'eau froide et faire refroidir les légumes. Egoutter les légumes et les mettre de côté.

Faire cuire le bacon croustillant et le mettre de côté.

Verser le gras de bacon dans un bol. Ajouter la sauce soya et mélanger le tout.

Enfiler en alternant, le poulet, les courgettes, les piments, les champignons et les tranches de bacon. Répéter la même opération pour remplir toutes les brochettes. Badigeonner les brochettes avec le mélange de soya; faire cuire le tout sur la grille du barbecue de 10 à 12 minutes.

Servir avec une sauce ou une fondue d'oignons.

Poitrine de poulet aux piments

(pour 2 personnes)

1	poitrine de poulet cuite
30 mL	(2 c. à soupe) de margarine
227 g	(½ livre) de champignons lavés et émincés
1	piment vert émincé
500 mL	(2 tasses) de bouillon de boeuf chaud
15 mL	(1 c. à soupe) de pâte de tomates
22 mL	(1½ c. à soupe) de fécule de maïs
45 mL	(3 c. à soupe) d'eau froide
	quelques gouttes de sauce Worcestershire
	sel et poivre

Faire chauffer la margarine dans une sauteuse, à feu moyen. Ajouter les champignons et les piments; couvrir et faire cuire pendant 3 minutes.

Ajouter le bouillon de boeuf et la pâte de tomates; mélanger le tout. Ajouter la sauce Worcestershire. Mélanger la fécule de maïs et l'eau froide. Incorporer le mélange à la sauce. Ajouter la poitrine de poulet; faire mijoter le tout de 7 à 8 minutes. Servir.

Poitrines de poulet au prosciutto

(pour 4 personnes)

2	poitrines de poulet désossées
8	tranches de prosciutto très minces
4	tranches de cheddar coupées très minces
1	tasse de farine
1½	tasse de chapelure
2	oeufs entiers
5 mL	(1 c. à thé) d'huile sel et poivre huile d'arachide pour la friture chauffée à 180°C (350°F.)

Préchauffer le four à 200°C (400°F.).

Couper les poitrines en deux.

Placer les poitrines entre 2 feuilles de papier ciré et les aplatir avec un maillet.

Placer les tranches de prosciutto sur les poitrines.

Recouvrir le tout de fromage.

Ramener les bords des poitrines vers le centre et les rouler.

Envelopper les rouleaux de poulet dans du papier ciré et les placer au congélateur de 8 à 10 minutes.

Retirer les poitrines du congélateur et les rouler dans la farine.

Mettre les oeufs et l'huile dans un bol et mélanger le tout avec un fouet de cuisine.

Tremper les poitrines dans les oeufs et les rouler dans la chapelure.

Plonger le tout dans l'huile chaude et faire cuire de 3 à 4 minutes.

Égoutter et placer les poitrines dans un plat allant au four.

Faire cuire au four de 10 à 12 minutes.

Servir avec un riz blanc ou un légume vert.

Poulet terrazini

(pour 4 personnes)

Première partie:

1	poulet de 1,8 kg à 2,2 kg (4 à 5 livres), en morceaux
1	oignon coupé en 4
2	branches de céleri coupées en 2
3	queues de persil
2 L	(8 tasses d'eau)
	sel et poivre

Mettre tous les ingrédients dans une casserole et amener à ébullition; faire cuire à feu doux de 35 à 40 minutes.

Note: Vous pouvez retirer les poitrines après 25 minutes de cuisson.

Deuxième partie:

45 mL	(3 c. à soupe) de beurre
½	oignon finement haché
227 g	(½ livre) de champignons frais coupés en dés
60 mL	(4 c. à soupe) de farine
1 L	(4 tasses) de lait chaud
227 g	(½ tasse) de fromage cheddar râpé quelques gouttes de jus de citron

sel et poivre

Faire fondre le beurre dans une casserole sur un feu moyen. Ajouter les oignons et les champignons; mélanger le tout. Ajouter le jus de citron; saler, poivrer et faire cuire de 3 à 4 minutes. Ajouter la farine et mélanger le tout. Ajouter le lait chaud, remuer et assaisonner au goût. Ajouter le fromage râpé; faire mijoter à feu doux pendant 20 minutes. 7 minutes avant la fin de la cuisson, ajouter les morceaux de poulet cuits. Servir avec un riz blanc.

Doigts de poulet au carvi

(pour 4 personnes)

1	poitrine de poulet, désossée et coupée en lanières
22 mL	(1½ c. à soupe) de graines de carvi
375 mL	(1½ tasse) de biscuits soda écrasés
250 mL	(1 tasse) de farine
3	oeufs battus
50 mL	(¼ tasse) de lait sel et poivre

Huile d'arachide pour la friture chauffée à 180°C (350°F).

Saler, poivrer les lanières de poulet.

Mettre les biscuits soda et les graines de carvi dans un bol; mélanger le tout.

Verser le lait dans un bol. Ajouter les oeufs et battre le tout.

Mettre la farine dans une assiette.

Rouler les lanières de poulet dans la farine, les tremper dans les oeufs battus et bien les enrober de biscuits soda. Plonger le tout dans l'huile chaude pour 3 minutes ou plus, selon la grosseur des lanières.

Servir avec une sauce chinoise aux prunes.

BOEUF

Tarte au boeuf et aux pommes de terre

(pour 4 personnes)

1,2 Kg	(2½ livres) de hautes côtes coupées en lanières
45 mL	(3 c. à soupe) de saindoux
1	branche de céleri coupée en petits dés
1	grosse carotte coupée en petits dés
1	oignon coupé en dés
20	champignons frais coupés en 2
45 mL	(3 c. à soupe) de farine tout usage
625 mL	(2½ tasses) de bouillon de boeuf chaud
1 L	(4 tasses) de pommes de terre en purée
125 mL	(½ tasse) de fromage cheddar râpé
2 mL	(½ c. à thé) d'origan ou
	de clou de girofle
1	gousse d'ail écrasée et hachée
	une pincée de thym
	sel et poivre

Préchauffer le four à 180°C (350°F).

Faire chauffer la moitié du saindoux dans une sauteuse, à feu moyen. Ajouter la moitié de la viande et la saisir de 4 à 5 minutes de chaque côté.

Répéter la même opération pour le reste de la viande.

Saler, poivrer.

Remettre toute la viande dans la sauteuse. Ajouter 125 mL (½ tasse) de bouillon de boeuf; couvrir et faire cuire au four pendant 1½ heure.

Retirer la sauteuse du four et la placer sur l'élément du poêle.

Ajouter le céleri, les carottes et les oignons; mélanger le tout. Couvrir et faire cuire 15 minutes à feu doux.

Ajouter les champignons et la farine; mélanger et faire cuire 3 minutes.

Ajouter le bouillon de boeuf et les épices. Ajouter l'ail; faire mijoter à feu doux pendant 18 minutes pour que la farine épaississe le bouillon.

Étendre une couche de pommes de terre dans le fond d'un plat allant au four. Parsemer le tout de paprika.

Étendre le mélange de viande sur les pommes de terre.

Recouvrir le tout de purée de pommes de terre. Parsemer de fromage râpé et faire cuire au four à 190°C (375°F) pendant 30 minutes. Servir.

Technique de la tarte au boeuf et aux pommes de terre

1. Présentation des ingrédients.

2. Faire saisir la viande dans le saindoux.

3. Ajouter les légumes et les épices.

4. Ajouter les champignons.

5. Ajouter la farine et mélanger le tout.

6. Ajouter le bouillon de boeuf chaud.

7. Étendre une couche de purée de pommes de terre dans un plat allant au four.

8. Ajouter le mélange de viande.

9. Recouvrir de pommes de terre. Parsemer de fromage cheddar râpé.

Bœuf braisé

(pour 4 personnes)

30 mL	(2 c. à soupe) d'huile végétale
2 kg	(4 livres) de côtes de bœuf
	farine tout usage
1	oignon d'Espagne coupé en dés
4	pommes de terre coupées en gros dés
796 mL	(28 onces) de tomates égouttées
30 mL	(2 c. à soupe) de pâte de tomates
2 mL	(½ c. à thé) de thym
1	feuille de laurier
1	gousse d'ail écrasée et hachée
500 mL	(2 tasses) de bouillon de bœuf chaud
15 mL	(1 c. à soupe) de fécule de maïs
45 mL	(3 c. à soupe) d'eau froide
	sel et poivre

Préchauffer le four à 180°C (350°F).

Faire chauffer l'huile dans une sauteuse à feu vif.

Ajouter les côtes de bœuf et les saisir des 2 côtés.

Fariner les côtes et continuer la cuisson pendant 2 minutes.

Retirer les côtes de bœuf et le mettre de côté.

Mettre les oignons et les pomm de terre dans la sauteuse et le faire cuire de 5 à 6 minutes.

Ajouter les côtes de bœuf, les t mates, la pâte de tomates, l'a les épices et le bouillon de bœ chaud. Saler, poivrer et amener ébullitoin; couvrir et faire cuire a four pendant 2 heures.

Mélanger la fécule de maïs l'eau froide et ajouter le mélang à la sauce.

Remuer et continuer la cuisso pendant 1 minute.

Servir.

Technique du boeuf braisé

1. Mettre les côtes de boeuf dans une sauteuse contenant de l'huile chaude.

2. Retourner les côtes de boeuf.

. Fariner les côtes.

4. Retirer les côtes et les mettre de côté.

5. Ajouter les oignons et les pommes de terre à la sauteuse.

. Ajouter les côtes de boeuf.

7. Ajouter les tomates égouttées.

8. Ajouter le bouillon de boeuf chaud.

Boeuf braisé aux navets et au chou

(pour 4 personnes)

1	morceau de haute côte de 1,4 à 1,8 kg (3 à 4 livres) désossé, roulé et ficelé
30 mL	(2 c. à soupe) de saindoux
30 mL	(2 c. à soupe) de beurre
½	oignon d'Espagne haché
60 mL	(4 c. à soupe) de farine tout usage
1 L	(4 tasses) de bouillon de boeuf chaud
4	queues de persil
2	feuilles de laurier
1	gousse d'ail écrasée et hachée
2	clous de girofle
4	pommes de terre pelées
1	navet pelé et coupé en 4
4	carottes pelées
1	petit chou coupé en 4
4	petits oignons pelés sel et poivre

Préchauffer le four à 150°C (300°F).

Faire chauffer le saindoux dans une grande casserole allant au four. Ajouter la pièce de viande et la faire cuire de 7 à 8 minutes de chaque côté. Saler, poivrer.

Retirer la viande de la casserole et la mettre de côté.

Mettre les oignons hachés dans la casserole. Ajouter le beurre; faire cuire de 3 à 4 minutes.

Ajouter la farine; faire cuire de 3 à 4 minutes.

Ajouter le bouillon de boeuf, remuer et prolonger la cuisson de 5 à 6 minutes pour permettre à la farine d'épaissir le liquide.

Remettre le morceau de viande dans le liquide.

Ajouter les épices et tous les légumes; saler, poivrer.

Couvrir et faire cuire au four pendant 3 heures.

Après 1 heure de cuisson, retirer les légumes et les mettre de côté.

15 minutes avant la fin de la cuisson, remettre les légumes dans la casserole pour les réchauffer.

Servir avec de la moutarde forte.

Technique du boeuf braisé aux navets et au chou

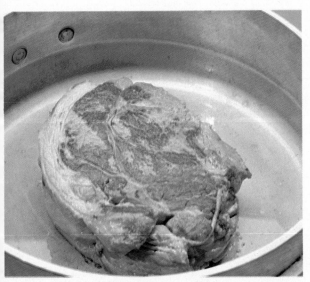

1. *Faire saisir la viande dans le saindoux.*

2. *Ajouter les oignons; faire cuire 3 à 4 minutes.*

3. *Ajouter la farine; mélanger le tout.*

4. *Faire brunir la farine de 3 à 4 minutes.*

5. *Ajouter le bouillon de boeuf et les épices.*

6. *Mettre la viande dans la sauce avec les légumes.*

Boeuf braisé aux piments et aux fettucinis

(pour 4 personnes)

1	oignon haché
907 g	(2 livres) de hautes côtes coupées en lanières
30 mL	(2 c. à soupe) d'huile
45 mL	(3 c. à soupe) de beurre
45 mL	(3 c. à soupe) de farine
500 mL	(2 tasses) de bouillon de boeuf
30 mL	(2 c. à soupe) de pâte de tomates
1	piment vert coupé en dés
1	piment rouge coupé en dés
15 mL	(1 c. à soupe) de persil haché
30 mL	(2 c. à soupe) de noix de pins
	une pincée de thym
	sel et poivre
	fettucinis pour 4 personnes, « Al Dente » (cuisson moyenne)

Préchauffer le four à 150°C (300°F).

Faire chauffer 15 mL (1 c. à soupe) d'huile dans une sauteuse.

Ajouter la moitié de la viande et la saisir de 3 à 4 minutes de chaque côté.

Répéter la même opération pour le reste de la viande.

Remettre toute la viande dans la sauteuse. Ajouter les oignons et 30 mL (2 c. à soupe) de beurre; faire cuire 3 minutes.

Ajouter la farine, mélanger et faire cuire de 4 à 5 minutes pour faire brunir la farine.

Ajouter les épices et le bouillon de boeuf; remuer le tout.

Ajouter la pâte de tomates; couvrir et faire cuire au four pendant 2 heures.

15 minutes avant la fin de la cuisson faire chauffer 15 mL (1 c. à soupe) de beurre dans une sauteuse. Ajouter les piments; faire cuire 3 minutes. Incorporer les piments au mélange de viande. Servir avec les fettucinis et garnir de noix de pins.

186

Technique du boeuf braisé aux piments et aux fettucinis

1. *Faire saisir la viande dans l'huile chaude.*

2. *Ajouter les oignons et continuer la cuisson.*

3. *Ajouter la farine; bien mélanger.*

4. *Ajouter le bouillon de boeuf.*

5. *Ajouter la pâte de tomates; bien mélanger.*

6. *Faire sauter les piments rouges et verts dans le beurre chaud.*

Boulettes de viande Strogonoff

(pour 4 personnes)

340,2 g	(¾ livre) de boeuf haché
2	échalotes sèches hachées
15 mL	(1 c. à soupe) de persil haché
1	oeuf entier
2 mL	(½ c. à thé) de sauce Worcestershire
30 mL	(2 c. à soupe) d'huile végétale
1	oignon d'Espagne émincé
37 mL	(2½ c. à soupe) de farine
2½	tasses de bouillon de boeuf chaud
2 mL	(½ c. à thé) d'estragon
30 mL	(2 c. à soupe) de crème sure jus de citron (facultatif) sel et poivre

Dans un bol à mélanger, mettre la viande, les échalotes, le persil, l'oeuf et la sauce Worcestershire. Saler, poivrer et bien incorporer pour lier la viande et former une boule.

Note: vous pouvez utiliser un malaxeur avec le crochet à pain. Former des boulettes. Mettre de côté.

Faire chauffer l'huile dans une sauteuse, à feu moyen. Ajouter les boulettes et les faire cuire de 2 à 3 minutes de chaque côté. Retirer les boulettes de viande. Mettre de côté.

Mettre les oignons dans la sauteuse; saler, poivrer et faire cuire de 5 à 6 minutes.

Ajouter la farine et continuer la cuisson à feu doux de 3 à 4 minutes pour brunir la farine.

Ajouter le bouillon de boeuf, mélanger et faire cuire de 7 à 8 minutes. Ajouter les épices, saler et poivrer; ajouter les boulettes de viande et faire mijoter de 5 à 6 minutes.

Retirer du feu.

Ajouter la crème sure et mélanger le tout.

Servir avec des nouilles.

Technique des "Boulettes de viande Strogonoff"

1. Former des boulettes avec la viande.

2. Saisir les boulettes dans l'huile chaude.

3. Retourner les boulettes.

4. Mettre les oignons dans la sauteuse.

5. Fariner les oignons.

6. Faire cuire le tout pour brunir la farine.

7. Ajouter le bouillon de boeuf chaud.

8. Ajouter les boulettes de viande et continuer la cuisson.

9. Retirer la sauteuse du feu. Ajouter la crème sure.

Casserole de viande hachée

(pour 4 personnes)

30 mL	(2 c. à soupe) d'huile d'olive
1	oignon haché
227 g	(½ livre) de champignons émincés
1	piment vert émincé
680 g	(1½ livre) de boeuf haché
1 mL	(¼ c. à thé) de poudre de chili
1	gousse d'ail écrasée et hachée
1	boîte de tomates de 796 mL (28 onces)

égouttées et hachées

125 mL	(½ livre) de fromage cheddar râpé
	une pincée de piment de la Jamaïque moulu
	sel et poivre

Préchauffer le four à 190°C (375°F).

Faire chauffer l'huile dans une sauteuse, à feu moyen. Ajouter les oignons et les faire cuire pendant 3 minutes.

Ajouter les champignons; faire cuire 3 minutes. Saler, poivrer.

Ajouter les piments, couvrir et continuer la cuisson pendant 4 minutes.

Ajouter la viande hachée, l'ail et les épices; mélanger et faire cuire le tout de 5 à 6 minutes, à feu moyen.

Ajouter les tomates et la moitié du fromage râpé; mélanger et faire mijoter le tout de 5 à 6 minutes.

Verser le mélange dans un plat allant au four.

Parsemer le tout de fromage râpé; faire cuire au four pendant 15 minutes.

Servir.

Technique de la casserole de viande hachée

1. *Faire cuire les oignons pendant 3 minutes.*

2. *Ajouter les champignons et les faire cuire pendant 3 minutes.*

3. *Ajouter les piments, couvrir et faire cuire 4 minutes.*

4. *Ajouter la viande hachée.*

5. *Ajouter les tomates.*

6. *Ajouter le fromage cheddar râpé.*

Casserole de viande hachée à la crème sure

(pour 4 personnes)

15 mL	(1 c. à soupe) d'huile
1	oignon finement haché
250 mL	(1 tasse) de blé d'Inde en boîte
45 mL	(3 c. à soupe) de beurre
227 g	(½ livre) de champignons émincés
45 mL	(3 c. à soupe) de farine
454 g	(1 livre) de viande hachée
500 mL	(2 tasses) de bouillon de boeuf
30 mL	(2 c. à soupe) de crème sure
45 mL	(3 c. à soupe) de chapelure de biscuits

soda
une pincée de poudre de chili
une pincée de piment de la Jamaïque moulu
paprika
sel et poivre

Préchauffer le four à 190°C (375°F).

Faire chauffer l'huile dans une sauteuse, à feu moyen. Ajouter les oignons et le blé d'Inde; faire cuire de 3 à 4 minutes.

Ajouter la viande et les épices; continuer la cuisson de 4 à 5 minutes. Mettre de côté.

Faire chauffer le beurre dans une casserole, à feu moyen.

Ajouter les champignons et les faire cuire de 4 à 5 minutes.

Ajouter la farine, mélanger et faire cuire pendant 3 minutes.

Ajouter le bouillon de boeuf, remuer et prolonger la cuisson de 7 à 8 minutes.

Verser le tout dans la sauteuse contenant la viande hachée.

Assaisonner au goût et ajouter la crème sure.

Verser le mélnage dans un plat à tarte.

Parsemer le tout de chapelure et faire cuire au four de 8 à 10 minutes.

Servir.

1. Faire sauter les oignons et le blé d'Inde dans l'huile chaude.

Technique de la casserole de viande hachée à la crème sure

2. Ajouter la viande et les épices.

3. Faire cuire les champignons dans le beurre chaud.

4. Ajouter la farine et mélanger le tout.

5. Faire cuire le mélange de champignons et de farine pendant 3 minutes.

6. Ajouter le bouillon de boeuf; mélanger le tout.

7. Verser le mélange dans la sauteuse contenant la viande.

8. Ajouter la crème sure; mélanger le tout.

Entrecôtes, sauce aux champignons

(pour 4 personnes)

4	entrecôtes ou New-York cut pesant 284 à 340 g (10 à 12 onces)
45 mL	(3 c. à soupe) d'huile d'olive
3	oignons émincés
227 g	(½ livre) de champignons émincés
1	gousse d'ail écrasée et hachée
50 mL	(¼ tasse) de vinaigre à l'estragon
375 mL	(1½ tasse) de sauce brune commerciale
50 mL	(¼ tasse) de ketchup quelques gouttes de

jus de citron
sel et poivre
persil haché

Huiler et préchauffer la grille du barbecue.

Faire chauffer 30 mL (2 c. à soupe) d'huile dans une sauteuse. Ajouter les oignons; saler, poivrer. Faire cuire le tout à feu vif de 4 à 5 minutes pour brunir les oignons.

Ajouter le persil.

Ajouter les champignons et l'ail; continuer la cuisson de 3 à 4 minutes. Ajouter le vinaigre et le faire évaporer pendant 2 minutes. Ajouter la sauce brune; mélanger le tout.

Ajouter le ketchup et faire mijoter le tout pendant quelques minutes. Corriger l'assaisonnement.

Cuisson des entrecôtes:

Badigeonner généreusement les entrecôtes d'huile.

Placer les entrecôtes sur la grille chaude du barbecue et les faire cuire de 2 à 3 minutes de chaque côté.

Prolonger la cuisson de 2 à 3 minutes.

Saler, poivrer.

Servir les entrecôtes avec une sauce aux champignons et une pomme de terre farcie.

Note: La sauce aux champignons se conserve de 2 à 3 jours au réfrigérateur.

Technique des entrecôtes, sauce aux champignons

1. *Choisir des entrecôtes de 284 à 340 g (10 à 12 oz).*

2. *Faire cuire les oignons dans une sauteuse contenant de l'huile chaude. Ajouter le persil.*

3. *Ajouter les champignons et l'ail.*

4. *Ajouter le vinaigre d'estragon.*

5. *Ajouter la sauce brune commerciale.*

6. *Ajouter le ketchup; mélanger le tout.*

Flanc de boeuf farci

(pour 4 personnes)

1	flanc de boeuf
30 mL	(2 c. à soupe) d'huile végétale
2	oignons
1	piment vert finement haché
15 mL	(1 c. à soupe) de persil haché
1	tasse de riz cuit
½	tasse de croûtons
1 mL	(¼ c. à thé) de sariette
1 mL	(¼ c. à thé) de thym
1	oeuf entier
4	pommes de terre coupées en 4
2	tasses de bouillon de boeuf chaud
15 mL	(1 c. à soupe) de fécule de maïs
45 mL	(3 c. à soupe) d'eau froide
	sel et poivre

Préchauffer le four à 180°C (350°F).

Temps de cuisson: 1 heure 15 minutes ou selon la grosseur du flanc. Placer le flanc entre deux feuilles de papier ciré et l'aplatir avec un maillet. Saler et poivrer le flanc.

Faire chauffer 15 mL (1 c. à soupe) d'huile dans une sauteuse.

Ajouter ½ oignon haché, les piments et le persil; faire cuire pendant 3 minutes.

Ajouter le riz et les croûtons; mélanger le tout.

Ajouter les épices et l'oeuf; bien incorporer le tout pour lier la farce.

Farcir le flanc, le rouler et le ficeler. Faire chauffer 15 mL (1 c. à soupe) d'huile dans un plat à rôtir. Ajouter le flanc et le saisir de 7 à 8 minutes.

Couper le reste des oignons en gros dés et les mettre dans le plat à rôtir. Ajouter les pommes de terre et saisir le tout de 8 à 10 minutes. Saler, poivrer.

Ajouter le bouillon de boeuf, couvrir avec le papier d'aluminium et faire cuire au four pendant 1 heure.

Dès que les pommes de terre sont cuites les retirer et les mettre de côté.

Retirer le flanc et le placer sur un plat de service. Placer le plat à rôtir sur l'élément du poêle et amener le liquide à ébullition.

Mélanger la fécule de maïs et l'eau froide. Ajouter le mélange à la sauce.

Ajouter les pommes de terre et mélanger le tout délicatement.

Couper le flanc et placer les tranches dans un plat de service. Ajouter les pommes de terre et la sauce. Servir.

Technique du "Flanc de boeuf farci"

1. Mettre les oignons et les piments dans une sauteuse contenant de l'huile chaude.

2. Ajouter le persil.

3. Ajouter le riz cuit.

4. Ajouter les croûtons.

5. Ajouter les épices.

6. Ajouter l'oeuf.

7. Bien mélanger le tout pour lier la farce.

8. Aplatir le flanc entre 2 feuilles de papier ciré.

9. Farcir le flanc et le ficeler.

Goulash

(pour 4 personnes)

1,4 Kg	*(3 livres) de hautes côtes coupées en cubes*
30 mL	*(2 c. à soupe) de saindoux*
22 mL	*(1½ c. à soupe) de paprika*
45 mL	*(3 c. à soupe) de farine*
1	*oignon d'Espagne émincé*
500 mL	*(2 tasses) de bouillon de boeuf chaud*
45 mL	*(3 c. à soupe) de pâte de tomates*
1	*feuille de laurier*
2 mL	*(½ c. à thé) d'origan*
15 mL	*(1 c. à soupe) de persil haché*
30 mL	*(2 c. à soupe) de crème sure*
	nouilles au beurre
	sel et poivre

Préchauffer le four à 150°C (300°F).

Faire chauffer la moitié du saindoux dans une sauteuse, à feu moyen.

Ajouter la moitié de la viande et la saisir de 4 à 5 minutes de chaque côté. Saler, poivrer.

Répéter la même opération pour faire cuire le reste de la viande.

Remettre toute la viande dans la sauteuse, ajouter le paprika et bien mélanger le tout.

Ajouter les oignons et faire cuire de 8 à 10 minutes.

Ajouter la farine, mélanger et prolonger la cuisson de 4 à 5 minutes.

Ajouter le bouillon de boeuf et la pâte de tomates. Assaisonner au goût et ajouter les épices.

Couvrir et faire cuire pendant 2½ heures. Retirer du four.

Servir avec des nouilles et de la crème sure.

Technique de la goulash

1. Faire saisir la viande dans le saindoux de 4 à 5 minutes.

2. Saupoudrer de paprika et bien mélanger. Saler, poivrer.

3. Ajouter les oignons et les faire cuire de 8 à 10 minutes. Ajouter la farine et continuer la cuisson de 4 à 5 minutes.

4. Ajouter le bouillon de boeuf et la pâte de tomates; bien mélanger le tout.

Hamburger aux piments et aux oignons

(pour 4 personnes)

1 kg	(2 livres) de bœuf haché
1	œuf
5 mL	(1 c. à thé) de moutarde sèche
30 mL	(2 c. à soupe) de sauce H.P.
45 mL	(3 c. à soupe) d'huile végétale
1	oignon d'Espagne, émincé
1	piment vert émincé
1	piment rouge émincé
15 mL	(1 c. à soupe) de beurre à l'ail
125 mL	(¹/₂ tasse) de sauce chow-chow aux tomates rouges (commerciale)
4	tranches de pain français grillé
	sel et poivre

Mettre la viande, l'œuf, la moutarde et la sauce H.P. dans un bol et mélanger pendant 2 minutes. Former 4 hamburgers.

Faire chauffer l'huile dans une poêle à frire, à feu moyen. Ajouter les hamburgers et les faire cuire 2 minutes de chaque côté. Répéter la même opération pour obtenir des hamburgers cuits point. Retirer de la poêle et me tre de côté.

Verser le reste de l'huile dans poêle et, dès que l'huile est chau de, ajouter les oignons et les fai cuire de 3 à 4 minutes. Ajoute les piments et continuer la cuis son pendant 2 minutes.

Ajouter le beurre à l'ail et fai cuire le tout pendant 2 minute

Ajouter le chow-chow aux toma tes et faire mijoter pendant minutes.

Placer les hamburgers sur le pa grillé et recouvrir le tout de lé gumes. Servir.

Technique du "Hamburger aux piments et aux oignons"

1. Mettre les oignons dans une poêle à frire contenant de l'huile chaude.

. Ajouter les piments verts.

3. Ajouter les piments rouges.

. Ajouter le beurre à l'ail.

5. Ajouter la sauce chow-chow aux tomates rouges.

201

Marmite de boeuf aux pommes

(pour 4 personnes)

1,8 kg	(4 livres) de hautes côtes ficelées en rôti
30 mL	(2 c. à soupe) de saindoux
250 mL	(1 tasse) de jus de pommes
500 mL	(2 tasses) de bouillon de boeuf chaud
3	pommes à cuire pelées et coupées en quartiers
1	oignon d'Espagne coupé en dés
3	queues de persil
1	feuille de laurier
15 mL	(1 c. à soupe) de cassonade
45 mL	(3 c. à soupe) de fécule de maïs
60 mL	(4 c. à soupe) d'eau froide
	sel et poivre

Préchauffer le four à 150°C (300°F).

À feu moyen, faire chauffer 15 mL (1 c. à soupe) de saindoux dans une casserole allant au four. Ajouter le rôti et le faire saisir pendant 5 minutes.

Retourner la viande; saler, poivrer et faire cuire pendant 5 minutes.

Ajouter le jus de pommes, le bouillon de boeuf, les épices et la cassonade; saler, poivrer, couvrir et faire cuire au four pendant 3 heures.

Faire chauffer le reste du saindoux dans une poêle à frire.

Ajouter les oignons et les pommes; faire cuire de 3 à 4 minutes. Saler, poivrer.

30 minutes avant la fin de la cuisson, ajouter les oignons et les pommes au bouillon de boeuf.

Dès que la viande est cuite, la retirer et la placer dans un plat de service.

Remettre la casserole sur l'élément du poêle. Mélanger la fécule de maïs et l'eau froide; incorporer le mélange à la sauce. Amener le tout à ébullition et faire cuire pendant 2 minutes. Servir.

Technique de la marmite de boeuf aux pommes

1. Voici les hautes côtes de boeuf ficelées en rôti.

2. Saisir le morceau de boeuf pendant 5 minutes dans le saindoux.

3. Retourner la pièce de viande. Assaisonner et continuer la cuisson pendant 5 minutes.

4. *Ajouter le jus de pommes et le bouillon de boeuf.*

5. *Ajouter les pommes et les oignons sautés.*

Pointe de bœuf aux champignons

(pour 4 personnes)

1 pointe de filet de bœuf de 677 g (1 1/2 livre)
30 mL (2 c. à soupe) d'huile végétale
227 g (1/2 livre) de champignons émincés
5 mL (1 c. à thé) de gingembre
125 mL (1/2 tasse) de vin blanc sec
500 mL (2 tasses) de bouillon de bœuf léger, chaud

5 mL (1 c. à thé) de sauce soya
15 mL (1 c. à soupe) de fécule de maïs
45 mL (3 c. à soupe) d'eau froide
sel et poivre

Faire chauffer l'huile, à feu moyen, dans une poêle à frire ou une sauteuse. Ajouter le filet de bœuf et faire cuire 3 minutes de chaque côté.

Réduire la chaleur et continuer la cuisson pendant 4 minutes de chaque côté. Saler, poivrer.

Retirer du feu et placer le tout dans un plat de service chaud.

Ajouter les champignons et le gingembre à la poêle. Saler, poivrer et faire cuire pendant 3 minutes.

Ajouter le vin blanc et le faire évaporer pendant 2 minutes.

Ajouter le bouillon de bœuf, la sauce soya et mélanger le tout.

Mélanger la fécule de maïs et l'eau froide. Ajouter le mélange à la sauce et faire mijoter le tout de 3 à 4 minutes. Servir avec le filet

Technique de la "Pointe de boeuf aux champignons"

1. Placer le filet de boeuf dans une poêle contenant de l'huile chaude.

2. Retourner la pointe de filet.

3. Ajouter les champignons.

4. Ajouter le gingembre.

5. Ajouter le vin blanc sec.

6. Ajouter le bouillon de boeuf chaud.

7. Ajouter la sauce soya.

8. Ajouter la fécule de maïs et mélanger le tout.

Ragoût de boeuf aux légumes

(pour 4 personnes)

907 g   *(2 livres) de hautes côtes coupées en dés*

30 mL   *(2 c. à soupe) de saindoux*

15 mL   *(1 c. à soupe) de beurre*

3   *grosses carottes coupées en rondelles*

3   *pommes de terre coupées en rondelles*

250 mL   *(1 tasse) de jus de tomates*

500 mL   *(2 tasses) de bouillon de boeuf chaud*

1   *feuille de laurier*

3   *queues de persil*

1 mL   *(¼ c. à thé) de poudre de chili*

5 mL   *(1 c. à thé) de cassonade*
    sel et poivre

Préchauffer le four à 150°C (300°F).

Faire chauffer le saindoux dans une poêle à frire.

Ajouter la viande et la saisir à feu vif de 3 à 4 minutes de chaque côté. Saler, poivrer.

Beurrer généreusement un plat allant au four.

Placer une rangée de pommes de terre dans le fond du plat. Ajouter une rangée de carottes. Ajouter la viande et saler, poivrer. Ajouter les épices, la cassonade, le jus de tomates et le bouillon de boeuf; couvrir et faire cuire au four pendant 3 heures. Servir avec une salade verte et un vin rouge.

Technique du ragoût de boeuf aux légumes

1. *Faire saisir la viande dans le saindoux.*
2. *Beurrer généreusement un plat allant au four.*
3. *Placer une rangée de pommes de terre dans le fond du plat.*
4. *Ajouter les carottes.*
5. *Ajouter la viande.*
6. *Ajouter le jus de tomates.*
7. *Ajouter le bouillon de boeuf.*

207

Rôti de ronde bouquetière

(pour 4 personnes)

1	rôti de ronde de 1,4 kg à 1,8 kg (3 à 4 livres) recouvert de gras si possible
15 mL	(1 c. à soupe) de beurre
1	oignon d'Espagne coupé en dés
2 mL	(½ c. à thé) de thym
1	gousse d'ail écrasée et hachée
2	tasses de bouillon de boeuf chaud
15 mL	(1 c. à soupe) de fécule de maïs
45 mL	(3 c. à soupe) d'eau froide sel et poivre

La garniture:

4	carottes émincées
1	tête de brocoli
15 mL	(1 c. à soupe) de beurre
5 mL	(1 c. à thé) de sucre pommes de terre au choix

Préchauffer le four à 200°C (400°F). Temps de cuisson: 16 minutes par livre.

Placer le rôti dans un plat à rôtir et mettre le tout au four à 200°C (400°F). Saisir le rôti de tous les côtés; saler, poivrer.

Ajouter le beurre.

Mettre les oignons autour du rôti, ajouter les épices et continuer la cuisson. Après 40 minutes de cuisson, réduire le four à 190°C (375°F). Dès que le rôti est cuit, le retirer du plat et le mettre de côté.

Placer le plat sur l'élément du poêle et faire cuire les oignons à feu vif pendant 2 minutes pour les brunir et accentuer le goût.

Ajouter le bouillon de boeuf et continuer la cuisson de 5 à 6 minutes, à feu moyen.

Mélanger la fécule de maïs et l'eau froide.

Ajouter le mélange au bouillon et faire cuire pendant 2 minutes.

Passer la sauce au tamis.

NOTE: Si désiré on peut laisser les oignons dans la sauce.

La garniture:

Verser 1½ tasse d'eau dans une casserole. Ajouter le sel, le beurre et le sucre; amener le tout à ébullition.

Ajouter les carottes et faire cuire à feu moyen de 7 à 8 minutes. Retirer l'eau et faire glacer les carottes, sans eau, pendant 2 minutes. Faire cuire les fleurettes de brocoli à la vapeur ou dans l'eau bouillante salée. Plonger le brocoli cuit dans l'eau froide pour lui conserver sa couleur. NOTE: on peut réchauffer le brocoli à la vapeur ou avec du beurre.

Technique du "Rôti de ronde bouquetière"

1. Choisir un rôti recouvert de gras, sinon, il faut le badigeonner de beurre fondu.

2. Saisir le rôti. Lorsque le rôti est bien saisi, ajouter les oignons, saler et poivrer.

3. Pour augmenter le goût, ajouter du beurre (facultatif).

4. Mettre le rôti cuit de côté. Mettre les épices dans le plat à rôtir et faire revenir les oignons à feu vif. Saler, poivrer.

5. Ajouter le bouillon de boeuf. Epaissir le tout avec la fécule de maïs.

6. *Faire cuire les fleurs de brocoli dans l'eau bouillante salée.*

7. *Plonger le brocoli cuit dans l'eau froide.*

8. *Glacer les carottes dans le beurre.*

Steak de flanc mariné

(pour 4 personnes)

½	steak de flanc
30 mL	(2 c. à soupe) d'huile
5 mL	(1 c. à thé) de sauce soya
30 mL	(2 c. à soupe) de sirop d'érable
	poivre

Huiler et faire chauffer la grille du barbecue.

Emincer le morceau de viande en biseau très mince.

Placer les tranches de viande entre deux feuilles de papier d'aluminium et les aplatir avec un maillet.

Placer la viande dans un plat de service. Arroser le tout d'huile, de sauce soya et de sirop d'érable. Poivrer et faire mariner le tout pendant 1 heure.

Faire cuire la viande sur la grille du barbecue 2 minutes de chaque côté.

Servir avec du beurre à l'ail et des pommes de terre chips.

Technique du steak de flanc mariné

1. Voici le steak de flanc tel que vendu dans les boucheries.

2. A l'aide d'un couteau, émincer la viande en biseau.

3. Aplatir la viande entre deux feuilles de papier d'aluminium.

4. Mettre les tranches dans un plat et arroser le tout d'huile.

5. *Ajouter la sauce soya, poivrer, (ne pas saler).*

6. *Ajouter le sirop d'érable et faire mariner le tout pendant 1 heure.*

Hamburger au roquefort

(pour 4 personnes)

*On peut servir ce hamburger avec des tranches de fromage roquefort ou une sauce roquefort.

450 g	(1 livre) de bœuf maigre haché
1	œuf entier
5 mL	(1 c. à thé) de sauce Worcestershire
5 mL	(1 c. à thé) de sauce soya
15 mL	(1 c. à soupe) d'huile végétale
4	pains à hamburger, grillés
4	tranches de fromage roquefort ou la sauce roquefort
	quelques gouttes de sauce Tabasco
	sel et poivre

Mettre la viande dans un bol à mélanger, ajouter l'œuf, la sauce Worcestershire, la sauce soya et la sauce Tabasco; saler, poivrer et bien mélanger le tout de 2 à 3 minutes.

Former 4 hamburgers.

Faire chauffer l'huile dans une poêle à frire, à feu moyen.

Ajouter les hamburgers et faire cuire 2 minutes de chaque côté. Répéter la même opération une autre fois.

Placer la viande sur le pain grill recouvrir de fromage roquefo (ou de sauce roquefort). Serv

Sauce roquefort:

250 mL	(1 tasse) de sauce blanche chaude
5 mL	(1 c. à thé) de raifort
59 g	(2 onces) de roquefort haché
	quelques gouttes de sauce Tabasco

Mettre tous les ingrédients dar une petite casserole et bien le mélanger. Faire cuire penda 2 minutes à feu moyen, assa sonner au goût et servir.

Tarte au boeuf

(pour 4 personnes)

550 mL (2¼ tasses) de farine tout usage

2 mL (½ c. à thé) de sel

250 mL (1 tasse) de saindoux

60 mL (4 c. à soupe) d'eau très froide

Tamiser la farine et le sel dans un bol à mélanger. Ajouter le saindoux et l'incorporer avec un couteau à pâte.

Lorsque le mélange commence à former des petites boulettes, ajouter l'eau froide. À l'aide du pouce et de l'index, former rapidement une boule. Placer la boule de pâte dans un papier ciré et la laisser reposer au réfrigérateur pendant 1 heure.

Deuxième partie:

375 mL (1½ livre) de hautes côtes coupées en dés

30 mL (2 c. à soupe) de saindoux

45 mL (3 c. à soupe) de farine

250 mL (1 tasse) de bouillon de boeuf chaud

125 mL (½ tasse) de jus de tomates

3 carottes coupées en 3

3 pommes de terre pelées et coupées en 4

125 mL (½ tasse) de blé d'Inde

15 mL (1 c. à soupe) de persil

une pincée de piment de la Jamaïque moulu sel et poivre

Préchauffer le four à 150°C (300°F).

Faire chauffer le saindoux dans une sauteuse, à feu moyen.

Ajouter la viande et la saisir de 3 à 4 minutes de chaque côté.

Saler, poivrer. Ajouter la farine, mélanger et faire brunir le tout de 3 à 4 minutes.

Ajouter le bouillon de boeuf, le jus de tomates et les épices; couvrir et faire cuire au four à 150°C (300°F) pendant 2 heures. Retirer la sauteuse du four. Verser le mélange dans un plat à tarte en pyrex. Ajouter les légumes et recouvrir le tout de pâte. Badigeonner la pâte avec un oeuf battu. Faire cuire le tout au four à 200°C (400°F) pendant 30 minutes. Servir.

➤

213

Technique de la tarte au boeuf

1. Tamiser la farine et le sel dans un bol à mélanger.

2. Ajouter le saindoux.

3. Incorporer le tout avec un couteau à pâte.

4. Le mélange doit former des petites boulettes.

5. Ajouter l'eau froide.

6. Former une boule et la placer dans un papier ciré. Réfrigérer pendant 1 heure.

214

7. *Faire sauter la viande dans le saindoux.*

8. *Ajouter la farine; faire cuire le tout.*

9. *Ajouter le bouillon de boeuf chaud.*

10. *Ajouter le jus de tomates.*

11. *Verser le mélange dans un plat à tarte en pyrex. Ajouter les légumes.*

12. *Recouvrir de pâte et badigeonner d'oeuf battu.*

Boeuf à la bière

(pour 4 personnes)

15 mL	(1 c. à soupe) de pâte de tomates
907 g	(2 livres) de surlonge de boeuf en lanières
30 mL	(2 c. à soupe) d'huile
2	oignons émincés
227 g	(½ livre) de champignons lavés et émincés
15 mL	(1 c. à soupe) de beurre
30 mL	(2 c. à soupe) de farine
5 mL	(1 c. à thé) de sauce Worcestershire
375 mL	(1½ tasse) de bière
125 mL	(½ tasse) de crème sure
	paprika
	sel et poivre

Faire chauffer l'huile dans une sauteuse à feu vif. Ajouter la moitié de la viande et la faire saisir 1 minute de chaque côté. Saler, poivrer.

Répéter la même opération avec le reste de la viande.

Retirer et mettre toute la viande dans un plat de service.

Mettre les oignons dans la sauteuse et les faire cuire de 4 à 5 minutes. Ajouter le beurre et mélanger le tout.

Ajouter les champignons; saler, poivrer et faire cuire 3 minutes.

Ajouter la farine et le paprika, mélanger et faire cuire pendant 2 minutes.

Ajouter la bière et la sauce Worcestershire; mélanger de nouveau. Ajouter la pâte de tomates et faire mijoter à feu doux de 7 à 8 minutes.

Ajouter la viande, mélanger vivement et retirer du feu. Ajouter la crème sure, mélanger et servir.

216

Technique du boeuf à la bière

1. Couper la viande en lanières et la poivrer.

2. Faire saisir la viande.

3. Faire saisir les oignons.

4. Ajouter le beurre et mélanger le tout.

5. Ajouter les champignons; saler, poivrer.

Technique du boeuf à la bière (suite)

6. Ajouter la farine, le paprika et bien mélanger le tout.

7. Faire cuire le tout pendant 2 minutes.

8. Ajouter la bière et la sauce Worcestershire; bien mélanger.

9. Ajouter la pâte de tomates.

10. Ajouter la crème sure hors du feu, mélanger et servir.

Piments farcis

(pour 4 personnes)

4	piments verts
30 mL	(2 c. à soupe) d'huile
1	oignon haché
227 g	(½ livre) de viande hachée
1	branche de céléri hachée
20	champignons hachés
125 mL	(½ tasse) de jus de tomates
30 mL	(2 c. à soupe) de pâte de tomates
1	gousse d'ail écrasée et hachée
	sel et poivre

Huiler et faire chauffer la grille du barbecue.

A l'aide d'un petit couteau d'office, retirer la tête des piments et les graines qui se trouvent à l'intérieur. Plonger les piments dans une casserole contenant 500 mL (2 tasses) d'eau bouillante salée et les faire cuire de 5 à 6 minutes.

Laisser refroidir les piments et les égoutter.

Faire chauffer l'huile dans une sauteuse, à feu moyen. Ajouter les oignons et les faire cuire 2 minutes. Ajouter le céléri, les champignons et l'ail; saler, poivrer et faire cuire de 4 à 5 min.

Ajouter la viande, mélanger et faire cuire pendant 3 minutes.

Ajouter le jus de tomates et la pâte de tomates. Assaisonner au goût et faire cuire à feu très vif de 3 à 4 minutes pour épaissir le mélange.

Saler, poivrer l'intérieur des piments et les farcir avec le mélange de viande.

Badigeonner le tout d'huile* et les faire cuire au barbecue de 8 à 10 minutes en les retournant pendant la cuisson. Servir.

* On peut mélanger l'huile dans 15 mL (1 c. à soupe) de sirop d'érable et badigeonner le tout avec le mélange.

VEAU ET AGNEAU

Veau à la bolognese

ersonnes)

	escalopes de veau
250 mL	(1 tasse) de farine assaisonnée de paprika
2	oeufs battus
250 mL	(1 tasse) de biscuits soda écrasés
45 mL	(3 c. à soupe) d'huile d'olive
1	oignon haché
1	boîte de tomates de 796 mL (28 onces) égouttées et hachées
1	gousse d'ail écrasée
	et hachée
30 mL	(2 c. à soupe) de persil haché
5 mL	(1 c. à thé) d'estragon haché
	quelques piments rouges broyés
	sel et poivre

Enfariner les escalopes de veau, les tremper dans les oeufs battus et les enrober de chapelure de biscuits soda. Mettre de côté. Faire chauffer 15 mL (1 c. à soupe) d'huile dans une poêle à frire. Ajouter les oignons et le persil; faire cuire à feu doux de 3 à 4 minutes.

Ajouter les tomates, l'ail et les épices; saler, poivrer et faire cuire à feu vif de 10 à 12 minutes.

Mettre de côté et tenir au chaud. Faire chauffer le reste de l'huile dans une poêle à frire. Ajouter les escalopes de veau et les faire cuire de 3 à 4 minutes.

Disposer les escalopes sur un plat de service et les garnir de sauce aux tomates. Servir.

Technique
du veau
à
la bolognese

1. *Faire cuire les oignons et le persil dans l'huile chaude.*

2. *Ajouter les tomates, l'ail et les épices.*

3. *Enfariner les escalopes de veau.*

4. *Les tremper dans les oeufs battus.*

5. *Les enrober de chapelure de biscuits soda.*

London broil aux ananas

(pour 4 personnes)

350 g	(¾ livre) de porc maigre haché
454 g	(1 livre) de veau haché
1	oeuf
2 mL	(½ c. à thé) de thym
2 mL	(½ c. à thé) de poudre de chili
1	gousse d'ail écrasée et hachée
45 mL	(3 c. à soupe) de sauce soya
4	bandes de surlonge de 2,5 cm (1 po) de largeur et 15 cm (6 po) de longueur
15 mL	(1 c. à soupe) de beurre
30 mL	(2 c. à soupe) d'huile
2	piments verts émincés
227 g	(½ livre) de champignons émincés
4	rondelles d'ananas
50 mL	(¼ tasse) de jus d'ananas
375 mL	(1½ tasse) de bouillon de boeuf
22 mL	(1½ c. à soupe) de fécule de maïs
45 mL	(3 c. à soupe) d'eau froide
5 mL	(1 c. à thé) de persil haché
	sel et poivre

Préchauffer le four à 70°C (150°F)

Mettre la viande de porc et de veau dans un bol. Ajouter l'oeuf, le thym, la poudre de chili, l'ail et 15 mL (1 c. à soupe) de sauce soya.

Saler, poivrer et bien mélanger le tout.

Note: Il serait préférable d'utiliser un batteur électrique pour bien incorporer les ingrédients.

Technique du London broil aux ananas

Former 4 steaks et les entourer d'une bande de surlonge. Attacher le tout avec un cure-dent.

Faire chauffer 15 mL (1 c. à soupe) d'huile dans une sauteuse. Ajouter les steaks et les faire cuire de 3 à 4 minutes de chaque côté.

Saler, poivrer et continuer la cuisson pendant encore 4 minutes.

Ajouter le reste de la sauce soya et prolonger la cuisson de 2 minutes. Retirer les steaks de la sauteuse et les placer dans un plat de service. Tenir au chaud dans le four.

Mettre le beurre et le reste de l'huile dans la sauteuse.

Ajouter les champignons, les piments verts et le persil; faire cuire 3 minutes. Ajouter les rondelles d'ananas et le jus; faire cuire 2 minutes. Ajouter le bouillon de boeuf et mélanger le tout; faire mijoter pendant 2 minutes.

Mélanger la fécule de maïs et l'eau froide. Incorporer le mélange à la sauce; faire mijoter le tout de 2 à 3 minutes.

Verser la sauce soya sur les steaks.

Servir.

1. *Le London broil est un mélange de porc et de veau haché, le tout entouré d'une bande de surlonge.*

2. *Faire cuire les London broil de 3 à 4 minutes de chaque côté. Saler, poivrer. Prolonger la cuisson de 4 minutes.*

3. *Ajouter la sauce soya.*

4. *Retirer la viande et la tenir au chaud dans le four. Ajouter les champignons, les piments et le persil à la sauteuse.*

5. *Ajouter les rondelles d'ananas.*

6. *Ajouter le jus d'ananas.*

Côtes de veau persillées au fenouil

(pour 4 personnes)

4	côtes de veau de 2,5 cm (1 po.) d'épaisseur
45 mL	(3 c. à soupe) de beurre
4	branches de fenouil
454 g	(1 livre) de champignons lavés et émincés
375 mL	(1½ tasse) de bouillon de boeuf chaud
15 mL	(1 c. à soupe) de pâte de tomates
22 mL	(1½ c. à soupe) de fécule de maïs
45 mL	(3 c. à soupe) d'eau froide
	quelques gouttes de jus de citron
	sel et poivre

Saler, poivrer les côtes de veau. Faire fondre 15 mL (1 c. à soupe) de beurre dans une poêle à frire. Ajouter les côtes de veau et les faire cuire 2 à 3 minutes de chaque côté.

Saler, poivrer.

Ajouter les branches de fenouil et le bouillon de boeuf chaud; couvrir et faire cuire à feu doux de 8 à 10 minutes.

Retirer les côtes de veau et les placer dans un plat de service. Garder le tout au chaud dans un four à 70°C (150°F).

Passer la sauce au tamis et la mettre de côté.

Faire fondre le reste du beurre dans la poêle à frire.

Ajouter les champignons; saler, poivrer et faire cuire de 4 à 5 minutes. Ajouter la sauce, la pâte de tomates et remuer le tout.

Mélanger la fécule de maïs et l'eau froide. Ajouter le mélange à la sauce et remuer le tout.

Napper les côtes de veau de sauce et les arroser de jus de citron.

Servir.

Technique des côtes de veau persillées au fenouil

1. *Placer les côtes de veau dans une poêle contenant du beurre chaud.*

2. *Retourner les côtes après 2 minutes de cuisson pour éviter de les brûler.*

3. *Ajouter le fenouil.*

4. *Ajouter le bouillon de boeuf, couvrir et faire cuire à feu doux.*

5. *Passer la sauce au tamis et retirer les côtes de veau. Ajouter les champignons à la poêle.*

6. *Ajouter la sauce et la pâte de tomates.*

Foie de veau aux champignons

(pour 4 personnes)

45 mL	(3 c. à soupe) de beurre
4	tranches de foie de veau
226,8 g	(½ livre) de champignons lavés et émincés
15 mL	(1 c. à soupe) d'échalotes hachées
1½	tasse de bouillon de poulet chaud
5 mL	(1 c. à thé) de fécule de maïs
45 mL	(3 c. à soupe) d'eau froide
	jus de ½ citron
	sel et poivre

Faire fondre le beurre dans une poêle à frire, à feu doux. Ajouter les tranches de foie; faire cuire à feu moyen 3 minutes de chaque côté. Saler, poivrer.

Retirer les tranches de foie et les placer sur un plat de service. Garder au chaud dans un four à 90°C (200°F.).

Ajouter les champignons et les échalotes à la poêle à frire. Saler, poivrer; couvrir et faire cuire de 3 à 4 minutes.

Ajouter le jus de citron et mélanger le tout.

Ajouter le bouillon de poulet chaud et assaisonner au goût.

Mélanger la fécule de maïs et l'eau froide. Ajouter le mélange à la sauce; faire mijoter 3 minutes.

Verser la sauce sur les tranches de foie.

Servir.

228

Foie de veau aux bananes

(pour 4 personnes)

4	grandes tranches de foie de veau
2	bananes coupées en deux dans le sens de la longueur
30 mL	(2 c. à soupe) d'huile
15 mL	(1 c. à soupe) de sirop d'érable
	sel et poivre

Huiler et faire chauffer la grille du barbecue.

Verser l'huile et le sirop d'érable dans un petit bol; saler, poivrer et mélanger le tout.

Badigeonner les tranches de foie avec le mélange et les faire cuire sur la grille du barbecue de 2 à 3 minutes de chaque côté pour les saisir.

Retourner les tranches de foie à nouveau et continuer la cuisson pendant 3 minutes.*

Faire cuire les bananes sur la grille du barbecue pendant 2 minutes.

Servir avec les tranches de foie.

* Badigeonner les tranches de foie pendant la cuisson.

Servir le tout avec un légume vert.

Filets à l'amoureux

(pour 4 personnes)

15 mL	(1 c. à soupe) de beurre
15 mL	(1 c. à soupe) d'huile
350 g	(¾ livre) de boeuf haché maigre
350 g	(¾ livre) de veau haché
4	tranches de bacon
1	oignon haché
15 mL	(1 c. à soupe) de persil haché
1	oeuf entier
	sel et poivre

Faire chauffer le beurre dans une poêle à frire. Ajouter les oignons et le persil; faire cuire de 2 à 3 minutes. Retirer du feu.

Mettre la viande dans un bol; saler, poivrer. Ajouter les oignons cuits et l'oeuf; mélanger le tout avec un batteur électrique jusqu'à ce que la viande adhère aux parois du bol.

Former 4 filets avec le mélange et les entourer d'une tranche de bacon.

Faire chauffer l'huile dans une sauteuse. Ajouter les filets et les faire cuire de 10 à 12 minutes et les retourner 4 fois pendant la cuisson.

Placer les filets cuits dans un plat de service. Mettre de côté.

Préparation de la sauce:

30 mL	(2 c. à soupe) de beurre
114 g	(¼ livre) de champignons émincés
45 mL	(3 c. à soupe) de vermouth sec
375 mL	(1½ tasse) de bouillon de boeuf chaud
15 mL	(1 c. à soupe) de fécule de maïs
45 mL	(3 c. à soupe) d'eau froide

Mettre le beurre dans une sauteuse. Ajouter les champignons, saler, poivrer et faire cuire pendant 3 minutes.

Ajouter le vermouth; faire cuire 1 minute.

Ajouter le bouillon de boeuf; remuer le tout.

Mélanger la fécule de maïs et l'eau froide. Incorporer le mélange à la sauce et faire mijoter pendant 2 minutes.

Verser la sauce sur les filets.

Servir avec des tomates naines et du riz blanc.

Épaule d'agneau à la provençale

(pour 6 personnes)

15 mL	(1 c. à soupe) de gras de bacon
1	épaule d'agneau désossée
30 mL	(2 c. à soupe) de beurre
1	oignon haché
2	gousses d'ail écrasées et hachées
375 mL	(1½ tasse) de petits croûtons de pain grillés et épicés (de commerce)
30 mL	(2 c. à soupe) de persil haché
2 mL	(½ c. à thé) d'herbes de Provences
2	tranches de bacon croustillant, émiettées
2	oeufs entiers sel et poivre

La sauce:

1	gros oignon coupé en gros dés
1	carotte coupée en dés
50 mL	(¼ tasse) de vermouth sec
2	tomates coupées en quartiers
375 mL	(1½ tasse) de bouillon de poulet chaud
1	feuille de laurier
1 mL	(¼ c. à thé) de thym
3	queues de persil

Préchauffer le four à 200°C (400°F).

Saler, poivrer l'agneau et le mettre de côté.

Faire chauffer le beurre dans une sauteuse, à feu moyen. Ajouter les oignons et l'ail; faire cuire 3 minutes.

Ajouter les croûtons, le persil, les épices et le bacon; saler, poivrer et faire cuire de 3 à 4 minutes.

Verser le mélange dans un bol. Ajouter les oeufs et bien mélanger.

Étendre la farce sur l'épaule d'agneau, rouler et ficeler le tout.

Note: l'épaule d'agneau de la Nou-velle-Zélande est vendue toute désossée dans le département des produits congelés.

Faire chauffer le gras de bacon dans un plat à rôtir. Ajouter l'épaule et la faire saisir à feu moyen de 10 à 12 minutes dans le four à 200°C (400°F).

Retirer le tout du four. Ajouter les dés d'oignons et de carottes; saler, poivrer. Remettre le tout au four et faire saisir les légumes pendant 15 minutes.

Retirer la viande du plat et la mettre de côté.

Placer le plat sur l'élément du poêle et y ajouter le vermouth; faire cuire pendant 3 minutes pour faire évaporer le vermouth.

Remettre la viande dans le plat. Ajouter les tomates, le bouillon de poulet et les épices; saler, poivrer. Couvrir avec un papier d'aluminium et faire cuire au four à 180°C (350°F) pendant 1 heure 30 minutes.

Servir.

▶

Technique de l'épaule d'agneau à la provençale

1. Saler, poivrer l'épaule d'agneau.

2. Étendre la farce sur l'épaule.

3. Rouler et ficeler le tout.

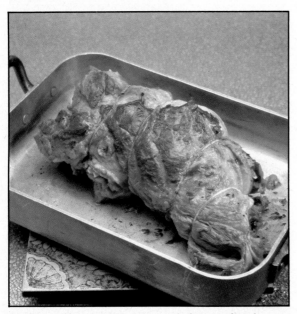

4. Saisir l'épaule dans le gras de bacon chaud.

5. Ajouter les oignons.

Technique
de
l'épaule
d'agneau
à la
provençale

6. *Ajouter les carottes.*

7. *Ajouter le vermouth.*

8. *Remettre la viande dans le plat et ajouter les tomates.*

9. *Ajouter le bouillon de poulet.*

10. *Ajouter les épices.*

Courgettes farcies

(pour 4 personnes)

8	courgettes lavées
15 mL	(1 c. à soupe) d'huile végétale
1	oignon haché
1	gousse d'ail, écrasée et hachée
350 g	(¾ livre) d'agneau haché
250 mL	(1 tasse) de riz cuit
1	boîte de tomates de 796 mL (28 onces), égouttées et hachées
15 mL	(1 c. à soupe) de pâte de tomates
125 mL	(½ tasse) de fromage parmesan râpé
	sel et poivre

Préchauffer le four à 190°C (375°F).

Retirer le dessus des courgettes. À l'aide d'une cuillère, retirer la pulpe des courgettes et la hacher. Mettre de côté.

Faire chauffer l'huile dans une sauteuse à feu moyen. Ajouter les oignons et la pulpe des courgettes; saler, poivrer et faire cuire de 7 à 8 minutes.

Ajouter la viande hachée, l'ail et épicer fortement; continuer la cuisson de 7 à 8 minutes.

Ajouter le riz, la pâte et les tomates, mélanger et assaisonner au goût; faire cuire de 5 à 6 minutes. Farcir les courgettes et les parsemer de fromage râpé; faire cuire au four pendant 15 minutes. Servir.

Technique des courgettes farcies

1. Évider les courgettes à l'aide d'une cuilllère.

2. Ajouter les oignons et la pulpe des courgettes.

3. Ajouter la viande hachée.

4. Ajouter le riz cuit.

5. *Ajouter les tomates.*

6. *Ajouter la purée de tomates et les épices.*

Brochettes d'agneau

(pour 4 personnes)

300 mL	(1¼ tasse) d'agneau dans le gigot coupé en morceaux de 2,5 cm (1 po.)
2	piments verts coupés en dés
24	champignons entiers
2	piments rouges coupés en dés
125 mL	(½ tasse) de vin blanc sec
30 mL	(2 c. à soupe) de vinaigre à l'estragon (facultatif) OU du jus de citron
60 mL	(4 c. à soupe) d'huile d'olive
15 mL	(1 c. à soupe) d'échalote hachée
1	gousse d'ail écrasée et hachée
1	feuille de laurier
1 mL	(¼ c. à thé) de thym
1 mL	(¼ c. à thé) de basilic quelques gouttes de jus de citron sel et poivre

Préchauffer le four à 200°C (400°F).

Mettre la viande dans un bol. Ajouter le vin, le vinaigre, l'huile et les épices; faire mariner le tout de 15 à 30 minutes ou plus long-temps si désiré. Mettre les piments et les champignons dans une casserole contenant de l'eau bouillante salée et citronnée; faire cuire pendant 2 minutes. Laisser refroidir les légumes sous l'eau froide et les égoutter. Enfiler, en alternant, les légumes et la viande sur les brochettes. Badigeonner le tout de marinade.

Placer les brochettes dans un plat allant au four et les faire cuire sous le grill de 3 à 4 minutes de chaque côté. Badigeonner et saler, poivrer les brochettes pendant la cuisson.

Servir avec du riz.

Technique des brochettes d'agneau

1. *Placer la viande dans un bol et ajouter le vin blanc.*

2. *Ajouter le vinaigre à l'estragon.*

3. *Ajouter l'huile d'olive.*

4. *Ajouter les échalotes et les épices.*

5. *Placer les légumes dans une casserole contenant de l'eau bouillante salée et citronnée.*

6. *Badigeonner les brochettes de marinade et les faire cuire au four.*

Côtelettes d'agneau braisées au poivre vert

(pour 4 personnes)

8	côtelettes d'agneau dans l'épaule
30 mL	(2 c. à soupe) d'huile végétale
1	gros oignon haché
454 g	(1 livre) de champignons lavés et émincés
375 mL	(1½ tasse) de sauce brune ou de bouillon de boeuf chaud
15 mL	(1 c. à soupe) de poivre vert écrasé
15 mL	(1 c. à soupe) de persil haché
	sel et poivre

Préchauffer le four à 200°C (400°F).

Faire chauffer 15 mL (1 c. à soupe) d'huile dans une sauteuse, à feu moyen. Déposer dans l'huile 4 côtelettes et les faire cuire 3 minutes chaque côté.

Répéter pour les autres côtelettes. Retirer les côtelettes et les mettre de côté. Mettre les oignons dans la sauteuse et les faire cuire pendant 2 minutes. Ajouter les champignons, saler, poivrer et faire cuire 3 minutes. Ajouter la sauce brune, le poivre vert et le persil, mélanger le tout et remettre les côtelettes dans la sauce. Couvrir et faire cuire au four de 35 à 40 minutes. Servir avec du riz.

Technique des côtelettes d'agneau braisées au poivre vert:

1. Faire saisir les côtelettes dans une sauteuse contenant de l'huile chaude.

2. Retourner les côtelettes après les avoir saisies pendant 3 minutes.

3. Mettre les oignons dans la poêle et les faire cuire à feu doux.

4. Ajouter les champignons et faire cuire le tout à feu moyen (ajouter un peu d'huile si nécessaire).

5. Ajouter la sauce brune ou le bouillon de boeuf chaud.

6. Ajouter le poivre vert écrasé.

7. Remettre les côtelettes d'agneau dans la sauce et continuer la cuisson au four.

1

2

3

4

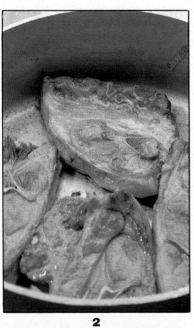

5

6

7

Côtes d'agneau à la provençale

(pour 4 personnes)

8	côtes d'agneau
45 mL	(3 c. à soupe) d'huile d'olive
227 g	(½ livre) de champignons lavés et hachés
2	gousses d'ail écrasées et hachées
3	tomates pelées et hachées
23 mL	(1½ c. à soupe) de persil
15 mL	(1 c. à soupe) de chapelure

sel et poivre

Préchauffer le four à 65°C (150°F).

Faire chauffer 15 mL (1 c. à soupe) d'huile dans une poêle à frire; ajouter les côtes d'agneau et les faire cuire de 2 à 3 minutes de chaque côté.

Saler, poivrer et répéter la même méthode pour finir la cuisson des côtes.

Dès que les côtes sont cuites, les placer sur un plat de service et les tenir au chaud dans le four à 65°C (150°F).

Verser le reste de l'huile dans poêle à frire et la faire chauff Ajouter les champignons et l'a faire cuire à feu vif pendant minutes.

Ajouter les tomates et le pers saler, poivrer et continuer cuisson de 3 à 4 minutes.

Ajouter la chapelure et méla ger le tout.

Ajouter les côtes d'agneau laisser mijoter le tout penda 1 minute.

Servir.

1. Mettre les côtes d'agneau dans une poêle contenant de l'huile chaude.

Technique des Côtes d'agneau à la provençale

2. Retourner les côtes.

3. Mettre les champignons et l'ail dans la poêle.

4. Ajouter les tomates.

Ajouter le persil et les épices.

6. Ajouter la chapelure.

7. Remettre les côtes d'agneau dans la poêle et faire mijoter le tout.

Côtes d'agneau et fondue d'oignons

(pour 4 personnes)

8	côtes d'agneau dégraissées
3	oignons émincés
30 mL	(2 c. à soupe) d'huile
45 mL	(3 c. à soupe) de sauce HP
15 mL	(1 c. à soupe) de moutarde française
375 mL	(1½ tasse) de sauce brune
5 mL	(1 c. à thé) de sauce soya

sel et poivre

Huiler et faire chauffer la grille du barbecue.

Faire chauffer 15 mL (1 c. à soupe) d'huile dans une sauteuse, à feu moyen. Ajouter les oignons, saler, poivrer et faire cuire de 7 à 8 minutes en remuant de temps en temps. Ajouter la sauce HP; mélanger le tout. Ajouter la moutarde française et la sauce brune; remuer le tout. Ajouter la sauce soya, saler, poivrer; faire mijoter de 10 à 12 minutes.

IMPORTANT: Ne pas faire bouillir la sauce après avoir ajouté la sauce soya.

Badigeonner les côtes d'agneau d'huile et les saisir sur la grille du barbecue, des deux côtés, de 2 à 3 minutes. Retourner les côtes et continuer la cuisson pendant 3 minutes. Servir avec la sauce ou la fondue d'oignons.*

*Pour battre la sauce en purée on utilise un mélangeur.

Technique de la fondue d'oignons

1. Mettre les oignons émincés dans une sauteuse contenant de l'huile chaude et les faire cuire de 7 à 8 minutes.

2. Ajouter la sauce HP et mélanger le tout.

3. Ajouter la moutarde française.

242

4. *Ajouter la sauce brune commerciale.*

5. *Ajouter la sauce soya, mélanger et faire mijoter.*

Gigot d'agneau farci à l'ail

(pour 6 personnes)

1	gigot d'agneau
15 mL	(1 c. à soupe) d'huile
45 mL	(3 c. à soupe) de beurre mou
30 mL	(2 c. à soupe) d'échalotes hachées
15 mL	(1 c. à soupe) de persil haché
5 mL	(1 c. à thé) de sauce soya
3	gousses d'ail écrasées et hachées
30 mL	(2 c. à soupe) de chapelure fine
1	oignon haché
227 g	(½ livre) de champignons émincés
375 mL	(1½ tasse) de bouillon de poulet chaud
15 mL	(1 c. à soupe) de fécule de maïs
45 mL	(3 c. à soupe) d'eau froide
15 mL	(1 c. à soupe) de ciboulette
	jus de citron
	sel et poivre

Préchauffer le four à 220°C (425°F).

Retirer le gras et la peau du gigot. Désosser le gigot (ou demander au boucher), saler et poivrer l'intérieur. Mettre de côté.

Dans un bol, mélanger le beurre, les échalotes et le persil.

Ajouter la sauce soya et l'ail; poivrer généreusement. Ajouter la chapelure et quelques gouttes de jus de citron.

Farcir le gigot et ficeler le tout. Badigeonner le gigot d'huile et le placer dans un plat à rôtir. Faire cuire au four en comptant de 16 à 17 minutes par livre. Dès que le gigot est cuit, le retirer et le mettre de côté. Placer le plat à rôtir sur l'élément du poêle. Ajouter les oignons et les faire cuire de 3 à 4 minutes. Ajouter les champignons et les

faire cuire de 2 à 3 minutes. Ajouter le bouillon de poulet et prolonger la cuisson de 3 à 4 minutes.

Mélanger la fécule de maïs et l'eau froide. Incorporer le mélange à la sauce et faire cuire à feu doux pendant 3 minutes. Servir la sauce avec le gigot d'agneau et parsemer le tout de ciboulette.

Technique du gigot d'agneau farci à l'ail

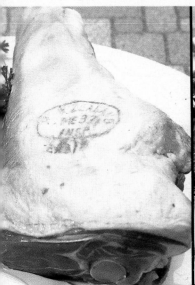

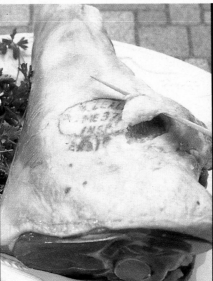

Choisir un beau gigot d'agneau le s frais possible. Sinon, le faire déer au réfrigérateur.

2. Retirer le gras et la peau du gigot.

3. Désosser le gigot pour le farcir ou demander au boucher de le faire. Saler, poivrer l'intérieur.

Mélanger le beurre, le persil, les alotes et la sauce soya dans un bol.

5. Ajouter la chapelure et mélanger le tout. Assaisonner au goût.

6. Farcir et ficeler le gigot.

PORC ET JAMBON

Côtes de porc au barbecue

(pour 4 personnes)

4	côtes de porc de 2,5 cm (1 po.) d'épaisseur
30 mL	(2 c. à soupe) de sauce HP
30 mL	(2 c. à soupe) de sauce ketchup
30 mL	(2 c. à soupe) d'huile
15 mL	(1 c. à soupe) de sirop d'érable
2 mL	(½ c. à thé) de sarriette
	jus de citron
	sel et poivre

Huiler et faire chauffer la grille du barbecue.

Verser la sauce HP, la sauce ketchup, l'huile, le sirop d'érable, et la sarriette dans un bol; bien mélanger le tout.

Arroser le tout de jus de citron et saler, poivrer.

Badigeonner les côtes de porc des deux côtés avec le mélange.

Placer les côtes sur la grille du barbecue et les faire saisir 2 minutes de chaque côté. Continuer la cuisson de 16 à 18 minutes selon l'épaisseur des côtes.

Badigeonner et retourner les côtes 3 fois pendant la cuisson.

Technique des côtes de porc au barbecue

1. *Mettre la sauce HP dans un bol.*

2. *Ajouter le ketchup.*

3. *Ajouter l'huile.*

4. *Ajouter le sirop d'érable.*

5. *Ajouter les épices.*

6. *Badigeonner les côtes des deux côtés avant et pendant la cuisson.*

Couronne de porc

(pour 4 personnes)

Première partie: la farce

15 mL	(1 c. à soupe) d'huile végétale
1	oignon haché
1	gousse d'ail écrasée et hachée
1	boîte de tomates de 796 mL (28 onces), égouttées et hachées
250 mL	(1 tasse) de riz à grains longs lavé et égoutté
2 mL	(½ c. à thé) de sarriette sel et poivre

Mettre le riz dans une casserole contenant 1 L (4 tasses) d'eau bouillante salée et faire cuire avec un couvercle pendant 14 minutes.

Retirer la casserole du feu.

Égoutter le riz et mettre de côté.

Faire chauffer l'huile dans une sauteuse, à feu moyen.

Ajouter les oignons, faire cuire 2 minutes.

Ajouter l'ail, les tomates et faire cuire de 8 à 10 minutes pour faire évaporer l'eau des tomates. Saler, poivrer.

Ajouter le riz et la sarriette; saler, poivrer et faire cuire 2 minutes. Mettre de côté.

Deuxième partie: la couronne de porc

2	plats de côtes levées ficelés
	sauce soya
	sauce brune commerciale (facultatif)
	sel et poivre

Préchauffer le four à 190°C (375°F).

Placer la couronne de porc dans un plat à rôtir. L'arroser de sauce soya et couvrir la pointe des os avec du papier d'aluminium.

Remplir le centre de la couronne avec la farce au riz et faire cuire le tout au four pendant 45 minutes. Arroser de sauce brune et servir.

Garnir de tomates naines, si désiré.

Technique de la couronne de porc

1. Demandez à votre boucher de ficeler deux plats de côtes levées, en forme de couronne.

2. Faire cuire les oignons et l'ail de 2 à 3 minutes dans une sauteuse.

3. Ajouter les tomates égouttées et hachées.

4. Ajouter le riz cuit; saler, poivrer.

5. *Recouvrir chaque os de papier d'aluminium et arroser le tout de soya.*

6. *Farcir le tout.*

Ragoût de porc

(pour 4 personnes)

1,4 kg	(3 livres) de porc dans la cuisse coupé en cubes
30 mL	(2 c. à soupe) d'huile
45 à	
60 mL	(3 à 4 c. à soupe) de farine
2	carottes coupées en gros dés
1	oignon d'Espagne coupé en gros dés
2	branches de céleri coupées en gros dés
1 L	(4 tasses) de bouillon de boeuf chaud
3	queues de persil
2	queues de fenouil
2	gousses d'ail écrasées et hachées
15 mL	(1 c. à soupe) de pâte de tomates
	sel et poivre

Préchauffer le four à 160°C (325°F).

Faire chauffer l'huile dans une sauteuse, à feu moyen. Ajouter la viande et la saisir à feu vif de tous les côtés.

Ajouter la farine et continuer la cuisson pendant 3 minutes. Saler, poivrer.

Ajouter les oignons, les carottes, le céleri, les épices, le bouillon de boeuf et l'ail; mélanger et faire cuire pendant 3 minutes.

Ajouter la purée de tomates; saler, poivrer et amener à ébullition. Couvrir et faire cuire au four pendant 1 heure 30 minutes.

Servir avec un riz aux piments.

Technique du ragoût de porc

1. Placer les cubes de viande dans une sauteuse contenant de l'huile chaude.

2. Retourner la viande pour bien la saisir. Fariner le tout.

3. La farine doit adhérer à la sauteuse.

4. Ajouter les oignons.

5. Ajouter les carottes.

6. Ajouter le céleri.

7. Ajouter les épices.

8. Ajouter l'ail et le bouillon.

9. Ajouter la purée de tomates.

Filet de porc au sirop d'érable

(pour 4 personnes)

2 à 3	*filets de porc*
2	*gousses d'ail écrasées et hachées*
45 mL	*(3 c. à soupe) d'huile*
5 mL	*(1 c. à thé) de sauce soya*
30 mL	*(2 c. à soupe) de sirop d'érable*
5 mL	*(1 c. à thé) de moutarde sèche*
	sel et poivre

Huiler et préchauffer la grille du barbecue. Retirer le gras et la peau qui recouvrent le filet.

A l'aide d'un couteau d'office, faire des incisions dans la chair et y insérer un petit morceau d'ail.

Verser l'huile et le sirop d'érable dans un petit bol. Ajouter la sauce soya et la moutarde sèche; bien mélanger le tout.

Assaisonner au goût et badigeonner généreusement les filets. Placer les filets de porc sur la grille, laisser à découvert. Faire saisir les filets de tous les côtés de 6 à 7 minutes. Continuer la cuisson de 35 à 40 minutes tout en les retournant plusieurs fois pendant la cuisson. Attention: le feu ne doit pas être trop vif. Badigeonner les filets pendant la cuisson.

Servir le tout avec une sauce aux champignons et des pommes de terre farcies.

Technique du filet de porc au sirop d'érable

1. Retirer le gras et la peau qui recouvrent le filet.

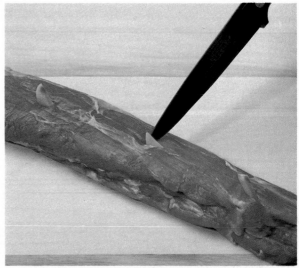

2. Insérer des petits morceaux d'ail dans le porc.

3. Verser l'huile et le sirop d'érable dans un bol.

4. Ajouter la sauce soya.

5. Ajouter la moutarde sèche et mélanger le tout.

6. Badigeonner le filet de tous les côtés.

Escalope de porc panée

(pour 4 personnes)

1¹/₂	filet de porc dégraissé
2	œufs battus
5 mL	(1 c. à thé) d'huile
250 mL	(1 tasse) de farine
250 mL	(1 tasse) de chapelure
45 mL	(3 c. à soupe) d'huile d'arachide
	sel et poivre

Émincer le filet de porc et aplatir chaque tranche entre 2 feuilles de papier ciré.

Mettre les œufs battus dans un bol, ajouter 5 m (1 c. à thé) d'huile et mélanger le tout.

Enfariner les escalopes, les tremper dans le m lange d'œufs et les recouvrir de chapelure.

Faire chauffer 23 mL (1¹/₂ c. à soupe) d'huile da une poêle à frire, à feu moyen, faire cuire le escalopes 2 minutes de chaque côté. Répéter même opération pour le reste des escalopes.

Servir le tout avec des légumes cuits à la vape et sautés au beurre.

Arroser de jus de citron et servir.

Technique de l'escalope de porc panée

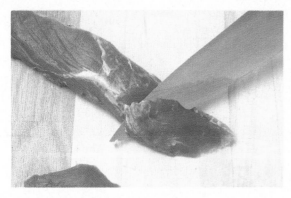

1. Couper le filet de porc en biseau.

2. A l'aide d'un martelet, aplatir chaque tranche entre deux feuilles de papier ciré.

3. Verser 1 c. à thé d'huile dans les oeufs battus et mélanger le tout.

4. Enfariner les escalopes.

5. Tremper les escalopes dans les oeufs battus.

6. Les recouvrir de chapelure.

7. Faire cuire rapidement dans l'huile d'arachide chaude.

8. Après 2 minutes de cuisson, les retourner.

Emincés de porc et de poulet aux tomates

(pour 4 personnes)

1	filet de porc dégraissé et émincé
1	poitrine de poulet désossée et coupée en lanières
15 mL	(1 c. à soupe) d'huile
15 mL	(1 c. à soupe) de beurre
1	oignon haché
1	gousse d'ail écrasée et hachée
1	boîte de tomates de 796 mL (28 onces) égouttées et hachées
125 mL	(½ tasse) de bouillon de poulet chaud
227 g	(½ livre) de champignons coupés en dés
1	courgette émincée
60 g	(2 onces) de fromage mozzarella râpé
	sel et poivre

Faire chauffer le beurre et l'huile dans une sauteuse, à feu moyen. Ajouter les morceaux de porc et les saisir 3 minutes de chaque côté.

Ajouter les morceaux de poulet; saler, poivrer et continuer la cuisson de 3 à 4 minutes de chaque côté.

Ajouter les champignons et les courgettes; continuer la cuisson de 5 à 6 minutes. Ajouter les oignons.

Ajouter les tomates et l'ail; saler, poivrer et faire cuire de 3 à 4 minutes.

Ajouter le bouillon de poulet et le fromage; mélanger et faire cuire le tout de 4 à 5 minutes à feu très doux jusqu'à faire fondre le fromage. Servir avec des nouilles au beurre.

Technique:
Emincés de porc et de poulet aux tomates

1. Faire cuire les morceaux de porc 3 minutes de chaque côté.

2. Ajouter les morceaux de poulet.

3. Ajouter les champignons.

4. Ajouter les courgettes.

5. Ajouter les tomates et le fromage.

Côtes de porc marinées

* Pour cette recette, utilisez la marinade du "Poulet à la sauce soya"

(pour 4 personnes)

8	côtes de porc
30 mL	(2 c. à soupe) d'huile végétale
2	piments verts émincés
1	boîte de pousses de bambou égouttées
10	tomates-cerises coupées en deux
625 mL	(2½ tasses) de bouillon de bœuf chaud
30 mL	(2 c. à soupe) de fécule de maïs
60 mL	(4 c. à soupe) d'eau

froide
sel et poivre

Faire mariner les côtes de porc pendant 15 minutes. (On peut couper la quantité de marinade de moitié).

Faire chauffer l'huile dans une sauteuse, à feu moyen.

Ajouter les côtes de porc et les faire cuire de 2 à 3 minutes de chaque côté. Répéter la même opération pour finir la cuisson des côtes.

Placer le tout dans un plat de service et tenir au chaud dans le four.

Mettre les piments dans la sauteuse, ajouter les pousses de bambou et faire cuire pendant minutes.

Ajouter les tomates, saler, poivrer et faire mijoter de 2 à 3 minutes.

Ajouter le bouillon de bœuf mélanger le tout.

Mélanger la fécule de maïs l'eau froide.

Verser le tout dans la sauce pour l'épaissir.

Servir les côtes de porc avec des oignons bouillis et accompagner le tout de sauce.

260

Technique des "Côtes de porc marinées"

1. Mettre les côtes de porc dans une sauteuse contenant de l'huile chaude.

2. Retourner les côtes de porc.

3. Ajouter les piments verts.

4. Ajouter les pousses de bambou.

5. Ajouter les tomates naines.

6. Ajouter le bouillon de boeuf.

7. Ajouter la fécule de maïs.

261

Côtes de porc levées épicées

(pour 4 personnes)

1,8 kg	(4 livres) de côtes de porc levées
45 mL	(3 c. à soupe) de sirop d'érable
45 mL	(3 c. à soupe) de ketchup
1	gousse d'ail écrasée et hachée
30 mL	(2 c. à soupe) d'huile
5 mL	(1 c. à thé) de sauce

soya
sel et poivre

Huiler et préchauffer la grille du barbecue.

Verser le sirop d'érable dans un bol.

Ajouter le ketchup, l'ail, l'huile et la sauce soya; bien mélanger le tout et poivrer.

Badigeonner généreusement les côtes levées et les placer sur la grille chaude du barbecue.*

* Placer la grille à 10 cm (4 po.) des charbons.

Faire cuire les côtes de 35 à 40 minutes tout en les retournant 5 ou 6 fois pendant la cuisson pour empêcher les côtes de caraméliser.

Badigeonner la viande pendant la cuisson.

Couper les côtes en "sections" et les servir avec une salade.

Technique des côtes de porc levées épicées

1. *Saler et poivrer les côtes de porc levées.*

2. *Verser le sirop d'érable dans un bol. Ajouter le ketchup.*

3. *Ajouter l'ail.*

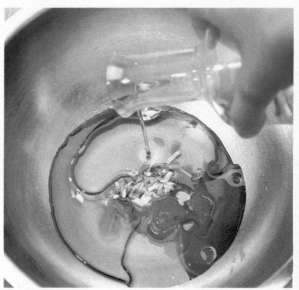

4. *Ajouter l'huile.*

5. *Ajouter la sauce soya et mélanger le tout.*

6. *Badigeonner les côtes généreusement de tous les côtés.*

Côtes de porc aux pruneaux

(pour 4 personnes)

8	côtes de porc
30 mL	(2 c. à soupe) d'huile végétale
226,8 g	(½ livre) de champignons lavés et émincés
15 mL	(1 c. à soupe) de persil haché
20	pruneaux
15 mL	(1 c. à soupe) d'échalotes hachées
2	tasses de bouillon de poulet chaud
15 mL	(1 c. à soupe) de fécule de maïs
45 mL	(3 c. à soupe) d'eau froide
	sel et poivre

Faire chauffer l'huile dans une sauteuse, à feu moyen.

Ajouter les côtes de porc et les faire cuire de 3 à 4 minutes de chaque côté.

Prolonger le temps de cuisson selon l'épaisseur des côtes. Dès que les côtes de porc sont cuites, les disposer sur un plat de service. Tenir au chaud dans un four à 100°F.

Ajouter les champignons à la sauteuse, saler et poivrer. Couvrir et faire cuire à feu moyen pendant 3 minutes.

Ajouter les pruneaux, les échalotes, le bouillon de poulet et le persil; faire mijoter le tout de 3 à 4 minutes.

Mélanger la fécule de maïs et l'eau froide. Ajouter le mélange à la sauce; faire mijoter à feu très doux pendant 2 minutes.

Servir.

Technique des "Côtes de porc aux pruneaux"

1. Faire cuire les côtes de porc dans une sauteuse contenant de l'huile chaude, à feu doux.

2. Retourner les côtes de porc et continuer la cuisson.

3. Ajouter les champignons.

4. Ajouter les pruneaux.

5. Ajouter le bouillon de poulet et le persil.

6. Ajouter les côtes de porc.

Côtes de porc au chou chinois

(pour 4 personnes)

½	courgette coupée en rondelles
5	feuilles intérieures d'un chou chinois lavées et coupées en gros dés de 2,5 cm (1 po.) de longueur
45 mL	(3 c. à soupe) d'huile végétale
15 mL	(1 c. à soupe) de sauce soya
15 mL	(1 c. à soupe) de sirop d'érable
4	côtes de porc
50 mL	(¼ tasse) de sherry
375 mL	(1½ tasse) de bouillon de poulet chaud
15 mL	(1 c. à soupe) de fécule de maïs
45 mL	(3 c. à soupe) d'eau froide
	sel et poivre

Préchauffer le four à 180°C (350°F).

Faire chauffer l'huile dans une sauteuse, à feu très vif. Ajouter les courgettes et les faire cuire 3 minutes.

Ajouter les feuilles de chou et les faire cuire 3 minutes.

Ajouter la sauce soya et le sirop d'érable; faire cuire 2 minutes.

Retirer les légumes de la sauteuse et les mettre de côté.

Placer les côtes de porc dans la sauteuse et les faire cuire de 2 à 3 minutes de chaque côté.

Saler, poivrer et faire cuire au four de 7 à 8 minutes.

Retirer la sauteuse du four et placer les côtes de porc dans un plat de service chaud.

Verser le sherry dans la sauteuse, faire cuire 2 minutes.

Ajouter le bouillon de poulet chaud et prolonger la cuisson pendant 3 à 4 minutes.

Mélanger la fécule de maïs et l'eau froide.

Ajouter le mélange à la sauce, remuer et laisser mijoter 1 minute. Ajouter les légumes et faire mijoter 1 minute.

Servir avec les côtes de porc.

Technique des
côtes de porc au chou chinois

1. Faire sauter les courgettes dans une sauteuse contenant de l'huile chaude.

2. Ajouter les feuilles de chou.

3. Ajouter la sauce soya.

4. Ajouter le sirop d'érable.

5. Faire cuire les côtes de porc de 2 à 3 minutes de chaque côté.

6. Déglacer au sherry.

Boulettes de porc, sauce au vin

(pour 4 personnes)

680 g	(1½ livre) de porc maigre haché
4	tranches de bacon croustillant finement haché
15 mL	(1 c. à soupe) de sauce soya
1	oeuf
1 mL	(¼ c. à thé) de clou de girofle moulu
15 mL	(1 c. à soupe) d'huile végétale
227 g	(½ livre) de champignons émincés
250 mL	(1 tasse) de vin rouge sec
15 mL	(1 c. à soupe) de vinaigre de vin
15 mL	(1 c. à soupe) de cassonade
500 mL	(2 tasses) de bouillon de boeuf
30 mL	(2 c. à soupe) de fécule de maïs
60 mL	(4 c. à soupe) d'eau froide
	sel et poivre
	farine

Préchauffer le four à 180°C (350°F).

Mettre la viande dans un bol à mélanger; saler, poivrer.

Ajouter la sauce soya et l'oeuf; bien mélanger le tout. Ajouter les miettes de bacon et le clou de girofle; mélanger à nouveau.

Former des boulettes et les enfariner. Faire chauffer l'huile dans une sauteuse, à feu moyen.

Ajouter les boulettes et les saisir de 4 à 5 minutes. Ajouter les champignons et continuer la cuisson de 3 à 4 minutes.

Verser le vin rouge, le vinaigre et la cassonade dans une petite casserole; amener à ébullition et faire cuire de 3 à 4 minutes.

Verser le mélange dans la sauteuse avec les boulettes et ajouter le bouillon de boeuf; amener à ébullition.

Mélanger la fécule de maïs et l'eau froide. Ajouter le mélange à la sauce, couvrir et faire cuire au four de 25 à 30 minutes.

Servir avec un riz ou une pâte alimentaire.

Technique des boulettes de porc, sauce au vin

1. Mettre la viande dans un bol.

2. Ajouter la sauce soya.

3. Ajouter l'oeuf, le bacon et le clou de girofle.

4. Former des boulettes avec le mélange.

5. Enfariner les boulettes.

6. *Faire saisir les boulettes dans l'huile chaude.*

7. *Ajouter les champignons.*

8. *Ajouter le mélange de vin et le bouillon de boeuf.*

269

Filets de porc aux piments, sauce soya

(pour 4 personnes)

2	filets de porc dégraissés et émincés
30 mL	(2 c. à soupe) de beurre
1	piment vert coupé en dés
1	piment rouge coupé en dés
3	rondelles d'ananas coupées en dés
125 mL	(½ tasse) de jus d'ananas
500 mL	(2 tasses) de bouillon de poulet chaud
15 mL	(1 c. à soupe) de sauce soya
30 mL	(2 c. à soupe) de fécule de maïs
60 mL	(4 c. à soupe) d'eau froide
500 mL	(2 tasses) de fèves germées
30 mL	(2 c. à soupe) d'huile
5 mL	(1 c. à thé) de sauce soya
	sel et poivre

Faire chauffer le beurre dans une sauteuse à feu moyen.

Ajouter les émincés de porc et les faire cuire de 2 à 3 minutes de chaque côté.

Retirer les émincés de la sauteuse et les mettre de côté. Dans la sauteuse, mettre les piments verts, les piments rouges et les ananas; faire cuire le tout de 2 à 3 minutes. Saler, poivrer. Ajouter le jus d'ananas, le bouillon de poulet et la sauce soya; mélanger et faire cuire le tout de 4 à 5 minutes. Mélanger la fécule de maïs et l'eau froide. Verser le mélange dans la sauce pour l'épaissir.

Ajouter la viande et faire mijoter le tout à feu très doux pendant 3 minutes.

Sur un feu très vif, faire chauffer l'huile dans une poêle à frire. Lorsque l'huile est très chaude, ajouter les fèves germées, saler et poivrer; faire cuire pendant 3 minutes.

Ajouter la sauce soya et garnir les émincés de porc.

Servir.

Technique des filets de porc aux piments, sauce soya

1. *Mettre les émincés de porc dans une sauteuse ou une casserole contenant du beurre chaud.*

2. *Retourner les émincés.*

3. *Ajouter les piments verts.*

4. *Ajouter les piments rouges.*

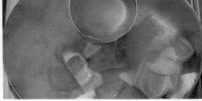

5. *Ajouter les ananas.*

6. *Ajouter le bouillon de poulet chaud.*

7. *Ajouter le jus d'ananas.*

8. *Ajouter la sauce soya.*

9. *Epaissir le tout avec de la fécule de maïs.*

10. *Remettre la viande dans la sauteuse et faire mijoter le tout de 2 à 3 minutes.*

Côtes de porc, ragoût de champignons

(pour 4 personnes)

8	côtes de porc
45 mL	(3 c. à soupe) d'huile d'olive
1	oignon haché
227 g	(½ livre) de champignons coupés en dés
2	tomates hachées
45 mL	(3 c. à soupe) de pâte de tomates
1	piment fort haché
15 mL	(1 c. à soupe) de persil haché

sel et poivre

Préchauffer le four à 90°C (200°F).

Faire chauffer 22 mL (1½ c. à soupe) d'huile dans une sauteuse. Ajouter les oignons et les faire cuire pendant 3 minutes.

Ajouter les champignons, saler, poivrer et faire cuire 5 minutes.

Ajouter les tomates et mélanger le tout.

Ajouter la pâte de tomates, les piments et le persil; mélanger et continuer la cuisson, à feu moyen, de 10 à 12 minutes. Tenir le ragoût de champignons au chaud dans le four.

Faire chauffer le reste d'huile dans une poêle à frire à feu moyen. Ajouter 4 côtes de porc et les faire cuire de 4 à 5 minutes de chaque côté ou selon l'épaisseur. Placer les côtes de porc dans un plat de service et les tenir au chaud.

Répéter la même opération pour le reste des côtes.

Servir le tout avec le ragoût aux champignons.

Won Ton à la viande

(pour 4 personnes)

½	paquet d'enveloppes de pâte Won Ton*
15 mL	(1 c. à soupe) d'huile
227 g	(½ livre) de porc maigre frais, haché
3	échalotes hachées
2	gousses d'ail écrasées et hachées
2 mL	(½ c. à thé) de poudre de Chili
125 mL	(½ tasse) de fromage mozzarella râpé
	sel et poivre

Huile d'arachide pour la friture chauffée à 180°C (350°F).

Faire chauffer l'huile dans une sauteuse, à feu moyen. Ajouter les échalotes et l'ail; faire cuire 2 minutes.

Ajouter le porc haché, la poudre de chili, saler et poivrer; incorporer le tout et faire cuire pendant 3 minutes.

Ajouter le fromage et mélanger vivement. Retirer la sauteuse du feu pour éviter de faire fondre le fromage.

Placer 5 mL (1 c.à thé) de farce au centre de chaque enveloppe de pâte Won Ton. Replier l'enveloppe en formant un triangle.

Mouiller le pourtour de l'enveloppe et bien sceller pour empêcher la farce de sortir pendant la cuisson.

Plonger les Won Ton dans la friture chaude et les faire cuire de 3 à 4 minutes.

Servir le tout avec une sauce aux prunes commerciale.

* On trouve les enveloppes Won Ton dans les grandes chaînes d'alimentation.

Jambon aux pommes de terre

(pour 4 personnes)

6	pommes de terre cuites avec la peau
60 mL	(4 c. à soupe) de beurre
250 mL	(1 tasse) de lait chaud
1 mL	(¼ c. à thé) de muscade
1	oignon d'Espagne coupé en dés
227 g	(½ livre) de jambon de 1,8 cm (¾ po.) d'épaisseur et coupé en dés
1	gousse d'ail écrasée et hachée
1	piment vert coupé en dés
1	boîte de tomates de 796 mL (28 onces)
15 mL	(1 c. à soupe) de persil
2 mL	(½ c. à thé) d'origan sel et poivre

Préchauffer le four à 190°C (375°F).

Faire chauffer 15 mL (1 c. à soupe) de beurre dans une sauteuse, à feu moyen. Ajouter les oignons et les faire cuire de 3 à 4 minutes.

Ajouter le jambon et les épices; mélanger le tout.

Ajouter les piments verts et prolonger la cuisson de 2 à 3 minutes.

Ajouter les tomates hachées et faire mijoter le tout de 10 à 12 minutes.

Peler et passer les pommes de terre au tamis. Ajouter 30 mL (2 c. à soupe) de beurre et le lait chaud; saler, poivrer et mélanger le tout.

Ajouter la muscade, assaisonner au goût et mélanger le tout.

Placer la moitié de la purée de pommes de terre dans le fond d'un plat à gratin. Étendre le mélange de tomates sur les pommes de terre et recouvrir le tout de purée de pommes de terre.

Ajouter quelques morceaux de beurre et faire cuire le tout au four pendant 30 minutes. 5 minutes avant la fin de la cuisson, mettre le four à grill.

Servir.

Technique du jambon aux pommes de terre

1. Faire cuire les oignons dans la sauteuse.

2. Ajouter les dés de jambon.

3. Ajouter l'ail et les épices; mélanger le tout.

4. Ajouter les piments verts.

5. Ajouter les tomates hachées.

6. Couvrir le fond d'un plat à gratin de purée de pommes de terre.

7. Ajouter le mélange de tomates.

8. Recouvrir le tout de purée de pommes de terre et ajouter quelques morceaux de beurre.

Steak de jambon

(pour 4 personnes)

4	steaks de jambon
1	courgette émincée
2	carottes émincées
1	panais émincé
15 mL	(1 c. à soupe) d'huile
15 mL	(1 c. à soupe) de beurre
30 mL	(2 c. à soupe) de sirop d'érable
375 mL	(1½ tasse) de bouillon de poulet chaud
5 mL	(1 c. à thé) de fécule de maïs
45 mL	(3 c. à soupe) d'eau

froide
sel et poivre

Préchauffer le four à 65°C (150°F).

Verser 1 tasse d'eau froide dans une casserole, saler et faire chauffer à feu moyen. Ajouter la courgette, les carottes et le panais et faire cuire de 10 à 12 minutes. Égoutter et refroidir les légumes sous l'eau froide. Mettre de côté.

Faire chauffer l'huile dans une grande poêle à frire à feu moyen. Ajouter les steaks de jambon et faire cuire 3 minutes de chaque côté.

Note: Si la poêle est trop petite, faire cuire les steaks de jambon en deux fois.

Dès que les steaks de jambon sont bien saisis, les placer dans un plat de service et les tenir au chaud dans le four.

Mettre le beurre dans la poêle, ajouter les légumes et le sirop d'érable et faire cuire pendant 2 minutes. Ajouter le bouillon de poulet chaud et continuer la cuisson pendant 2 minutes.

Mélanger la fécule de maïs et l'eau froide; ajouter le mélange aux légumes pour épaissir la sauce. Assaisonner au goût et verser sur les steaks de jambon.

Sandwich au jambon et aux oeufs

(pour 4 personnes)

8	tranches de pain non grillées, beurrées
454 g	(1 livre) de jambon cuit tranché très mince
4	tranches de fromage mozzarella
2	oeufs battus
50 mL	(¼ tasse) de lait
15 mL	(1 c. à soupe) de beurre
15 mL	(1 c. à soupe) d'huile

Garniture au choix: olives farcies, pommes de terre chips, tomates tranchées.

Placer le jambon sur 4 tranches de pain beurrées.

Etendre sur le jambon le fromage râpé et couvrir d'une tranche de pain.

Mélanger les oeufs et le lait dans un bol avec un fouet de cuisine ou une fourchette.

Faire chauffer le beurre et l'huile dans une grande poêle à frire.

Tremper les sandwiches dans les oeufs battus.

Les faire cuire à feu moyen pendant 2 minutes de chaque côté.

Continuer la cuisson de 1 à 2 minutes pour permettre au fromage de fondre.

Couper les sandwiches en deux et les servir avec la garniture.

Endives au jambon

(pour 4 personnes)

8	endives de grosseur moyenne
8	tranches de jambon
500 mL	(2 tasses) de sauce au fromage tomatée*
50 mL	(¹/₄ tasse) de fromage parmesan râpé (ou gruyère)

Préchauffer le four à 180°C (350°F).

Laver les endives et les plonger dans une casserole contenant 750 mL (3 tasses) d'eau bouillante salée et citronnée; couvrir et faire cuire de 16 à 18 minutes.

Retirer et égoutter les endives. Conserver le bouillon de cuisson. Enrouler chaque endive d'une tranche de jambon et placer les rouleaux dans un plat à gratin beurré.

Verser la sauce chaude* sur les endives. Parsemer le tout de fromage râpé et faire cuire au four de 20 à 25 minutes. Servir.

Sauce au fromage tomatée

45 mL	(3 c. à soupe) de margarine
45 mL	(3 c. à soupe) de farine
500 mL	(2 tasses) de lait chaud
250 mL	(1 tasse) du bouillon de cuisson des endives
250 mL	(1 tasse) de sauce tomate commerciale
50 mL	(¹/₄ tasse) de fromage gruyère râpé sel et poivre

Faire fondre la margarine dans une casserole à feu moyen.

Ajouter la farine, mélanger et faire cuire pendant 2 minutes.

Ajouter le lait chaud, le bouillon de cuisson et la sauce tomate; mélanger le tout avec un fouet de cuisine.

Saler, poivrer et ajouter le fromage râpé; faire cuire 12 minutes à feu doux.

Chou farci au jambon

(pour 4 personnes)

1	gros chou (retirer le pied)
30 mL	(2 c. à soupe) d'huile
1	oignon haché
1	branche de céleri hachée
25	champignons hachés
375 mL	(1½ tasse) de jambon haché
30 mL	(2 c. à soupe) de chapelure
125 mL	(½ tasse) de fromage mozzarella râpé
375 mL	(1½ tasse) de sauce brune commerciale
	quelques gouttes de jus de citron
	sel et poivre

Préchauffer le four à 200°C (400°F).

Placer le chou entier dans une casserole contenant 2 L (8 tasses) d'eau bouillante salée et citronnée; couvrir et faire cuire pendant 16 minutes.

Retirer le chou et le faire refroidir sous l'eau froide.

Bien égoutter le chou et retirer les 8 premières feuilles. Hacher les feuilles et les mettre de côté.

Placer le chou en faisant reposer la base sur la table. À l'aide d'un couteau, fendre le chou en forme de croix et retirer l'intérieur délicatement.

Hacher l'intérieur du chou et mettre le tout de côté.

Déposer le chou dans un plat allant au four. Mettre de côté.

Faire chauffer l'huile dans une sauteuse à feu moyen. Ajouter les oignons, le céleri et le chou haché, saler, poivrer.

Couvrir et faire cuire de 4 à 5 minutes.

Ajouter les champignons et le jambon; mélanger et faire cuire de 3 à 4 minutes.

Ajouter la chapelure et les ¾ du fromage râpé; saler, poivrer et mélanger le tout.

Farcir le chou avec le mélange, parsemer le tout de fromage râpé et faire cuire au four de 30 à 35 minutes.

Arroser le chou farci de sauce brune pendant la cuisson.

Servir.

POISSONS ET FRUITS DE MER

Truites aux câpres et au jus de limette

(pour 4 personnes)

4	petites truites lavées et nettoyées
125 mL	(½ tasse) de farine
45 mL	(3 c. à soupe) de beurre
15 mL	(1 c. à soupe) d'huile
30 mL	(2 c. à soupe) de câpres
15 mL	(1 c. à soupe) de jus de limette
500 mL	(2 tasses) de blé d'Inde congelé
1	piment vert coupé en dés
1	branche de fenouil
15 mL	(1 c. à soupe) de persil haché
	sel et poivre

Préchauffer le four à 180°C (350°F).

Faire chauffer 15 mL (1 c. à soupe) de beurre et 15 mL (1 c. à soupe) d'huile dans une poêle à frire, à feu moyen.

Saler et poivrer l'intérieur des truites.

Rouler les truites dans la farine et les saisir dans la poêle à frire 2 à 3 minutes de chaque côté.

Placer le tout dans le four et continuer la cuisson de 6 à 7 minutes (ou selon leur grosseur).

Retirer les truites du four et les placer dans un plat à gratin. Mettre de côté.

Ajouter le reste du beurre dans la poêle à frire.

Ajouter les câpres, le fenouil et le jus de limette; faire cuire pendant 2 minutes.

Verser le tout sur les truites.

Préparation du blé d'Inde:

Verser 250 mL (1 tasse) d'eau dans une petite casserole; saler et amener le liquide à ébullition.

Ajouter le blé d'Inde, couvrir et faire cuire de 4 à 5 minutes.

2 minutes avant la fin de la cuisson, ajouter les piments verts.

Egoutter les légumes, ajouter le persil haché et quelques gouttes de jus de limette.

Mélanger le tout et servir avec les truites.

Filets de perche aux amandes

(pour 4 personnes)

15 mL	(1 c. à soupe) d'huile
30 mL	(2 c. à soupe) de beurre
4	filets de perche
125 mL	(½ tasse) de farine
45 mL	(3 c. à soupe) d'amandes effilées
5 mL	(1 c. à thé) de persil haché

jus de ½ citron
sel et poivre

Préchauffer le four à 190°C (375°F).

A feu vif, faire chauffer l'huile dans une poêle à frire.

Enfariner, saler et poivrer les filets.

Placer les filets dans l'huile chaude et les faire cuire de 3 à 4 minutes de chaque côté.

Retirer les filets et les placer dans un plat de service allant au four.

Mettre le beurre dans la poêle, ajouter les amandes et le persil; faire cuire le tout à feu moyen pendant 1 minute.

Ajouter le jus de citron et verser le tout sur les filets de poisson.

Servir avec des pommes de terre aux oignons.

Rouget de Winnipeg au fenouil

(pour 4 personnes)

15 mL	*(1 c. à soupe) d'huile d'olive*
1	*rouget de 900 g (2 livres)*
3	*branches de fenouil*
2	*tranches de beurre à l'ail*
12	*jeunes carottes cuites*
12	*oignons verts (le blanc seulement) cuits*
15 mL	*(1 c. à soupe) de beurre jus de citron*

persil haché
sel et poivre

Préchauffer le four à 180°C (350°F).

Farcir le rouget avec le fenouil et le beurre à l'ail. Saler, poivrer.

Faire chauffer l'huile dans un

plat allant au four. Placer le rouget dans le plat et le faire cuire au four de 30 à 35 minutes. Arroser le poisson de son jus pendant la cuisson.

3 minutes avant la fin de la cuisson, mettre 15 mL (1 c. à soupe) de beurre dans une petite casserole.

Dès que le beurre est chaud, ajouter les légumes et le persil haché.

Faire cuire de 3 à 4 minutes.

Servir le beurre avec le poisson.

Aiglefin cuit dans le papier

(pour 4 personnes)

2	gros filets d'aiglefin
2	échalotes hachées
3	queues de persil
2	carottes émincées
1	feuille de menthe
50 mL	(¼ tasse) de vin blanc sec

30 mL	(2 c. à soupe) de beurre
	jus de citron
	sel et poivre
	une grande feuille de papier d'aluminium

Préchauffer le four à 190°C (375°F).

Etendre la feuille de papier sur un plat allant au four.

Placer les filets de poisson sur le papier. Ajouter tous les autres ingrédients et assaisonner au goût.

Fermer le papier et faire cuire le tout au four de 16 à 18 minutes. Servir

Filets de turbots marinés et frits

(pour 4 personnes)

1,4 kg	(3 livres) de turbot en filets
45 mL	(3 c. à soupe) d'huile d'olive
15 mL	(1 c. à soupe) de vinaigre à l'estragon
375 mL	(1½ tasse) de farine
3	oeufs battus
15 mL	(1 c. à soupe) d'huile végétale
500 mL	(2 tasses) de chapelure

épicée
quelques gouttes de jus de citron
sauce tartare
sel et poivre

Huile d'arachide pour la friture chauffée à 180°C (350°F).

Laver les filets et les arroser de jus de citron.

Couper le poisson en lanières et les déposer dans un plat.

Arroser les filets d'huile, de vinaigre et saler, poivrer. Faire mariner le tout pendant 30 minutes ou plus.

Mettre les oeufs dans un bol. Ajouter l'huile végétale, poivrer et bien mélanger le tout.

Rouler les lanières de poisson dans la farine, les tremper dans les oeufs et les enrober de chapelure. Plonger le tout dans la friture de 3 à 4 minutes.

Servir avec de la sauce tartare et du jus de citron.

Technique des filets de turbot marinés et frits

1. Laver les filets de turbot et les arroser de jus de citron.

2. Couper les filets en lanières.

3. Ajouter l'huile d'olive.

4. Ajouter le vinaigre et faire mariner le tout 30 minutes au réfrigérateur.

5. Enrober les filets de poisson de farine.

6. Mettre les oeufs et l'huile dans un bol; mélanger le tout.

7. Enrober le tout de chapelure épicée.

Casserole de flétan

(pour 4 personnes)

4	steaks de flétan
15 mL	(1 c. à soupe) de beurre
32	pommes de terre parisiennes
3	carottes coupées en bâtonnets
32	champignons frais
50 mL	(¼ tasse) de vin blanc sec
500 mL	(2 tasses) d'eau
3	queues de persil
1	branche de fenouil
22 mL	(1½ c. à soupe) de fécule de maïs
45 mL	(3 c. à soupe) d'eau froide
	jus de citron
	persil haché
	sel et poivre

Placer les steaks de flétan dans une casserole beurrée. Ajouter les légumes, le vin blanc et l'eau; saler, poivrer.

Ajouter les épices; couvrir et faire cuire de 7 à 8 minutes.

Retirer le poisson de la casserole et le mettre de côté.

Continuer la cuisson des légumes de 7 à 8 minutes.

Mélanger la fécule de maïs et l'eau froide. Ajouter le mélange aux légumes et mélanger le tout. Assaisonner au goût et verser le tout sur le poisson. Parsemer de persil haché. Arroser de jus de citron et servir.

Technique de la casserole de flétan

1. Placer le flétan dans la sauteuse beurrée.

2. Ajouter les pommes de terre.

3. Ajouter les carottes.

4. Ajouter les têtes de champignons.

5. *Ajouter le vin blanc sec.*

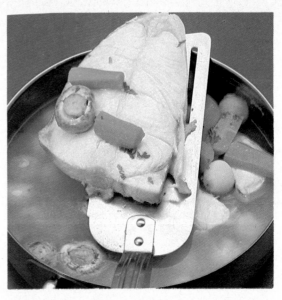

6. *Retirer le poisson du liquide de cuisson.*

Espadon aux amandes

(pour 4 personnes)

4	petits (ou 2 gros) steaks d'espadon
45 mL	(3 c. à soupe) de beurre ou de beurre clarifié
50 mL	(¼ tasse) d'amandes effilées
30 mL	(2 c. à soupe) de câpres
24	champignons frais, lavés et émincés
15 mL	(1 c. à soupe) de persil haché

jus de ½ citron
sel et poivre

Préchauffer le four à 180°C (350°F).

Saler, poivrer les steaks d'espadon.

Faire chauffer 30 mL (2 c. à soupe) de beurre clarifié dans une sauteuse. Ajouter les steaks d'espadon et les faire cuire 3 minutes de chaque côté.

Placer le tout au four et conti-nuer la cuisson de 7 à 8 minutes. Replacer la sauteuse sur l'élé-ment du feu. Retirer le pois-son et le placer sur un plat de service.

Mettre les amandes effilées, les câpres, les champignons et le reste du beurre dans la sau-teuse; saler, poivrer et faire cuire 3 minutes.

Arroser le tout de jus de citron et saupoudrer de persil haché. Verser sur le poisson et servir.

Technique de l'espadon aux amandes

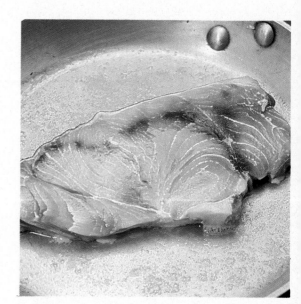

1. *Placer les steaks d'espadon dans le beurre fondu.*

2. *Retourner les steaks et continuer la cuisson.*

3. *Ajouter les amandes à la sauteuse.*

4. *Ajouter les champignons et les câpres.*

5. *Ajouter le beurre.*

Filets de morue
aux pommes de terre

(pour 4 personnes)

2	filets de morue
15 mL	(1 c. à soupe) de beurre
5 mL	(1 c. à thé) de persil haché
1	petit oignon coupé en rondelles
4	pommes de terre émincées
750 mL	(3 tasses) d'eau froide
3	queues de persil
1	feuille de laurier
30 mL	(2 c. à soupe) de fromage parmesan râpé
30 mL	(2 c. à soupe) de crème à 15% (facultatif)
	jus de ½ citron
	sel et poivre

Préchauffer le four à 190°C (375°F).

Beurrer une sauteuse. Placer les filets de morue dans la sauteuse et ajouter le persil haché. Ajouter les rondelles d'oignons et les pommes de terre; saler, poivrer. Ajouter l'eau froide et le jus de citron.

Ajouter les épices et amener le tout à ébullition; faire cuire à feu doux de 7 à 8 minutes.

Retirer les filets et les mettre de côté.

Continuer la cuisson des pommes de terre sans couvercle, de 8 à 10 minutes.

Passer les légumes au moulin à légumes.

Placer le poisson dans un plat allant au four.

Verser la crème dans la sauce aux pommes de terre. Verser la sauce sur le poisson et parsemer le tout de fromage râpé.

Faire gratiner au four, sous le grill, pendant 3 minutes et servir.

Technique des filets de morue aux pommes de terre

1. Placer la morue dans une sauteuse beurrée et parsemer le tout de persil.

2. Ajouter les oignons.

3. Ajouter les pommes de terre.

4. Ajouter l'eau et le jus de citron.

5. Retirer la morue cuite de la casserole.

6. Passer les pommes de terre et le jus de cuisson au moulin à légumes. Ajouter la crème.

7. Mettre la morue dans un plat allant au four. Verser sur la morue la sauce aux pommes de terre et parsemer le tout de fromage râpé.

Filets de poisson à la crème sure

(pour 4 personnes)

4   filets de sole lavés et asséchés

50 mL (¼ tasse) de vermouth sec

250 mL (1 tasse) de crème sure

50 mL (¼ tasse) de fromage parmesan râpé

15 mL (1 c. à soupe) de jus de citron

30 mL (2 c. à soupe) d'oignons finement hachés

2 mL   (½ c. à thé) de sel paprika

Préchauffer le four à 180°C (350°F).

Placer les filets de sole dans un plat beurré allant au four et les arroser de vermouth. Mettre de côté.

Dans un bol, mélanger la crème sure, le fromage parmesan, les oignons, le paprika et le sel. Arroser le tout de jus de citron.

Étendre le mélange sur les filets de poisson. Saupoudrer le tout de paprika.

Faire cuire au four de 10 à 12 minutes.

Servir avec du persil haché et du citron.

Technique des filets de poisson à la crème sure

1. *Mettre la crème sure dans un bol.*

2. *Ajouter le fromage parmesan.*

3. *Ajouter les oignons, le sel et le paprika.*

4. *Arroser le tout de jus de citron.*

5. *Étendre le mélange sur les filets de poisson.*

6. *Saupoudrer le tout de paprika.*

Filets de turbot aux tomates

(pour 4 personnes)

2	filets de turbot
1	oignon haché
1	branche de céleri émincée
15 mL	(1 c. à soupe) de beurre
1	citron coupé en rondelles
1	boîte de tomates 796 mL (28 onces), égouttées et hachées

50 mL	(¼ tasse) de vin blanc sec
125 mL	(½ tasse) d'eau froide
15 mL	(1 c. à soupe) d'ail écrasé et haché
5 mL	(1 c. à thé) de fécule de maïs
30 mL	(1 c. à soupe) d'eau froide
	zeste de 1 orange ou de citron
	sel et poivre

Faire fondre le beurre dans une sauteuse à feu moyen. Ajouter le céleri et les oignons; faire cuire pendant 2 minutes.

Placer le poisson sur les légumes. Ajouter les rondelles de citron, les tomates hachées, le vin blanc, l'eau et l'ail; saler, poivrer.

Couvrir avec un papier ciré et amener à ébullition.

Retirer la sauteuse du feu.

Retourner le poisson et replacer la sauteuse sur un feu très doux. Continuer la cuisson de 7 à 8 minutes.

Retirer le turbot de la sauteuse. Placer le poisson sur un plat de service.

Continuer la cuisson de la sauce pendant 3 minutes.

Mélanger la fécule de maïs et l'eau froide. Ajouter le mélange à la sauce, remuer et faire cuire pendant 2 minutes.

Verser sur les filets de turbot. Garnir avec le zeste de citron.

Technique des filets de turbot aux tomates

1. Mettre les oignons et le céleri dans une sauteuse contenant du beurre chaud.

2. Placer le poisson sur les légumes et ajouter les rondelles de citron.

3. Ajouter les tomates.

4. Ajouter l'eau et le vin blanc.

5. Ajouter l'ail.

6. Couvrir avec un papier ciré.

7. Dès que le poisson est cuit, le retirer et continuer la cuisson de la sauce.

Filets de sole farcis aux moules

(pour 4 personnes)

30 mL	(2 c. à soupe) de beurre
45 mL	(3 c. à soupe) d'oignons hachés
15 mL	(1 c. à soupe) de persil haché
30 mL	(2 c. à soupe) de câpres
20	champignons lavés et hachés
½	piment vert haché
50 mL	(¼ tasse) de vin blanc sec (facultatif)
45 à 60 mL	(3 à 4 c. à soupe) de chapelure
4	très gros filets de sole
250 mL	(1 tasse) d'eau
20	moules cuites
5 mL	(1 c. à thé) de fécule de maïs
30 mL	(2 c. à soupe) d'eau froide
500 mL	(2 tasses) de carottes coupées en rondelles
15 mL	(1 c. à soupe) de sirop

d'érable
sel et poivre
jus de 1 limette

Faire chauffer 15 mL (1 c. à soupe) de beurre dans une sauteuse, à feu moyen. Ajouter les oignons et le persil; couvrir et faire cuire pendant 2 minutes.
Ajouter les câpres, les champignons et les piments; saler, poivrer. Couvrir et faire cuire à feu doux de 4 à 5 minutes.
Augmenter la chaleur au maximum et ajouter le vin blanc; faire cuire 3 minutes sans couvercle.
Ajouter la chapelure et bien mélanger le tout pour obtenir une farce épaisse; faire cuire 2 minutes. Saler, poivrer les filets de sole et les farcir avec le mélange.
Rouler les filets farcis et les placer dans une sauteuse beurrée.
Ajouter le jus de limette et 250 mL (1 tasse) d'eau. Saler, poivrer,
couvrir et faire cuire 2 minutes.
Retourner les filets de sole, couvrir et continuer la cuisson à feu très doux, de 4 à 6 minutes.
Retirer les filets et les placer dans un plat de service.
Mettre les moules cuites dans la sauteuse et amener à ébullition.
Mélanger la fécule de maïs et l'eau froide. Ajouter le mélange aux moules et remuer le tout.
Verser sur les filets de sole et servir.

Les carottes:

Faire cuire les carottes de 7 à 8 minutes dans une casserole contenant 500 mL (2 tasses) d'eau bouillante salée.
Égoutter les carottes et les replacer dans la casserole. Ajouter le sirop de maïs et faire cuire le tout pendant 2 minutes.
Servir avec les filets de sole.

Technique des filets de sole farcis aux moules

1. Mettre les oignons et le persil dans une sauteuse contenant du beurre.

2. Ajouter les câpres.

3. Ajouter les champignons haché

4. Ajouter les piments verts.

5. Ajouter le vin blanc sec.

6. Ajouter la chapelure.

7. *Farcir les filets de sole.*

8. *Placer les filets farcis dans une sauteuse beurrée. Ajouter le jus de limette et l'eau.*

9. *Retirer les filets. Ajouter les moules et épaissir le tout avec la fécule de maïs.*

Flétan aux piments

(pour 4 personnes)

23 mL	(1 ¹/₂ c. à soupe) d'huile d'olive
4	tranches de flétan
¹/₂	oignon rouge émincé
1	piment rouge émincé
1	piment vert émincé
20	champignons émincés
15 mL	(1 c. à soupe) de gingembre haché
5 mL	(1 c. à thé) de sauce soya
375 mL	(1 ¹/₂ tasse) de bouillon de poulet chaud
5 mL	(1 c. à thé) de fécule de maïs
30 mL	(2 c. à soupe) d'eau froide
	quelques gouttes de jus de citron
	sel et poivre

À feu moyen, faire chauffer l'huile dans une poêle à frire. Ajouter les tranches de flétan, saler, poivrer et faire cuire de 3 à 4 minutes de chaque côté. Retirer les tranches de flétan et les placer dans un plat allant au four; finir la cuisson au four à 94°C (200°F) de 3 à 4 minute.

Mettre les oignons, les piment et les champignons dans poêle; saler, poivrer et fai cuire à feu moyen pendant 3 m nutes.

Ajouter le gingembre et la sau soya. Ajouter le bouillon de po let chaud et faire mijoter pe dant 1 minute.

Mélanger la fécule de maïs l'eau froide; ajouter le mélang à la sauce. Corriger l'assaiso nement et bien mélanger le tou Verser la sauce sur les tranch de flétan, arroser de jus de c tron. Servir.

Placer les tranches de flétan dans une poêle à
~~re~~ contenant de l'huile chaude.

Technique
du
flétan
aux
piments

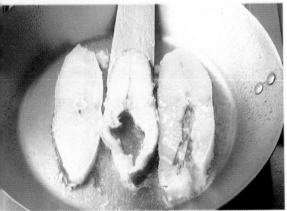

. Retourner les tranches et continuer la cuisson.

3. Placer les tranches dans un plat de service.

. Ajouter les oignons, les piments et les champi-
nons à la poêle.

5. Ajouter le gingembre.

. Ajouter la sauce soya.

7. Ajouter le bouillon de poulet.

301

Ragoût de morue

Technique du ragoût de morue

(pour 4 personnes)

4	tranches de bacon coupées en dés
1/4	oignon rouge émincé
3	pommes de terre émincées
2	gousses d'ail écrasées et hachées
1 mL	(1/4 c. à thé) de fenouil (facultatif)
750 mL	(3 tasses) de bouillon de poulet chaud
700 g	(1 1/2 livre) de morue coupée en gros dé
45 mL	(3 c. à soupe de crème à 35%
	sel et poivre

Faire cuire le bacon dans une casserole penda
2 minutes.

Ajouter les oignons et continuer la cuisson de 2
3 minutes.

Ajouter les pommes de terre et l'ail; saler et poivr

Ajouter le fenouil et le bouillon de poulet; couv
et faire cuire à feu doux pendant 16 minutes.

Ajouter la morue et continuer la cuisson de 7 à
minutes.

Ajouter la crème et faire mijoter le tout penda
quelques minutes.

Servir avec du pain grillé et frotté avec une gous
d'ail.

1. Faire cuire le bacon dans une casserole.

2. Ajouter les oignons.

3. Ajouter les pommes de terre.

4. Ajouter l'ail.

5. Ajouter le bouillon de poulet chaud.

Ajouter la morue coupée en morceaux.

7. Ajouter la crème à 35%.

Saumon aux pommes

(pour 4 personnes)

4	steaks de saumon
30 mL	(2 c. à soupe) de beurre
15 mL	(1 c. à soupe) d'huile végétale
2	pommes pelées et émincées
3	pommes de terre avec la peau
30 mL	(2 c. à soupe) de liqueur d'érable
	jus de limette
	sel et poivre

persil haché

Préchauffer le four à 180°C (350°F).

Mettre les pommes dans un bol. Ajouter la liqueur d'érable et faire mariner le tout pendant 15 minutes.

Faire chauffer le beurre et l'huile dans une poêle à frire. Ajouter les steaks de saumon et les faire cuire 3 minutes de chaque côté.

Ajouter les pommes; saler, poivrer et faire cuire au four de 8 à 10 minutes environ, selon l'épaisseur des steaks.

Retirer la peau et l'os central. Arroser le tout de jus de limette et servir.

Pommes de terre:

Faire cuire les pommes de terre avec la peau dans l'eau bouillante salée. Peler et émincer les pommes de terre et les saisir dans du beurre chaud pendant 3 minutes.

Parsemer de persil et servir.

Technique du saumon aux pommes

1. Mettre les pommes dans un bol et les arroser de liqueur d'érable.

2. Placer les steaks de saumon dans une sauteuse ou une poêle à frire.

3. Retourner le saumon et continuer la cuisson.

4. *Ajouter les pommes et continuer la cuisson au*

5. *Retirer la peau et l'os central.*

Saumon poché, sauce hollandaise

(pour 4 personnes)

4	steaks de saumon
2	carottes émincées
½	petit oignon émincé
15 mL	(1 c. à soupe) de beurre
125 mL	(½ tasse) de vin blanc sec
500 mL	(2 tasses) d'eau
1 mL	(¼ c. à thé) de fenouil
3	branches de persil
227 g	(½ livre) de beurre non salé
2	jaunes d'oeufs
5 mL	(1 c. à thé) de persil jus de citron sel et poivre

Mettre les carottes et les oignons dans une sauteuse beurrée. Placer les steaks de saumon sur les légumes. Ajouter le vin blanc et l'eau; saler, poivrer. Ajouter les épices, couvrir et amener le liquide à ébullition.

Retourner les steaks de saumon et continuer la cuisson à feu très doux, de 7 à 8 minutes.

Note: Le saumon est cuit lorsqu'avec la pointe d'un couteau on peut retirer l'os avec aisance.

Préparation de la sauce hollandaise:

Mettre le beurre dans un bol en acier inoxydable. Placer le bol sur une casserole contenant 500 mL (2 tasses) d'eau bouillante ou très chaude.

Faire fondre le beurre complètement et à l'aide d'une cuillère, écumer le beurre en retirant la partie blanche qui remonte à la surface.

Mettre le beurre fondu de côté et le laisser refroidir.

Mettre les jaunes d'oeufs, le persil et le jus de citron dans un bol en acier inoxydable. Placer le bol sur la casserole contenant l'eau chaude. ATTENTION: l'eau ne doit pas être trop chaude, sinon les oeufs cuiront.

Mélanger le tout avec un fouet de cuisine.

Ajouter le beurre fondu, en petit filet, tout en mélangeant avec un fouet de cuisine.

Assaisonner au goût et servir.

Technique du saumon poché, sauce hollandaise

1. Mettre les carottes et les oignons dans une sauteuse beurrée.

2. Ajouter les steaks de saumon.

3. Ajouter le vin blanc sec.

4. Ajouter l'eau et les épices.

5. *Faire fondre le beurre dans un bol.*

6. *Mettre les oeufs dans un bol en acier inoxydable. Ajouter le jus de citron, le persil et le poivre du moulin.*

7. *Faire une hollandaise pas trop épaisse; saler, poivrer et ajouter du jus de citron.*

Congre aux tomates

(pour 4 personnes)

4	steaks de congre*	
15 mL	(1 c. à soupe) d'huile d'olive	
30 mL	(2 c. à soupe) d'oignons hachés	
1	boîte de tomates, égouttées	
250 mL	(1 tasse) de bouillon de poulet chaud	
1	gousse d'ail, écrasée et hachée	
2	queues de fenouil ou quelques graines de fenouil	
	sel et poivre	

jus de citron

Arroser le poisson avec du jus de citron.

Faire chauffer l'huile dans une poêle à frire, à feu moyen.

Ajouter les oignons et les faire cuire 2 minutes.

Ajouter les tomates, l'ail et le fenouil; mélanger le tout.

Ajouter les steaks de congre et le bouillon de poulet chaud; saler poivrer. Couvrir et faire cuire à feu doux pendant 15 minutes.

Servir avec du jus de citron et un légume vert.

*Note: Le congre est une anguille de mer que vous pouvez acheter chez un poissonnier.

Moules, sau

Croque-monsieur au crabe

(pour 4 personnes)

3 kg	(6½ livres) de moules lavées, brossées et la barbe retirée à l'aide d'un petit couteau
250 mL	(1 tasse) de vin blanc sec
45 mL	(3 c. à soupe) d'échalotes hachées
4	queues de persil
375 mL	(1½ tasse) d'eau
45 mL	(3 c. à soupe) de beurre
60 mL	(4 c. à soupe) de farine
750 mL	(3 tasses) du liquide de cuisson des moules
50 mL	(¼ tasse) de crème à

35%

30 mL	(2 c.
	hac
	poi
	ju

Placer les
serole. A
tes, les
le poiv
citron
Couv
le to
à fe
cui
Retire
role et les ég

(pour 4 personnes)

30 mL	(2 c. à soupe) de beurre
4	oignons verts hachés
1	boîte de chair de crabe égouttée
375 mL	(1½ tasse) de sauce blanche chaude*
125 mL	(½ tasse) de fromage cheddar râpé
2	pains « hamburger » grillés
	quelques gouttes de sauce Tabasco
	sel et poivre

Préchauffer le four à 190°C (375°F).

Faire chauffer le beurre dans une casserole à feu moyen.

Ajouter les oignons verts et les faire cuire de 2 à 3 minutes à feu doux.

Ajouter la chair de crabe, mélanger et assaisonner le tout; faire mijoter le tout de 2 à 3 minutes à feu très doux. Ajouter la sauce blanche chaude et mélanger à nouveau.

Ajouter la moitié du fromage râpé et quelques gouttes de sauce Tabasco; faire mijoter le tout de 2 à 3 minutes. Verser le mélange sur le pain grillé et parsemer le tout de fromage râpé. Faire cuire au four, à broil, de 2 à 3 minutes. Servir.

* Sauce blanche:

45 mL	(3 c. à soupe) de beurre
45 mL	(3 c. à soupe) de farine
625 mL	(2½ tasses) de lait chaud
	une pincée de muscade
	sel et poivre blanc

Faire fondre le beurre dans une petite casserole à feu doux. Ajouter la farine et mélanger le tout avec un fouet de cuisine; faire cuire pendant 2 minutes. Ajouter le lait chaud, la muscade, saler et poivrer. Mélanger et faire cuire le tout à feu très doux de 7 à minutes.

Technique du "Croque-monsieur au crabe":

1. Mettre les oignons verts dans une casserole connant du beurre chaud.

2. Ajouter la chair de crabe.

. Préparer une sauce blanche pas trop épaisse.

4. Ajouter la sauce chaude.

. Ajouter le fromage râpé et mélanger le tout.

6. Verser le mélange sur le pain grillé et parsemer le tout de fromage râpé. Mettre au four.

Palourdes farcies

(pour 4 personnes)

12	palourdes lavées et nettoyées
1	oignon coupé en dés
500 mL	(2 tasses) d'eau froide
30 mL	(2 c. à soupe) de beurre
1	oignon haché
25	champignons frais, lavés et hachés
1	gousse d'ail écrasée et hachée
60 mL	(4 c. à soupe) de chapelure
1	oeuf
15 mL	(1 c. à soupe) de persil

haché
jus de ½ citron
sel et poivre

Préchauffer le four à 200°C (400°F).

Mettre les palourdes dans une sauteuse. Ajouter les oignons en dés, le jus de citron et l'eau froide. Poivrer, couvrir et faire cuire de 8 à 10 minutes.

Dès que les palourdes sont cuites, retirer la chair et la hacher. Mettre de côté.

Mettre le beurre dans une sauteuse et le faire chauffer. Ajouter les oignons hachés et les faire cuire pendant 3 minutes.

Ajouter les champignons, les palourdes hachées et l'ail. Saler légèrement et poivrer; faire cuire de 3 à 4 minutes.

Ajouter la chapelure et le persil; mélanger le tout.

Ajouter l'oeuf et mélanger à nouveau.

Farcir les coquilles et les placer au four, sous le grill, à 10 cm (4 po.) de l'élément supérieur. Faire griller le tout pendant 3 minutes. Servir avec du jus de citron et un vin blanc très sec.

Technique des palourdes farcies

1. Mettre les palourdes, les oignons en dés, l'eau froide et le jus de citron dans une sauteuse.

2. Couvrir et faire cuire de 8 à 10 minutes pour permettre aux palourdes de s'ouvrir.

3. Mettre les oignons hachés dans une sauteuse contenant du beurre chaud. Ajouter du persil.

4. Ajouter les champignons.

5. Ajouter les palourdes hachées.

6. Ajouter l'ail.

7. Ajouter la chapelure.

8. Ajouter l'oeuf.

9. Remplir les coquilles de farce.

Pétoncles accroche-coeur

(pour 4 personnes)

454 g (1 livre) de pétoncles
12 tranches de bacon légèrement cuit, coupées en deux
2 oeufs séparés
300 mL (1¼ tasse) de bière
15 mL (1 c. à soupe) de beurre fondu
375 mL (1½ tasse) de farine tout usage
5 mL (1 c. à thé) de moutarde sèche
une pincée de sel
poivre du moulin

Huile d'arachide pour la friture chauffée à 180°C (350°F).

Rouler chaque pétoncle dans ½ tranche de bacon et retenir le tout avec un cure-dent. Mettre de côté.

Mettre les jaunes d'oeufs et la bière dans un bol; mélanger le tout avec un fouet de cuisine.

Tamiser la farine, le sel, le poivre et la moutarde dans un bol. Retamiser le mélange dans les jaunes d'oeufs; mélanger le tout avec un fouet de cuisine pour obtenir une pâte onctueuse.

Ajouter le beurre fondu, remuer et mettre de côté.

À l'aide d'un batteur électrique, battre les blancs d'oeufs jusqu'à ce qu'ils forment des piques.

À l'aide d'un fouet, incorporer les blancs battus à la pâte (ne pas utiliser une spatule). Mélanger le tout pour obtenir une pâte lisse. Tremper les pétoncles dans la pâte et les plonger dans la friture de 2 à 3 minutes.

Égoutter sur un papier essuie-mains. Servir.

Technique des pétoncles accroche-coeur

1. Rouler chaque pétoncle dans ½ tranche de bacon.

2. Retenir le tout avec un cure-dent.

3. Mettre les jaunes d'oeufs et la bière dans un bol.

4. Tamiser la farine, la moutarde, le sel et le poivre dans un bol. Retamiser le mélange dans les jaunes d'oeufs.

5. Mélanger le tout avec un fouet de cuisine pour obtenir une pâte onctueuse. Ajouter le beurre fondu.

6. À l'aide d'un fouet, incorporer les blancs d'oeufs battus.

315

Petites galettes de crabe

(pour 4 personnes)

60 mL	(4 c. à soupe) d'huile d'arachide
250 mL	(1 tasse) de chapelure épicée
2	oeufs battus
10 mL	(2 c. à thé) de moutarde sèche
30 mL	(2 c. à soupe) de persil haché
15 mL	(1 c. à soupe) de sauce Worcestershire
250 mL	(1 tasse) de mayonnaise
454 g	(1 livre) de chair de crabe bien égouttée et hachée
	quelques gouttes de jus de citron
	sel et poivre

Mélanger la chapelure et les oeufs dans un bol. Saler, poivrer.

Ajouter la moutarde et la sauce Worcestershire; bien mélanger.

Ajouter la mayonnaise, la chair de crabe et le persil. Assaisonner au goût.

Ajouter quelques gouttes de jus de citron.

Avec la paume de la main, former des galettes. Les réfrigérer pendant 30 minutes.

Faire chauffer l'huile dans une poêle à frire, à feu moyen. Ajouter les galettes et les faire cuire 3 minutes de chaque côté.

Servir avec du jus de citron ou une sauce épicée.

Technique des petites galettes de crabe

1. Mettre les oeufs et la chapelure dans un bol; mélanger le tout. Saler, poivrer.

2. Ajouter la moutarde.

3. Ajouter la sauce Worcestershire et mélanger.

4. Ajouter la mayonnaise; mélanger le tout.

5. Ajouter la chair de crabe et le persil haché; mélanger le tout.

Huîtres au gratin

(pour 4 personnes)

3	douzaines d'huîtres brossées, lavées et ouvertes
2	branches de persil
3	échalotes hachées
1	oignon finement haché
15 mL	(1 c. à soupe) de persil haché
250 mL	(1 tasse) d'eau froide
45 mL	(3 c. à soupe) de beurre
25	champignons hachés
75 mL	(5 c. à soupe) de chapelure
1	oeuf
	jus de ½ citron
	poivre du moulin

Préchauffer le four à 190°C (375°F).

Retirer les huîtres des coquilles. Placer les huîtres dans une casserole. Ajouter le jus de citron, le persil et les échalotes.

Ajouter l'eau froide et le poivre du moulin; couvrir avec du papier ciré et faire cuire de 2 à 3 minutes.

Retirer les huîtres de la casserole et les hacher.

Faire chauffer le beurre dans une sauteuse. Ajouter les oignons, le persil et les champignons et faire cuire à feu vif de 4 à 5 minutes.

Ajouter les huîtres et la chapelure. Ajouter l'oeuf et bien mélanger le tout. Corriger l'assaisonnement.

Remplir les coquilles. Placer 5 mL (1 c. à thé) de beurre sur chaque coquille et les faire cuire au four à 190°C (375°F) pendant 5 minutes.

Mettre le tout à grill et continuer la cuisson pendant 3 minutes.

Technique des huîtres au gratin

1. Retirer les huîtres des coquilles.

2. Placer les huîtres dans une sauteuse ou une casserole. Ajouter le jus de citron et le persil.

3. Ajouter les échalotes.

4. Ajouter l'eau; saler, poivrer.

5. Mettre les oignons et le persil dans une sauteuse contenant du beurre chaud.

6. Ajouter les champignons.

7. Ajouter les huîtres hachées et la chapelure.

8. Ajouter l'oeuf; mélanger le tout.

9. Le mélange doit être épais.

10. Remplir les coquilles.

Homard aux tomates

(pour 4 personnes)

30 mL	(2 c. à soupe) de vinaigre à l'estragon
4	homards vivants ou cuits
30 mL	(2 c. à soupe) d'huile
30 mL	(2 c. à soupe) de crème à 35%
30 mL	(2 c. à soupe) d'échalotes hachées
1	boîte de tomates de 796 mL (28 onces), égouttées et hachées
15 mL	(1 c. à soupe) de persil haché
250 mL	(1 tasse) de bouillon de poulet chaud
5 mL	(1 c. à thé) de fécule de maïs
30 mL	(2 c. à soupe) d'eau froide
	une pincée de safran (facultatif)
	jus de citron
	sel et poivre

Couper les homards en morceaux. Retirer l'estomac qui se trouve dans la tête et le jeter. Retirer les intestins et le corail et les mettre dans un petit bol. Ajouter la crème, mélanger et mettre de côté.

Faire chauffer l'huile dans une grande sauteuse, à feu vif. Ajouter les morceaux de homards; saler, poivrer et faire cuire de 4 à 5 minutes. Ajouter les échalotes, le vinaigre à l'estragon et les tomates; mélanger le tout. Ajouter le persil haché et le safran; faire cuire le tout à feu moyen pendant 12 minutes.

Retirer les morceaux de homards et les mettre de côté. Verser le bouillon de poulet dans la sauce; l'amener à ébullition et faire cuire de 3 à 4 minutes.

Mélanger la fécule de maïs et l'eau froide. Ajouter le mélange à la sauce; faire mijoter pendant 1 minute. Remettre les morceaux de homards dans la sauce. Ajouter la crème et faire mijoter le tout pendant 2 minutes.

Servir.

Technique "Homard aux tomates"

1. On peut utiliser des homards vivants ou cuits pour cette recette.

2. Couper les homards en morceaux et les saisir dans l'huile chaude.

3. Ajouter l'ail, mélanger le tout et saler, poivrer.

4. *Ajouter le vinaigre à l'estragon.*

5. *Ajouter les tomates; mélanger le tout.*

Pommes de terre farcies au crabe

(pour 4 personnes)

4	pommes de terre Idaho, cuites au four
30 mL	(2 c. à soupe) de beurre
20	champignons lavés et hachés
2	échalotes hachées (facultatif)
15 mL	(1 c. à soupe) de persil haché

1	boîte de chair de crabe hachée
125 mL	(¹/₂ tasse) de fromage mozzarella râpé
45 mL	(3 c. à soupe) de lait sel et poivre

Préchauffer le four à 190°C (375°F).

Evider les pommes de terre et passer la pulpe au tamis.

Mettre de côté.

Faire chauffer le beurre dans une casserole, à feu moyen.

Ajouter les champignons, les échalotes et le persil.

Mélanger et faire cuire penda[nt] 2 minutes.

Ajouter la chair de crabe, méla[n]ger et assaisonner au goût; fai[re] cuire pendant 1 minute.

Ajouter la moitié du fromag[e,] mélanger et retirer la cassero[le] du feu. Verser le mélange dan[s] un bol, ajouter la pulpe de pom[me]mes de terre et le lait; bien inco[r]porer le tout.

Farcir les pommes de terre, le[s] parsemer de fromage râpé et le[s] faire cuire au four pendant [...] minutes.

Servir avec un vin blanc sec.

322

Technique des
"Pommes de terre farcies au crabe"

. Mettre les champignons hachés dans une casse-
le contenant du beurre chaud.

2. Ajouter les échalotes et le persil haché.

. Ajouter la chair de crabe.

4. Ajouter le fromage râpé.

5. Passer la pulpe de pommes de terre au tamis pour
en faire une purée.

6. Mélanger la chair de crabe et la purée de pommes
de terre. Farcir les pommes de terre.

Fruits de mer en casserole

(pour 4 personnes)

227 g	(½ livre) de crevettes congelées
227 g	(½ livre) de pétoncles congelées
15 mL	(1 c. à soupe) de beurre
227 g	(½ livre) de champignons coupés en dés
2	tomates pelées et coupées en dés
1	échalote hachée
50 mL	(¼ tasse) de Vermouth
300 mL	(1¼ tasse) d'eau froide
3	queues de persil
2 mL	(½ c. à thé) d'estragon
1	feuille de laurier

jus de citron
sel et poivre

Le roux:

45 mL	(3 c. à soupe) de beurre
45 mL	(3 c. à soupe) de farine
30 mL	(2 c. à soupe) de crème sure

Mettre 15 mL (1 c. à soupe) de beurre dans une sauteuse. Ajouter les crevettes, les champignons, les pétoncles, les échalotes et les épices.
Arroser de jus de citron. Saler, poivrer. Ajouter les tomates.
Ajouter le Vermouth et l'eau; couvrir et faire cuire à feu moyen pendant 3 minutes.
Retirer les crevettes et les pétoncles avec une cuillère à trou. Continuer la cuisson du liquide à feu vif, de 7 à 8 minutes. Arroser le tout de jus de citron.
Faire fondre 45 mL (3 c. à soupe) de beurre dans une poêle à frire. Ajouter la farine et mélanger le tout; faire cuire pendant 2 min. Ajouter le liquide de cuisson, y compris les champignons et les tomates; faire cuire de 2 à 3 min. Assaisonner au goût.
Ajouter les crevettes et les pétoncles; mélanger à nouveau.
Ajouter la crème sure, remuer et servir.

Technique des fruits de mer
en casserole

1. Mettre les crevettes congelées dans une sauteuse. Ajouter le beurre et le persil.

2. Ajouter les pétoncles.

3. Ajouter les champignons; saler, poivrer. Arroser le tout de jus de citron.

4. Ajouter les tomates.

5. Ajouter le Vermouth.

6. Ajouter l'eau. Assaisonner au goût.

Crevettes sauce au cari

(pour 4 personnes)

454 g	(1 livre) de crevettes
1	branche de céleri émincée
½	boîte de mandarines en sections, égouttées
1	pomme évidée et émincée
15 mL	(1 c. à soupe) de persil haché
15 mL	(1 c. à soupe) d'huile d'olive
½	oignon haché
15 mL	(1 c. à soupe) de poudre de cari
30 mL	(2 c. à soupe) de ketchup
15 mL	(1 c. à soupe) de raifort
30 mL	(2 c. à soupe) de mayonnaise
30 mL	(2 c. à soupe) de yogourt
15 mL	(1 c. à soupe) de relish rouge
	quelques gouttes de jus de citron
	sel et poivre

Mettre les crevettes dans une casserole contenant 750 mL (3 tasses) d'eau salée et citronnée; amener le tout à ébullition en remuant de temps en temps. Dès que l'eau commence à bouillir, retirer la casserole du feu et laisser reposer les crevettes de 3 à 4 minutes.

Placer la casserole sous l'eau froide. Égoutter les crevettes et les décortiquer. Mettre de côté.

Faire chauffer l'huile dans une sauteuse, à feu moyen. Ajouter les oignons et la poudre de cari; faire cuire à feu doux de 3 à 4 minutes.

Retirer la sauteuse du feu et verser le mélange d'oignons dans un bol.

Ajouter tous les autres ingrédients; bien mélanger le tout.

Arroser le tout de jus de citron.

Ajouter les crevettes; incorporer délicatement.

Servir avec des raisins et des noix.

Technique des crevettes, sauce au cari

1. Faire cuire les oignons et le cari dans l'huile chaude de 3 à 4 minutes.

2. Verser le mélange dans un bol et ajouter le ketchup.

3. Ajouter le raifort.

4. Ajouter la mayonnaise; mélanger le tout.

5. Ajouter le yogourt; mélanger à nouveau.

6. Ajouter la relish rouge.

Brochettes de moules

(pour 4 personnes)

24	moules cuites
24	champignons frais, lavés
125 mL	(½ tasse) de beurre fondu
250 mL	(1 tasse) de chapelure
125 mL	(½ tasse) d'eau
	jus de citron
	sel et poivre

Mettre les champignons dans une sauteuse.

Ajouter le jus de ¼ de citron et l'eau; saler, poivrer.

Couvrir et faire cuire 4 minutes.

Enfiler, en alternant, un champignon et une moule sur une brochette en bois.

Répéter la même opération jusqu'à remplir toutes les brochettes.

Poivrer et badigeonner les brochettes de beurre fondu et les rouler dans la chapelure.

Faire chauffer 30 mL (2 c. à soupe) de beurre fondu dans une poêle à frire.

Ajouter les brochettes et les faire cuire 2 minutes de chaque côté.

Arroser le tout de jus de citron et servir.

Technique des brochettes de moules

1. Mettre les champignons dans une sauteuse. Ajouter le jus de citron.

2. Ajouter l'eau; saler, poivrer. Couvrir et faire cuire 4 minutes.

3. Enfiler, en alternant, une moule cuite et un champignon. Répéter la même opération pour remplir toutes les brochettes. Badigeonner de beurre fondu.

4. Rouler les brochettes dans la chapelure.

5. Faire cuire dans le beurre fondu et servir.

Tartelettes de Port-Cartier

(pour 4 personnes)

*Utiliser la même recette de pâte que la tarte aux champignons.

226 g	1 paquet (8 onces) de crevettes de Sept-Îles, cuites
15 mL	(1 c. à soupe) d'huile d'olive
30 mL	(2 c. à soupe) d'échalotes hachées
3	tomates pelées et hachées
15 mL	(1 c. à soupe) de persil
375 mL	(1¹/₂ tasse) de riz épicé**
4	tranches de beurre à l'ail sel et poivre

Préchauffer le four à 190°C (375°F).
Rouler la pâte et foncer des moules à tartelettes.
À l'aide d'une fourchette, piquer la pâte et la badigeonner de lait; faire cuire au four pendant 15 minutes. Retirer les tartelettes du four et les mettre de côté.
À feu moyen, faire chauffer l'huile dans une petite sauteuse.

Ajouter les échalotes, les tomates et le persil; saler, poivrer et faire cuire de 7 à 8 minutes pour épaissir le mélange.
Ajouter les crevettes bien égouttées et faire mijoter le tout à feu très doux pendant 1 minute.
Remplir les tartelettes de riz épicé, recouvrir du mélange de tomates et garnir d'une tranche de beurre à l'ail; faire cuire au four pendant 3 minutes.

**Riz épicé:

250 mL	(1 tasse) de riz à grains longs lavé
750 mL	(3 tasses) d'eau froide
1 mL	(¹/₄ c. à thé) de sel
15 mL	(1 c. à soupe) de poudre de cari poivre blanc

Verser l'eau dans une casserole, saler, poivrer et amener à ébullition. Ajouter la poudre de cari et mélanger.
Ajouter le riz, mélanger et amener à ébullition; couvrir et faire cuire à feu très doux de 18 à 20 minutes. Servir.

Coquilles d'huîtres et de palourdes à l'italienne

(pour 4 personnes)

2	douzaines d'huîtres lavées
2	douzaines de palourdes lavées
375 mL	(1½ tasse) d'eau
30 mL	(2 c. à soupe) de beurre
2	échalotes hachées
3	tomates pelées et hachées
15 mL	(1 c. à soupe) de pâte de tomates
15 mL	(1 c. à soupe) de persil haché
60 g	(2 onces) de fromage mozzarella râpé quelques gouttes de sauce Tabasco

jus de citron
sel et poivre

Retirer les huîtres de leur coquille et les placer dans une petite casserole avec leur jus. Arroser le tout de quelques gouttes de jus de citron. Faire cuire à feu très doux pendant 3 min. Retirer les huîtres du feu. Mettre de côté.

Placer les palourdes dans une casserole. Ajouter l'eau; couvrir et faire cuire à la vapeur de 4 à 5 minutes pour permettre aux palourdes d'ouvrir.

Retirer les palourdes de leur coquille et les garder avec les huîtres.

Faire chauffer le beurre dans une sauteuse, à feu moyen. Ajouter les échalotes et les tomates; saler, poivrer et faire cuire de 4 à 5 minutes.

Ajouter la pâte de tomates, le jus de cuisson des huîtres et le persil haché; faire cuire de 8 à 10 minutes.

Ajouter le fromage râpé pour lier la sauce.

Ajouter les palourdes et les huîtres.

Mélanger et arroser le tout de quelques gouttes de Tabasco.

Faire mijoter à feu très doux pendant 3 minutes.

Farcir les coquilles.

Servir.

Rouleaux à la chinoise

(pour 4 personnes)

1	paquet d'enveloppes pour rouleaux chinois
30 mL	(2 c. à soupe) d'huile
30	champignons frais, émincés et coupés en julienne
3	oignons verts émincés
1	branche de céleri émincée
1	gousse d'ail écrasée et hachée
1	branche de chou chinois émincée (facultatif)
375 mL	(1½ tasse) de haricots germés
250 mL	(1 tasse) de crevettes de Sept-Îles cuites
22 mL	(1½ c. à soupe) de sauce soya
15 mL	(1 c. à soupe) de fécule de maïs
30 mL	(2 c. à soupe) d'eau froide
	sel et poivre

Huile d'arachide pour la friture chauffée à 190°C (375°F).

Préchauffer le four à 180°C (350°F).

Faire chauffer l'huile dans une sauteuse, à feu moyen. Ajouter les champignons, les oignons, le céleri, le chou chinois et l'ail; saler, poivrer et faire cuire pendant 4 minutes.

Ajouter les haricots germés; saler, poivrer. Couvrir et faire cuire de 3 à 4 minutes.

Retirer le couvercle et continuer la cuisson à feu vif pour faire évaporer le liquide.

Ajouter la sauce soya et les crevettes; mélanger rapidement. Mélanger la fécule de maïs et l'eau froide. Ajouter le mélange au reste des ingrédients; faire cuire à feu doux pendant 2 minutes.

Laisser refroidir.

Farcir les enveloppes et sceller les bords avec de l'eau mélangée à de la farine.

Plonger les rouleaux dans l'huile chaude et faire frire de 2 à 3 minutes.

Egoutter les rouleaux et finir la cuisson au four pendant 4 à 5 minutes.

Servir avec une sauce aux prunes.

Langoustines en Julienne

(pour 4 personnes)

* cuisson rapide

Préparation du beurre à l'ail:

227 g	(½ livre) de beurre mou
3	gousses d'ail écrasées et hachées
1	échalote hachée
15 mL	(1 c. à soupe) de persil haché
	sel et poivre de cayenne
	jus de citron

Bien incorporer tous les ingrédients dans un bol.

Note: le beurre à l'ail se conserve au congélateur roulé dans un papier d'aluminium.

Préparation des langoustines:

4	grosses langoustines décortiquées et coupées en gros dés
8	oignons verts (le blanc seulement)
2	carottes coupées en julienne et cuites
227 g	(½ livre) de haricots verts coupés en 2 et cuits
227 g	(½ livre) de boutons de champignons lavés et asséchés
30 mL	(2 c. à soupe) d'huile d'olive
2	tranches de beurre à

l'ail
sel et poivre
jus de citron
riz blanc cuit

Saler, poivrer les dés de langoustines.

Faire chauffer l'huile dans une poêle à frire. Ajouter les langoustines et les faire cuire 3 min. Retirer les langoustines de la poêle et les mettre de côté.

Mettre le beurre et les légumes dans la poêle; faire cuire de 5 à 6 minutes.

Ajouter les langoustines; saler, poivrer et arroser le tout de jus de citron.

Faire cuire 1 minute.

Servir sur un riz blanc.

Moules marinières à ma façon

(pour 4 personnes)

3 kg	(6½ livres) de grosses moules
45 mL	(3 c. à soupe) de beurre
30 mL	(2 c. à soupe) d'échalotes hachées
15 mL	(1 c. à soupe) de persil haché
1	branche de fenouil
125 mL	(½ tasse) de vin blanc sec
250 mL	(1 tasse) de fond de poisson
250 mL	(1 tasse) de crème à 35%
	poivre du moulin
	quelques gouttes de citron

Laver et brosser les moules et retirer la barbe. Seules les moules fermées sont utilisées.
Mettre les moules dans une sauteuse. Ajouter le beurre, le vin blanc, les échalotes, le fenouil et le fond de poisson. Poivrer mais ne pas saler.

Couvrir la sauteuse et amener le liquide à ébullition; faire cuire de 6 à 7 minutes.
Retirer les moules de la sauteuse en les égouttant. Tenir au chaud.
Passer le liquide de cuisson au tamis et le reverser dans la sauteuse.
Faire cuire le liquide de 4 à 5 minutes, à feu vif.
Ajouter la crème et le persil; faire cuire à feu très vif de 4 à 5 minutes. Verser sur les moules.
Servir avec du jus de citron.

Technique des moules marinières à ma façon

1. Brosser et laver les moules; retirer la barbe. Mettre les moules dans une sauteuse.

2. Ajouter le beurre.

3. Ajouter le vin blanc sec.

4. Ajouter les échalotes.

334

5. *Ajouter le fenouil.*

6. *Faire cuire avec un couvercle et laisser les moules s'ouvrir.*

Délices au crabe et au fromage

(pour 4 personnes)

4	muffins à l'anglaise
1	boîte de grosseur moyenne de chair de crabe, bien égouttée
50 mL	(¼ tasse) de mayonnaise
15 mL	(1 c. à soupe) d'oignons hachés
90 g	(3 onces) de fromage à la crème
1	jaune d'oeuf
1 mL	(¼ c. à thé) de moutarde sèche
	jus de citron
	sel et poivre

Préchauffer le four à 200°C (400°F).

Mettre la chair de crabe dans un bol; saler, poivrer. Ajouter les oignons et la mayonnaise; bien mélanger le tout. Ajouter quelques gouttes de citron. Mettre de côté.

À l'aide d'une spatule, mélanger le fromage à la crème, la moutarde et le jaune d'oeuf pour obtenir une pâte assez molle.

Étendre le mélange de crabe sur chaque muffin. Recouvrir le tout avec le mélange de fromage.

Placer les muffins sur une plaque à biscuits; faire cuire au four pendant 7 minutes.

Ajuster le four à broil 2 minutes avant la fin de la cuisson. Servir.

Vol-au-vent Juliette

(pour 4 personnes)

60 mL	(4 c. à soupe) de margarine
45 mL	(3 c. à soupe) de farine
3	filets de sole coupés en morceaux
227 g	(½ livre) de pétoncles
114 g	(¼ livre) de champignons lavés et émincés
1	piment rouge coupé en dés
500 mL	(2 tasses) d'eau
15 mL	(1 c. à soupe) de persil haché
50 mL	(¼ tasse) de crème épaisse à la française
4	vol-au-vent (de commerce)

sel et poivre
beurre et jus de citron

Beurrer légèrement une sauteuse et y mettre les filets de sole, les pétoncles, les champignons et les piments; poivrer et ajouter le persil, le jus de citron et l'eau.

Couvrir avec un papier ciré et amener le liquide à ébullition. Dès que le liquide commence à bouillir, retirer la sauteuse du feu et laisser reposer le poisson dans le liquide pendant 3 à 4 minutes pour finir la cuisson.

À l'aide d'une cuillère à trous, retirer les pétoncles et les filets et les mettre dans une assiette.

Placer la sauteuse sur un feu très vif. Continuer la cuisson du liquide et des légumes de 4 à 5 minutes. Assaisonner au goût. Faire chauffer la margarine dans une petite casserole. Ajouter la farine et laisser au feu de 2 à 3 minutes. Ajouter le bouillon de cuisson, remuer et faire cuire à feu vif de 4 à 5 minutes. Ajouter la crème et continuer la cuisson à feu doux, de 5 à 6 minutes.

Faire réchauffer les vol-au-vent au four réglé à 70°C (150°F), pendant quelques minutes.

Remettre le poisson et les pétoncles dans la sauce et faire mijoter de 2 à 3 minutes.

Placer les vol-au-vent sur un plat de service. Verser la sauce sur les vol-au-vent et servir.

Crevettes panées

(pour 4 personnes)

24	grosses crevettes
250 mL	(1 tasse) de farine
2	oeufs battus
15 mL	(1 c. à soupe) d'huile végétale
375 mL	(1½ tasse) de chapelure épicée huile d'arachide pour la cuisson

sel et poivre

Décortiquer et laver les crevettes.

Couper les crevettes en deux dans l'épaisseur et les aplatir.

Saler, poivrer et enfariner les crevettes.

Verser l'huile végétale dans les oeufs battus; bien mélanger le tout.

Tremper les crevettes dans les oeufs battus et les enrober de chapelure.

Réfrigérer pendant 15 minutes avant de les faire cuire.

Verser 50 mL (¼ tasse) d'huile d'arachide dans une poêle à frire. Dès que l'huile est chaude, ajouter les crevettes et les faire cuire 2 minutes de chaque côté. Servir avec une sauce épicée ou de votre choix.

Technique des crevettes panées

1. Décortiquer et laver les crevettes. Couper les crevettes en deux dans l'épaisseur et les aplatir.

2. Saler, poivrer et enfariner les crevettes.

3. Tremper les crevettes dans le mélange d'oeufs battus et d'huile.

4. Enrober le tout de chapelure. Réfrigérer les crevettes pendant 15 minutes avant de les faire cuire.

LÉGUMES

Asperges et petits pois au beurre

(pour 4 personnes)

500 mL	(2 tasses) de petits pois congelés
1	botte d'asperges cuites et coupées en bâtonnets de 2,5 cm (1 po)
1	carotte pelée et râpée
15 mL	(1 c. à soupe) de zeste de citron
15 mL	(1 c. à soupe) de beurre

Mettre les petits pois dans une casserole contenant 250 mL (1 tasse) d'eau bouillante salée et les faire cuire pendant 8 minutes.

Égoutter et remettre les petits pois dans la casserole.

Ajouter le beurre, les asperges, les carottes, le zeste de citron et faire mijoter le tout de 7 à 8 minutes. Servir.

Asperges aux oeufs

(pour 4 personnes)

1 L	(4 tasses) d'eau froide
3	bottes d'asperges pelées (retirer 2,5 cm (1 po.) du pied des asperges)
45 mL	(3 c. à soupe) de beurre
52 mL	(3½ c. à soupe) de farine
500 mL	(2 tasses) de lait chaud
50 mL	(¼ tasse) du jus de cuisson des asperges
2	oeufs durs hachés
1	oeuf dur coupé en rondelles
1 mL	(¼ c. à thé) de muscade
	jus de citron
	sel et poivre

Préchauffer le four à 180°C (350°F).

Verser l'eau froide dans une sauteuse, saler et ajouter le jus de citron; amener à ébullition.

Ajouter les asperges, couvrir et faire cuire de 10 à 12 minutes. Retirer et égoutter les asperges. Mettre de côté.

Faire chauffer le beurre dans une casserole, à feu moyen. Ajouter la farine, mélanger et faire cuire à feu doux de 2 à 3 minutes.

Ajouter le lait chaud, remuer le tout. Ajouter 50 mL (¼ tasse) du liquide de cuisson des asperges; brasser à nouveau.

Saler, poivrer. Ajouter la muscade, les oeufs hachés et mélanger légèrement; faire cuire 3 à 4 minutes à feu doux.

Placer les asperges dans un plat allant au four. Verser la sauce sur les asperges; faire mijoter au four de 7 à 8 minutes. Garnir avec des rondelles d'oeufs durs et servir.

343

Aubergines farcies

(pour 4 personnes)

1	aubergine tranchée
30 mL	(2 c. à soupe) d'huile
1	oignon haché
1	branche de céleri hachée
1	piment vert haché
1	boîte de 796 mL (28 onces) de tomates égouttées et hachées
1	gousse d'ail écrasée et hachée
125 mL	(½ tasse) de fromage mozzarella râpé

sel et poivre

Préchauffer le four à 200°C (400°F).

Badigeonner les aubergines d'huile, les placer dans un plat à rôtir et faire cuire au four pendant 35 minutes.

Retirer le plat du four et à l'aide d'un couteau retirer l'intérieur des rondelles d'aubergine.

Hacher la chair et mettre de côté. Placer les rondelles d'aubergine dans un plat allant au four. Mettre de côté.

Verser le reste de l'huile dans une sauteuse. Dès que l'huile est chaude, ajouter les oignons, le céleri et le piment; saler, poivrer. Couvrir et faire cuire de 3 à 4 minutes à feu doux.

Ajouter la chair d'aubergine hachée, les tomates et l'ail; continuer la cuisson pendant 30 minutes à feu doux.

Retirer du feu. Farcir les rondelles d'aubergine avec le mélange et les parsemer de fromage râpé. Faire cuire au four à grill pendant 4 minutes et servir.

Aubergine tempura

(pour 4 personnes)

1	aubergine
1	jaune d'oeuf
500 mL	(2 tasses) d'eau glacée
425 mL	(1¾ tasse) de farine tout usage
	une pincée de bicarbonate de soude
	une pincée de sel

Huile d'arachide pour la friture chauffée à 180°C (350°F).

Peler l'aubergine et la couper en bâtonnets. Bien saler et laisser reposer le tout à la température de la pièce pendant 2 heures pour retirer l'eau des aubergines. Égoutter et assécher les bâtonnets avec du papier essuie-mains.

Mettre le jaune d'oeuf dans un bol. Ajouter l'eau glacée et le sel; mélanger le tout.

Ajouter le bicarbonate de soude; mélanger à nouveau.

Ajouter la farine; incorporer le tout. Tremper les bâtonnets dans la pâte tempura et les plonger dans la friture de 2 à 3 minutes. Servir.

Carottes et nappa au beurre

(pour 4 personnes)

3	branches de nappa lavées et coupées en morceaux de 2,5 cm (1 pouce)*
2	carottes pelées et coupées en biseau
15 mL	(1 c. à soupe) de beurre

quelques gouttes de sauce Worcestershire
sel et poivre

Verser 2 tasses d'eau dans une casserole, saler et amener à ébullition. Ajouter les carottes, couvrir et faire cuire de 5 à 6 minutes. Ajouter le nappa*, cou-vrir et continuer la cuisson de 3 à 4 minutes.

Égoutter les légumes.

Remettre les légumes dans la casserole, ajouter le beurre et la sauce Worcestershire; faire mijo-ter pendant 2 minutes. Servir.

*Légume qui ressemble au chou chinois.

Carottes et panais au miel

(pour 4 personnes)

3   carottes pelées et coupées en rondelles

3   panais pelés et coupés en rondelles

375 mL   (1½ tasse) de bouillon de poulet chaud

30 mL   (2 c. à soupe) de miel

15 mL   (1 c. à soupe) de fécule de maïs

45 mL   (3 c. à soupe) d'eau froide

sel et poivre

Mettre les carottes et les panais dans une casserole.

Ajouter le miel, saler et poivrer. Couvrir et faire cuire à feu doux pendant 2 minutes. Ajouter le bouillon de poulet chaud, couvrir et faire cuire de 10 à 12 minutes selon l'épaisseur des légumes. Mélanger la fécule de maïs et l'eau froide.

Ajouter le mélange aux légumes pour épaissir le liquide de cuisson.

Corriger l'assaisonnement et servir avec un rôti (facultatif).

Champignons au vinaigre

(pour 4 personnes)

454 g	(1 livre) de champignons lavés et coupés en deux
2	gousses d'ail, écrasées et hachées
50 mL	(¼ tasse) de vinaigre de vin
350 g	(¾ tasse) d'huile d'olive
1	oignon coupé en rondelles
5 mL	(1 c. à thé) de moutarde sèche
2 mL	(½ c. à thé) d'estragon jus de citron sel et poivre

Dans une casserole, mettre l'ail, le vinaigre, le jus de citron, l'huile, les oignons, la moutarde et l'estragon dans une casserole. Saler, poivrer; amener à ébullition et faire cuire pendant 3 minutes.

Ajouter les champignons; couvrir et faire cuire de 7 à 8 minutes. Retirer la casserole du feu et laisser refroidir le tout.

Champignons à la sauce blanche

(pour 4 personnes)

45 mL	(3 c. à soupe) de beurre
450 g	(1 livre) de champignons entiers lavés
15 mL	(1 c. à soupe) de persil haché
375 mL	(1½ tasse) de lait chaud
15 mL	(1 c. à soupe) de fécule de maïs
45 mL	(3 c. à soupe) d'eau froide
	quelques gouttes de sauce Tabasco
	sel et poivre

Faire chauffer le beurre dans une casserole, à feu moyen.

Ajouter les champignons, saler, poivrer et faire cuire de 3 à 4 minutes.

Ajouter le persil et le lait chaud; faire mijoter de 6 à 7 minutes à feu doux. Mélanger la fécule de maïs et l'eau froide. Verser le mélange dans la sauce, assaisonner au goût et ajouter la sauce Tabasco; mélanger et faire mijoter de 1 à 2 minutes. Servir.

Courge au sirop d'érable

(pour 4 personnes)

2	courges
60 mL	(4 c. à soupe) de sirop d'érable
20 mL	(4 c. à thé) de beurre jus de citron

sel et poivre

Préchauffer le four à 190°C (375°F).
Couper les courges en deux. À l'aide d'une cuillère, retirer les pépins et la fibre.

Partager le sirop d'érable et le beurre entre chaque moitié.
Faire cuire au four de 40 à 45 minutes.
Arroser de jus de citron. Saler, poivrer.
Servir avec un rôti.

Courgettes au fromage

(pour 4 personnes)

23 mL	(1½ c. à soupe) d'huile d'olive
2	courgettes émincées
5 mL	(1 c. à thé) de beurre
50 mL	(¼ tasse) de fromage cheddar râpé
3	tomates émincées
2	tranches de fromage gruyère ou de cheddar,

en lanières
sel et poivre

Préchauffer le four à 200°C (400°F).
A feu vif, faire chauffer l'huile dans une poêle à frire.
Ajouter les courgettes et les faire cuire à feu très vif de 3 à 4 minutes de chaque côté.
Beurrer un plat allant au four.

Placer la moitié des courgettes dans le plat, les parsemer de fromage râpé et saler, poivrer.
Recouvrir le tout de tomates et saler, poivrer.
Ajouter le reste des courgettes, recouvrir et faire cuire au four de 10 à 12 minutes.
Servir.

Courgettes aux tomates

(pour 4 personnes)

15 mL	(1 c. à soupe) d'huile végétale
30 mL	(2 c. à soupe) d'oignons hachés
1	gousse d'ail écrasée et hachée
796 mL	(28 onces) de tomates
15 mL	(1 c. à soupe) de pâte de tomates
5 mL	(1 c. à thé) d'origan
4	courgettes coupées dans la longueur
125 mL	(¹/₂ tasse) de fromage parmesan râpé sel et poivre

Préchauffer le four à 200°C (400°F).

A feu moyen, faire chauffer l'huile dans une casserole.

Ajouter les oignons et l'ail; faire cuire à feu doux pendant 2 minutes.

Ajouter les tomates, la pâte de tomates et l'origan; mélanger le tout. Saler, poivrer et faire cuire de 7 à 8 minutes.

Mettre les courgettes dans un plat allant au four.

Verser la sauce sur les courgettes, saupoudrer de fromage râpé et faire cuire au four pendant 35 minutes.

Servir.

Note: Arroser les courgettes de sauce, 2 fois pendant la cuisson.

Coquilles d'aubergine

(pour 4 personnes)

Première partie:
Les pommes de terre:

*Note: Vous pouvez servir cette recette de pommes de terre avec un rôti.

4	pommes de terre cuites avec la peau
30 mL	(2 c. à soupe) de beurre
45 mL	(3 c. à soupe) de lait chaud
45 mL	(3 c. à soupe) de fromage mozzarella râpé
	une pincée de muscade
	sel et poivre

Peler les pommes de terre chaudes et les passer au passe-légumes pour en faire une purée. Ajouter le reste des ingrédients et bien incorporer le tout. Placer la purée de pommes de terre dans un sac à pâtisserie contenant une douille étoilée et farcir les coquilles en ayant soin de laisser le centre vide. Mettre de côté.

Deuxième partie:
l'aubergine

1	petite aubergine pelée et coupée en dés
45 mL	(3 c. à soupe) d'huile d'olive
1	petit oignon haché
2	tomates pelées et hachées
15 mL	(1 c. à soupe) de persil haché
1	gousse d'ail écrasée et hachée
30 mL	(2 c. à soupe) de fromage parmesan râpé (facultatif)
	sel et poivre

Préchauffer le four à 180°C (350°F).
Faire chauffer l'huile dans une sauteuse à feu moyen.
Ajouter les aubergines et les oignons; couvrir et faire cuire à feu doux pendant 25 minutes. Saler, poivrer. Ajouter les tomates, le persil et l'ail; continuer la cuisson pendant 15 minutes tout en remuant de temps en temps.
Assaisonner au goût et remplir les coquilles avec le mélange. Parsemer de fromage râpé et faire cuire au four à « broil » de 5 à 6 minutes.

Haricots verts à la niçoise

(pour 4 personnes)

250 mL (1 tasse) de bouillon de
     poulet chaud
30 mL (2 c. à soupe) d'huile
     d'olive
2   échalotes émincées
½   gousse d'ail écrasée
     et hachée
2   tomates pelées et
     hachées

125 mL (½ tasse) de céleri haché
2 mL (½ c. à thé) de sel
5 mL (1 c. à thé) d'origan
5 mL (1 c. à thé) de basilic
454 g (1 livre) de haricots verts
     frais, cuits
15 mL (1 c. à soupe) de persil
     haché
     poivre du moulin

Faire chauffer l'huile dans une sauteuse. Ajouter les échalotes et l'ail; faire cuire le tout pendant quelques minutes.

Ajouter les tomates, le céleri, le sel, le poivre et le bouillon de poulet chaud; faire mijoter, sans couvercle, pendant 15 minutes.

Ajouter les épices et les haricots cuits; laisser mijoter pendant quelques minutes pour réchauffer les haricots. Servir.

Haricots blancs aux piments

(pour 4 personnes)

375 mL	(1½ tasse) de haricots blancs secs
1	oignon piqué d'un clou de girofle
2 mL	(½ c. à thé) de poudre de chili
3	oignons verts coupés en dés
1	piment rouge finement émincé
15 mL	(1 c. à soupe) de moutarde de Dijon
45 mL	(3 c. à soupe) de vinaigre de vin
45 mL	(3 c. à soupe) d'huile d'olive
1	gousse d'ail
	jus de citron
	sel et poivre
	oeufs durs pour la garniture

Mettre les haricots blancs dans un bol, les recouvrir d'eau froide et les laisser tremper pendant 6 heures.

Égoutter les haricots et les remettre dans la casserole.

Ajouter l'oignon et recouvrir le tout d'eau froide. Saler, amener à ébullition et faire cuire à feu doux pendant 45 minutes.

Retirer la casserole du feu.

Égoutter les haricots et les mettre dans un bol.

Assaisonner les haricots à chaud avec la poudre de chili et l'ail.

Ajouter les piments, les oignons verts, la moutarde, le vinaigre, l'huile d'olive, le jus de citron, le sel et le poivre.

Incorporer les ingrédients délicatement.

Laisser refroidir le tout.

Décorer la salade d'haricots avec des oeufs durs et servir.

355

Légumes cuits
dans le papier d'aluminium

(pour 4 personnes)

6	tranches d'aubergine de 1,2 cm (½ po.) d'épaisseur
½	courgette coupée en tranches de 1,2 cm (½ po.) d'épaisseur
2	tomates coupées en tranches de 1,2 cm (½ po.) d'épaisseur
1	piment vert coupé en grosses lanières
15 mL	(1 c. à soupe) de sirop d'érable
5 mL	(1 c. à thé) d'huile jus de citron (au goût) sauce soya (au goût) sel et poivre

Préchauffer la grille du barbecue.

Etendre une feuille de papier d'aluminum sur le comptoir de cuisine.

Placer les légumes sur le papier et relever les bords. Saler et poivrer les légumes.

Ajouter le sirop d'érable, l'huile, le jus de citron et la sauce soya. Placer une autre feuille de papier sur les légumes. Bien fermer le tout en repliant les bords des deux feuilles.

Placer le tout sur la grille chaude du barbecue.

Fermer le couvercle* et faire cuire les légumes de 18 à 20 minutes.

Servir.

*Si votre barbecue n'a pas de couvercle, placer un bol en acier inoxydable sur les légumes.

Légumes au gingembre

(pour 4 personnes)

30 mL	(2 c. à soupe) d'huile végétale
1	piment vert émincé
1	piment rouge émincé
1	courgette lavée et émincée
1	branche de céleri émincée
1	tête de brocoli blanchie et coupée en fleurettes
375 mL	(1½ tasse) de bouillon de poulet chaud
15 mL	(1 c. à soupe) de racine de gingembre hachée
15 mL	(1 c. à soupe) de fécule de maïs
45 mL	(3 c. à soupe) d'eau froide
	sel et poivre

Faire chauffer l'huile dans une poêle à frire à feu vif. Dès que l'huile est très chaude, ajouter tous les légumes et saler, poivrer; faire cuire 3 minutes de chaque côté.

Ajouter le gingembre et le bouillon de poulet chaud; faire mijoter à feu doux pendant 2 minutes. Mélanger la fécule de maïs et l'eau froide. Verser le mélange dans les légumes et mélanger le tout délicatement. Assaisonner au goût et servir.

Légumes au vin blanc

(pour 4 à 6 personnes)

1	carotte coupée en rondelles		
1	piment vert coupé en gros dés		
1	piment rouge coupé en gros dés		
1	branche de céleri,		

coupée en morceaux de 25mm (1") de longueur

¹/₄	chou-fleur, en fleurettes
20	champignons entiers
1	rondelle d'ananas, coupée en dés
15 mL	(1 c.à soupe) de beurre
125 mL	(¹/₂ tasse) de vin blanc sec (facultatif)

375 mL	(1¹/₂ tasse) de bouillo de poulet chaud
15 mL	(1 c. à soupe) de féc de maïs
45 mL	(3 c. à soupe) d'eau froide
	sel et poivre

Faire cuire à la vapeur les car tes, les piments, le céleri et chou-fleur de 4 à 5 minutes. (Le chou-fleur ne doit être ajo que 3 minutes avant la fin de cuisson.)

Faire chauffer le beurre dans u casserole à feu moyen.

Ajouter tous les légumes et ananas; saler, poivrer et fa cuire de 3 à 4 minutes à f moyen. Ajouter le vin blanc faire cuire de 1 à 2 minutes.

Ajouter le bouillon de pou chaud, assaisonner au goût continuer la cuisson à feu do pendant quelques minutes. M langer la fécule de maïs et l'e froide. Ajouter le mélange aux gumes et servir.

Technique des légumes au vin blanc

1. *Blanchir les légumes "fibreux": piments, carottes, céleri et chou-fleur; les faire sauter dans le beurre de 2 à 3 minutes.*

2. *Déglacer le tout au vin blanc et au bouillon de poulet chaud. Epaissir la sauce avec de la fécule de maïs.*

Légumes et crevettes en gélatine

(pour 4 à 6 personnes)

2	pommes de terre pelées et coupées en petits dés
2	branches de céleri, coupées en petits dés
2	carottes pelées et coupées en dés
454 g	(1 livre) de crevettes de Sept-Iles, cuites
250 mL	(1 tasse) de bouillon de poulet chaud
15 mL	(1 c. à soupe) de sauce soya
15 mL	(1 c. à soupe) de sauce Worcestershire
2	enveloppes de gélatine Knox
	sel et poivre
	jus de citron
	poivre de cayenne

Mettre les légumes et les crevettes dans un bol.

Saler, poivrer et saupoudrer de poivre de cayenne. Arroser le tout de jus de citron. Mettre de côté.

Verser le bouillon de poulet dans une petite casserole. Ajouter la gélatine et faire cuire pendant 4 minutes tout en remuant avec un fouet de cuisine (ne pas faire bouillir).

Verser la gélatine fondue sur les légumes et les crevettes; mélanger le tout.

Ajouter la sauce soya et la sauce Worcestershire. Verser le mélange dans un moule rectangulaire et faire prendre au réfrigérateur pendant 12 heures.

Démouler et servir avec une sauce aux groseilles. (facultatif)

Carottes au four

(pour 4 personnes)

30 mL	(2 c. à soupe) de margarine
1	oignon finement haché
8	carottes lavées et râpées
3 mL	(½ c. à thé) de sucre
30 mL	(2 c. à soupe) de sirop d'érable
5 mL	(1 c. à thé) de moutarde sèche

250 mL	(1 tasse) de bouillon de poulet chaud
15 mL	(1 c. à soupe) de fécule de maïs
30 mL	(2 c. à soupe) d'eau froide
	sel et poivre

Préchauffer le four à 180°C (350°F).

A feu moyen, faire fondre la margarine dans un plat allant au four. Ajouter les oignons et les carottes; ajouter le sel, le poivre, le sucre, le sirop d'érable et la moutarde sèche.

Mélanger le tout à l'aide d'une cuillère en bois, couvrir et faire cuire de 3 à 4 minutes.

Ajouter le bouillon de poulet. Mélanger la fécule de maïs et l'eau froide.

Ajouter le mélange aux carottes, couvrir et faire cuire au four 8 à 10 minutes.

Laitue braisée, sauce brune

(pour 4 personnes)

1	grosse laitue pommée
30 mL	(2 c. à soupe) d'huile d'olive
375 mL	(1½ tasse) de sauce brune
15 mL	(1 c. à soupe) de sauce

soya
sel et poivre

Préchauffer le four à 180°C (350°F)

Couper la laitue en 4.

Faire chauffer l'huile dans une sauteuse, à feu moyen. Ajouter les quartiers de laitue et les faire cuire à feu vif de 4 à 5 minutes pour les brunir.

Ajouter la sauce soya et la sauce brune; saler, poivrer et faire cuire au four avec un couvercle de 12 à 14 minutes.

Servir.

Jeune maïs en sauce

(pour 4 personnes)

1	boîte de jeunes épis de maïs égouttés
2	carottes pelées et coupées en julienne
30 mL	(2 c. à soupe) de noix
5 mL	(1 c. à thé) de beurre
2	tasses de bouillon de poulet chaud
15 mL	(1 c. à soupe) de

fécule de maïs
45 mL (3 c. à soupe) d'eau froide
quelques gouttes de sauce Worcestershire
sel et poivre

Mettre le beurre dans une casserole. Ajouter les jeunes épis de maïs et les carottes; saler, poivrer. Couvrir et faire cuire pendant 2 minutes.

Ajouter le bouillon de poulet; faire mijoter pendant 4 minutes. Mélanger la fécule de maïs et l'eau froide.

Ajouter le mélange au liquide de cuisson; amener à ébullition et faire cuire pendant 1 minute.

Ajouter les noix.

Assaisonner au goût et servir.

Tomates farcies aux aubergines

(pour 4 personnes)

1	petite aubergine pelée et coupée en dés
30 mL	(2 c. à soupe) d'huile
30 mL	(2 c. à soupe) d'oignons hachés
1	gousse d'ail écrasée et hachée
2	tomates, pelées et hachées
6	grosses tomates évidées
30 mL	(2 c. à soupe) de fromage parmesan râpé sel et poivre

Préchauffer le four à 190°C (375°F).
Temps de cuisson: 18 minutes.

Faire chauffer l'huile dans une sauteuse à feu moyen. Ajouter les oignons, couvrir et faire cuire 2 minutes. Ajouter les aubergines et l'ail; saler, poivrer. Couvrir et faire cuire à feu doux de 40 à 45 minutes.

20 minutes avant la fin de la cuisson, ajouter les tomates hachées et continuer la cuisson sans couvercle.

Dès que le mélange est cuit, farcir les tomates évidées et les faire cuire au four pendant 18 minutes. Parsemer de fromage et servir.

Note: Voici un plat idéal pour accompagner un rôti d'agneau.

363

Oignons frits

(pour 4 personnes)

2	oignons d'Espagne coupés en rondelles
250 mL	(1 tasse) de farine
5 mL	(1 c. à thé) de sel
30 mL	(2 c. à soupe) de poudre à pâte
1	jaune d'oeuf
250 mL	(1 tasse) de lait
1	blanc d'oeuf battu

Huile d'arachide pour la friture chauffée à 180°C (350°F).

Tamiser la farine, le sel et la poudre à pâte dans un bol à mélanger.

Ajouter le lait, le jaune d'oeuf et le blanc d'oeuf battu; bien mélanger le tout et laisser reposer pendant 1 heure.

Mélanger à nouveau. Tremper les rondelles d'oignons dans la pâte et les faire cuire dans la friture de 3 à 4 minutes.

Egoutter, saler et servir les rondelles d'oignons frits.

Oignons en sauce

(pour 4 personnes)

8	oignons pelés et entiers
1,5 L	(6 tasses) d'eau
45 mL	(3 c. à soupe) de beurre
60 mL	(4 c. à soupe) de farine
375 mL	(1½ tasse) de lait chaud
125 mL	(½ tasse) du liquide de cuisson des oignons
1 mL	(¼ c. à thé) de muscade
	quelques gouttes de jus de citron
	une pincée de clou de girofle
	sel et poivre

Verser l'eau dans une casserole, saler et ajouter quelques gouttes de jus de citron; amener à ébullition.

Placer les oignons dans l'eau bouillante, couvrir et faire cuire à feu moyen de 30 à 35 minutes selon leur grosseur.

Dès que les oignons sont cuits, les égoutter et les placer dans un plat de service.

Faire chauffer le beurre dans une casserole, à feu moyen.

Ajouter la farine, mélanger et faire cuire le tout pendant 2 minutes.

Ajouter le lait chaud et 125 mL (½ tasse) du jus de cuisson des oignons. Ajouter les épices et saler, poivrer. Remuer le tout.

Remettre les oignons dans la sauce et faire mijoter le tout de 4 à 5 minutes.

Décorer le tout de piments rouges cuits (facultatif).

Servir.

Tomates farcies aux champignons

(pour 4 personnes)

4	grosses tomates
45 mL	(3 c. à soupe) d'huile d'olive
1	oignon haché
227 g	(½ livre) de champignons hachés
30 mL	(2 c. à soupe) de pâte de tomates
1	gousse d'ail écrasée et hachée
60 mL	(4 c. à soupe) de fromage parmesan

sel et poivre

Préchauffer le four à 190°C (375°F).

Retirer la tête des tomates et à l'aide d'une cuillère évider les tomates.

Placer les tomates évidées dans un plat allant au four. Saler, poivrer et arroser l'intérieur des tomates de quelques gouttes d'huile. Hacher la pulpe des tomates. Mettre de côté.

Faire chauffer l'huile dans une sauteuse, à feu moyen. Ajouter les oignons et les faire cuire de 2 à 3 minutes.

Ajouter les champignons; saler, poivrer et faire cuire de 6 à 7 minutes.

Ajouter la pulpe et la pâte de tomates. Assaisonner au goût.

Ajouter l'ail et continuer la cuisson à feu vif de 2 à 3 minutes.

Farcir les tomates et les parsemer de fromage râpé.

Faire cuire au four de 10 à 12 minutes. Servir.

Piments à l'ail

(pour 4 personnes)

2	piments verts, coupés en gros dés
2	piments rouges, coupés en gros dés
45 mL	(3 c. à soupe) de vinaigre de vin
75 mL	(5 c. à soupe) d'huile d'olive
3	gousses d'ail, écrasées et hachées
15 mL	(1 c. à soupe) de persil haché
	quelques graines de céleri
	jus de ¹/₂ citron
	sel et poivre du moulin

Verser 250 mL (1 tasse) d'eau froide dans une casserole, saler et ajouter le jus de citron; amener le tout à ébullition à feu moyen.

Ajouter les piments, couvrir et faire cuire à feu moyen de 6 à 7 minutes. Égoutter et placer les piments sous l'eau froide pour préserver leur couleur.

Mettre tous les autres ingrédients (sauf le persil) dans une petite casserole, amener à ébullition et faire cuire pendant 2 minutes.

Mettre les piments égouttés dans un bol, assaisonner au goût et ajouter la marinade. Réfrigérer pendant 1 heure et servir le tout sur des feuilles de laitue.

Tomates panées à l'ail

(pour 4 personnes)

4 à 6	tomates, coupées en 2 ou 3 morceaux (selon la grosseur)*
250 mL	(1 tasse) de farine
5 mL	(1 c. à thé) d'huile
500 mL	(2 tasses) de chapelure
45 mL	(3 c. à soupe) d'huile d'arachide
2	œufs battus
2	gousses d'ail, écrasées

et hachées
jus de citron
sel et poivre

Mettre les œufs dans un bol à mélanger, ajouter l'huile et bien mélanger le tout avec une fourchette.

Saler, poivrer les tomates et les enfariner.

Tremper les tomates enfarinées dans les œufs battus et les recouvrir de chapelure.

Faire chauffer l'huile dans une poêle à frire à feu vif.

Ajouter les tomates et les fair cuire 3 minutes.

Retourner et continuer la cuisso de 2 à 3 minutes.

Ajouter l'ail, le jus de citron e faire mijoter le tout pendant 2 m nutes. Servir.

*Note: Vous pouvez utiliser de petites tomates italiennes et le couper en deux dans le sens d la longueur.

Poireaux à l'italienne

(pour 4 personnes)

8	poireaux
1 L	(4 tasses) d'eau froide
15 mL	(1 c. à soupe) d'huile végétale
1	oignon haché
1	gousse d'ail écrasée et hachée
1	boîte de tomates de 796 mL (28 onces), égouttées et hachées
5 mL	(1 c. à thé) de basilic
60 mL	(4 c. à soupe) de pâte de tomates
125 mL	(½ tasse) de bouillon de poulet chaud
50 mL	(¼ tasse) de biscuits soda écrasés
	jus de citron
	sel et poivre

Préchauffer le four à 180°C (350°F).

Couper la moitié des poireaux en 4 sur la longueur et les laver.

Verser l'eau dans une casserole.

Ajouter le sel et le jus de citron; amener à ébullition.

Ajouter les poireaux, couvrir et les faire cuire de 18 à 20 minutes.

Faire chauffer l'huile dans une sauteuse, à feu moyen.

Ajouter l'ail, les oignons et le basilic; faire cuire 2 minutes.

Ajouter les tomates et la pâte de tomates; incorporer le tout.

Ajouter le bouillon de poulet; faire cuire à feu doux de 10 à 15 minutes.

Saler, poivrer.

Dès que les poireaux sont cuits, les retirer de la casserole et les égoutter.

Placer les poireaux dans un plat allant au four, les recouvrir de sauce et les parsemer de biscuits soda.

Faire cuire au four réglé à grill pendant 3 minutes.

Servir.

Haricots blancs en sauce

(pour 4 personnes)

15 mL	(1 c. à soupe) de beurre
1	oignon coupé en dés
1	piment rouge coupé en dés
1	piment vert coupé en dés
1	boîte d'haricots blancs égouttés
375 mL	(1½ tasse) de bouillon de bœuf chaud
1 mL	(¼ c. à thé) de poudre de chili
1	gousse d'ail, écrasée et hachée
5 mL	(1 c. à thé) de fécule de maïs
45 mL	(3 c. à soupe) d'eau froide
	sel et poivre

Faire chauffer le beurre dans une casserole à feu moyen.

Ajouter les oignons et les piments; couvrir et faire cuire à fe doux de 3 à 4 minutes.

Ajouter les haricots blancs, bouillon de bœuf et mélanger tout. Assaisonner au goût.

Ajouter la poudre de chili et l'a continuer la cuisson à feu dou pendant quelques minutes.

Mélanger la fécule de maïs l'eau froide. Verser le mélang dans les haricots, mélanger faire mijoter le tout pendant minutes. Servir.

Hamburger aux tomates

(pour 4 personnes)

4	grosses tomates
125 mL	(½ tasse) de fromage en crème
15 mL	(1 c. à soupe) de ciboulette
2	gousses d'ail écrasées et hachées
250 mL	(1 tasse) de farine
3	oeufs battus
375 mL	(1½ tasse) de biscuits soda émiettés
30 mL	(2 c. à soupe) d'huile végétale

sel et poivre

Couper les tomates en rondelles de 1,2 cm (½ po.) d'épaisseur. Saler, poivrer et mettre de côté. Mettre le fromage dans un bol. Ajouter la ciboulette et l'ail. Poivrer généreusement et bien incorporer le tout.

Étendre le mélange sur une tranche de tomate et recouvrir le tout avec une autre tranche. Répéter la même opération pour le reste des tomates.

Enfariner les hamburgers aux tomates et les tremper dans les oeufs battus; bien les enrober de chapelure de biscuits soda. Faire chauffer l'huile dans une sauteuse, à feu moyen.

Ajouter les hamburgers aux tomates et les faire cuire 3 minutes de chaque côté. Retirer les hamburgers de la sauteuse et les placer dans un plat de service. Tenir au chaud dans le four. Répéter la même opération pour le reste des hamburgers. Servir avec des petits cornichons et des oignons verts.

Epis de blé d'Inde
dans le papier

(pour 4 personnes)

8	épis de blé d'Inde
30 mL	(2 c. à soupe) de persil haché
45 mL	(3 c. à soupe) de beurre
1	piment vert finement émincé
½	oignon tranché

quelques gouttes de jus de citron
sel et poivre blanc

Etendre une feuille de papier sur le comptoir de cuisine.

Placer 4 épis sur la feuille de papier et ajouter la moitié des ingrédients.

Couvrir le tout d'une autre feuille de papier et sceller les extrémités.

Répéter la même opération pour les autres épis.

Placer les deux paquets sur la grille du barbecue et fermer le couvercle.

Temps de cuisson: de 20 à 25 minutes selon la grosseur des épis.

Servir.

Chou à la flamande

(pour 4 personnes)

1	chou rouge, lavé et émincé
4 à 5	tranches de bacon coupées en dés
1	oignon d'Espagne coupé en dés
3	pommes évidées, pelées et coupées en gros dés
125 mL	(½ tasse) de vinaigre de vin
30 mL	(2 c. à soupe) de cassonade
1 mL	(¼ c. à thé) de thym
125 mL	(½ tasse) de bouillon de poulet
	sel et poivre

Mettre le bacon dans une sauteuse et le faire cuire pendant 3 minutes.

Ajouter le chou émincé et l'oignon; saler, poivrer. Couvrir et faire cuire de 7 à 8 minutes.

Ajouter les pommes, le vinaigre, la cassonade et les épices; couvrir et faire cuire à feu très doux pendant 50 minutes.

10 minutes avant la fin de la cuisson, ajouter le bouillon de poulet. Servir.

Navets à la cassonade et aux noix

(pour 4 personnes)

4 à 6	navets blancs pelés
2 L	(8 tasses) d'eau froide
30 mL	(2 c. à soupe) de beurre
30 mL	(2 c. à soupe) de cassonade
125 mL	(½ tasse) de jus de cuisson
50 mL	(¼ tasse) de noix

hachées
jus de ¼ de citron
sel et poivre du moulin

Verser l'eau froide dans une casserole. Ajouter le jus de citron et le sel; amener à ébullition.

Ajouter les navets, couvrir et les faire cuire de 40 à 45 minutes, selon leur grosseur.

Dès que les navets sont cuits, les placer dans un plat de service et conserver 125 mL (½ tasse) du jus de cuisson.

Mettre le beurre dans une casserole. Ajouter la cassonade et faire cuire le tout pendant 3 minutes pour caraméliser le sucre. Ajouter le jus de cuisson, assaisonner au goût et ajouter les noix.

Verser sur les navets et servir.

Brocoli, sauce paprika

(pour 4 personnes)

2	têtes de brocoli lavées et coupées en fleurettes
500 mL	(2 tasses) d'eau
15 mL	(1 c. à soupe) d'huile végétale
1	oignon haché
15 mL	(1 c. à soupe) de paprika
30 mL	(2 c. à soupe) de farine
375 mL	(1½ tasse) de bouillon de poulet chaud
125 mL	(½ tasse) du jus de

cuisson des brocoli
sel et poivre
citron pour la garniture

Verser l'eau dans la casserole et l'amener à ébullition. Ajouter le jus de ¼ de citron.

Placer les fleurettes de brocoli dans la casserole, couvrir et faire cuire de 5 à 6 minutes.

Retirer les brocoli de la casserole et les placer sous l'eau froide pour arrêter leur cuisson et préserver leur couleur.

Faire chauffer l'huile dans une casserole, à feu moyen. Ajouter les oignons et le paprika; faire cuire 3 minutes.

Ajouter la farine et prolonger la cuisson de 2 à 3 minutes.

Ajouter le bouillon de poulet chaud et 125 mL (½ tasse) du jus de cuisson des brocoli; saler, poivrer et faire cuire de 5 à 6 minutes.

Égoutter les brocoli et les mettre dans la sauce; faire mijoter le tout pendant 3 minutes.

Garnir de rondelles de citron et servir.

Tarte aux tomates

(pour 4 personnes)

5	tomates rouges coupées en rondelles
15 mL	(1 c. à soupe) de cassonade
125 mL	(½ tasse) de biscuits soda émiettés

45 mL (3 c. à soupe) de beurre
sel et poivre

Préchauffer le four à 180°C (350°F).
Garnir de rondelles de tomates le fond d'un plat à gratin beurré.
Saler, poivrer.

Ajouter 15 mL (1 c. à soupe) de beurre et parsemer le tout de cassonade.
Répéter la même opération pour utiliser le reste des tomates.
Parsemer le tout de biscuits soda et faire cuire au four de 30 à 40 minutes.
Servir.

Tarte aux champignons

(pour 4 à 6 personnes)

Première partie: la pâte

500 mL (2 tasses) de farine tout usage
180 mL (³/₄ tasse) de saindoux coupé en petits
        morceaux
1   œuf battu
60 mL (4 c. à soupe) d'eau froide
        une pincée de sel

Tamiser la farine et le sel dans un bol à mélanger. Faire un trou au milieu de la farine, ajouter les morceaux de saindoux et incorporer le tout avec un couteau à pâtisserie. Ajouter l'œuf et mélanger tout en ajoutant l'eau froide; former une boule. Envelopper la pâte dans un papier ciré et la réfrigérer pendant 1 heure.

Deuxième partie: la garniture

227 g   (¹/₂ livre) de champignons lavés et
        émincés
2   œufs entiers

1   jaune d'œuf
250 mL (1 tasse) de crème à 35%
15 mL (1 c. à soupe) de persil haché
50 mL (¹/₄ tasse) de lait
1 mL   (¹/₄ c. à thé) de muscade
125 mL (¹/₂ tasse) de fromage mozzarella râpé
        sel et poivre du moulin

Préchauffer le four à 190°C (375°F).
*On peut utiliser un moule rectangulaire ou rond. Rouler la pâte et foncer un moule à tarte; piquer la pâte avec une fourchette et badigeonner le tout de lait. Faire cuire au four de 8 à 10 minutes. Retirer le fond de tarte du four et le remplir de champignons émincés. Saler, poivrer. Mettre les œufs dans un bol, ajouter la crème, le persil, la muscade et saler, poivrer; mélanger le tout avec un fouet de cuisine pour bien incorporer le mélange. Verser le mélange d'œufs sur les champignons et faire cuire au four de 35 à 40 minutes.
7 minutes avant la fin de la cuisson, parsemer le tout de fromage râpé.
Servir avec une salade et un vin blanc sec.

Epinards aux noix de pins

(pour 4 personnes)

15 mL	(1 c. à soupe) d'huile d'olive
2	paquets d'épinards lavés
250 mL	(1 tasse) d'eau
5	tranches de bacon
50 mL	(¼ tasse) de noix de pins
	jus de citron
	sel et poivre

Verser l'eau dans une grande casserole, saler et amener à ébullition.

Ajouter les épinards, couvrir et faire cuire pendant 3 minutes. Égoutter et bien essorer les épinards pour en retirer l'eau.

Hacher grossièrement les épinards. Faire chauffer l'huile dans une sauteuse. Ajouter les tranches de bacon et les faire cuire de 3 à 4 minutes. Retirer le bacon de la sauteuse et le couper en dés. Remettre les dés de bacon dans la sauteuse.

Ajouter les épinards et les faire cuire de 4 à 5 minutes.

Assaisonner au goût.* Placer le tout dans un plat de service, arroser de jus de citron et parsemer de noix de pins. Servir.

*2 minutes avant la fin de la cuisson, on peut ajouter des raisins secs dorés (facultatif).

Brochette de légumes

(pour 4 personnes)

20	têtes de champignons
1	jeune aubergine (de couleur violacée)
½	aubergine mûre
½	courgette
1	piment vert
1	piment rouge
45 mL	(3 c. à soupe) d'huile d'olive
15 mL	(1 c. à soupe) de sirop d'érable
5 mL	(1 c. à thé) de sauce soya
500 mL	(2 tasses) d'eau
	jus de citron
	sel et poivre

Couper les aubergines et les courgettes en tranches de 1,8 cm (¾ po.) d'épaisseur.
Couper les piments en cubes de 2,5 cm (1 po.)
Mettre tous les légumes dans une casserole contenant de l'eau bouillante salée et citronnée, faire blanchir le tout de 3 à 4 minutes. Placer la casserole sous l'eau froide. Laisser refroidir les légumes de 4 à 5 minutes. Egoutter les légumes et les enfiler sur des brochettes.
Mélanger l'huile, le sirop d'érable et la sauce soya; badigeonner les brochettes avec le mélange.
Faire cuire le tout au barbecue de 4 à 5 minutes tout en badigeonnant les brochettes pendant la cuisson.
Servir.

POMMES
DE TERRE

Pommes de terre râpées au gratin

(pour 4 personnes)

4   grosses pommes de terre
    coupées en fine julienne
2   tasses d'eau
½   tasse de fromage
    cheddar râpé
    quelques gouttes de
    sauce Tabasco
    sel

Préchauffer le four à 200°C (400° F).

Verser l'eau dans une casserole, saler et amener à ébullition.

Ajouter les pommes de terre râpées, couvrir et faire cuire pendant 7 minutes.

Egoutter les pommes de terre et les presser avec le dos d'une cuillère pour en retirer l'excès d'eau. Placer les pommes de terre dans un bol à mélanger.

Ajouter le fromage et quelques gouttes de sauce Tabasco; saler, poivrer et bien mélanger le tout.

Placer le mélange dans un plat allant au four; faire cuire au four pendant 15 minutes.

Servir.

Pommes de terre au bacon

(pour 4 personnes)

4	pommes de terre Idaho
60 mL	(4 c. à soupe) de crème sure
5 mL	(1 c. à thé) de moutarde de Dijon
8	tranches de bacon sel et poivre

Préchauffer la grille du barbecue.

Laver, assécher et envelopper les pommes de terre dans un papier d'aluminium.

Piquer les pommes de terre à l'aide d'une fourchette ou d'un couteau d'office.

Placer les pommes de terre sur la grille du barbecue et fermer le couvercle. (Si vous n'avez pas de couvercle, placer un bol en acier inoxydable sur les pommes de terre.) Faire cuire les pommes de terre.

Dès que les pommes de terre sont cuites, les retirer et les mettre de côté.

Faire cuire le bacon croustillant et hacher la moitié.

Mélanger la crème sure et la moutarde.

Couper les pommes de terre en 4. Placer le mélange de crème sure dans le milieu et parsemer le tout de bacon haché.

Garnir chaque pomme de terre d'une tranche de bacon et servir.

Pommes de terre hachées aux oignons

(pour 4 personnes)

3	pommes de terre cuites avec la peau
30 mL	(2 c. à soupe) d'huile végétale
1	oignon finement haché
15 mL	(1 c. à soupe) de poudre de cari
5 mL	(1 c. à thé) de persil haché

sel et poivre

Peler les pommes de terre et les hacher.

Faire chauffer l'huile dans une poêle à frire, à feu moyen. Ajouter les oignons et la poudre de cari; couvrir et faire cuire à feu doux pendant 3 minutes.

Ajouter les pommes de terre et le persil; saler, poivrer et bien mélanger le tout. Faire cuire à feu moyen pendant 3 minutes, sans remuer les pommes de terre pour laisser former une croûte. Retourner la galette de pommes de terre et continuer la cuisson pour former une croûte de l'autre côté. Répéter la même opération deux fois et servir.

Pommes de terre
et poireaux au gratin

(pour 4 personnes)

**Première partie:
les pommes de terre
duchesse**

5	pommes de terre avec la peau
30 mL	(2 c. à soupe) de beurre
1	jaune d'œuf
45 mL	(3 c. à soupe) de crème à 15%

Faire cuire les pommes de terre avec la peau.

Peler les pommes de terre cuites et les passer au moulin à légumes. Ajouter le beurre et l'œuf et bien mélanger le tout. Saler, poivrer.

Ajouter la crème, mélanger et corriger l'assaisonnement.

**Deuxième partie:
les poireaux**

4	poireaux lavés et coupés en quatre
15 mL	(1 c. à soupe) de beurre
50 mL	(¼ tasse) de fromage parmesan râpé sel et poivre

Préchauffer le four à 190°C (375°F).

Mettre les poireaux dans une casserole contenant 500 mL (2 tasses) d'eau bouillante salée.

Couvrir et faire cuire de 20 à 25 minutes.

Égoutter les poireaux et les placer dans un plat de service beurré. Parsemer le tout de fromage parmesan râpé.

Placer les pommes de terre duchesse dans un sac à pâtisserie contenant une douille étoilée et garnir le plat de poireaux avec les pommes de terre. (Il faut recouvrir les poireaux.)

Faire cuire au four pendant 15 minutes et servir.

Pommes de terre parmentier aux oeufs

(pour 4 personnes)

6	pommes de terre lavées
30 mL	(2 c. à soupe) de beurre
250 mL	(1 tasse) de lait chaud
125 mL	(½ tasse) de fromage mozzarella râpé
1 mL	(¼ c. à thé) de muscade
4	oeufs
	sel et poivre

Préchauffer le four à 190°C (375°F)

Faire cuire les pommes de terre avec la peau dans l'eau bouillante salée. Dès que les pommes de terre sont cuites, les égoutter et les remettre dans la casserole. Assécher les pommes de terre pendant quelques minutes à feu doux. Peler les pommes de terre et les passer au moulin à légumes pour en faire une purée. Ajouter le lait chaud, le beurre, le fromage et la muscade; saler, poivrer et bien mélanger le tout pour en faire une purée légère. Mettre la purée dans un plat allant au four et à l'aide d'une cuillère, former 4 cavités sur la purée. Casser un oeuf dans chaque cavité et faire cuire le tout au four de 6 à 7 minutes. Servir.

Pommes de terre du Sud

(pour 4 personnes)

4	pommes de terre sucrées
1 mL	(¼ c. à thé) de muscade
1 mL	(¼ c. à thé) de cannelle
30 mL	(2 c. à soupe) de beurre
125 mL	(½ tasse) de crème à 15%, chaude
125 mL	(½ tasse) de raisins verts sans pépin
125 mL	(½ tasse) de noix hachées
16	petites guimauves sel et poivre

Préchauffer le four à 180°C (350°F).
Faire cuire les pommes de terre avec la peau dans l'eau bouillante salée.

Peler les pommes de terre et les passer au moulin à légumes pour en faire une purée.
Saler, poivrer. Ajouter les épices et les autres ingrédients à l'exception des guimauves.
Placer la purée dans un plat à gratin. Décorer avec des guimauves et faire cuire au four pendant 15 minutes.
Servir.

Purée de pommes de terre
et de choux-fleurs

(pour 4 personnes)

4	pommes de terre, lavées
1	petit chou-fleur, lavé
15 mL	(1 c. à soupe) de beurre
50 mL	(¹/₄ tasse) de lait chaud
3 mL	(¹/₂ c. à thé) de

muscade
sel et poivre

Faire cuire les pommes de terre, avec la peau, dans une casserole contenant de l'eau bouillante salée. Faire cuire le chou-fleur dans une casserole contenant de l'eau bouillante salée. Dès que les pommes de terre sont cuites, les peler et les passer au moulin à légumes.

Passer le chou-fleur au moulin à légumes.

Mélanger la purée de pommes de terre à la purée de chou-fleur. Ajouter le lait, le beurre, saler et poivrer.

Ajouter la muscade et bien mélanger le tout. Servir.

Soufflé aux pommes de terre

(pour 4 personnes)

350 g	(¾ livre) de pommes de terre
45 mL	(3 c. à soupe) de beurre
50 mL	(¼ tasse) de fromage gruyère râpé
125 mL	(½ tasse) de crème à 15%, chaude
3	jaunes d'oeufs
5	blancs d'oeufs sel et poivre

Utiliser un moule à soufflé de 1,5 L (6 tasses) beurré.

Préchauffer le four à 190°C (375°F).
Faire cuire les pommes de terre avec la peau dans l'eau salée.
Dès que les pommes de terre sont cuites, les égoutter et les assécher dans la casserole, à feu doux.
Peler et passer les pommes de terre au passe-légumes.
Dans le bol contenant la purée de pommes de terre, ajouter le beurre, le fromage râpé et la crème. Saler, poivrer et bien mélanger le tout.

Ajouter les jaunes d'oeufs et mélanger à nouveau.
Mettre les blancs dans un bol (en acier inoxydable de préférence). Battre les blancs avec un batteur électrique jusqu'à ce qu'ils forment des piques.
Incorporer les blancs au mélange à l'aide d'une spatule.
Verser le tout dans un moule beurré; faire cuire au four pendant 20 minutes. Servir.
Note: Si vous utilisez des moules individuels, le temps de cuisson est de 15 minutes.

389

Pelures de pommes de terre à la Jacques

(pour 4 personnes)

4	pommes de terre Idaho
125 mL	(½ tasse) de fromage cheddar et mozzarella râpé
4	tranches de bacon croustillant hachées sel et poivre

Huile d'arachide pour la friture chauffée à 190°C (375°F).

Préchauffer le four à 200°C (400°F).
À l'aide d'un couteau d'office, percer les pommes de terre et les faire cuire au four pendant 1 heure ou plus, selon leur grosseur. Dès que les pommes de terre sont cuites, les couper en 2 sur la longueur et à l'aide d'une cuillère, retirer les 2/3 de la pulpe*. Placer les demi-pommes de terre dans le panier de la friteuse et les plonger dans l'huile chaude de 2 à 3 minutes.
Retirer et bien égoutter le tout. Placer une quantité de fromage dans chaque pomme de terre. Parsemer le tout de bacon et faire cuire au four réglé à grill de 2 à 3 minutes, pour permettre au fromage de fondre.
Servir.
* Utiliser la pulpe pour une autre recette.

Pommes de terre en couronne

(pour 4 personnes)

4 à 5	pommes de terre pelées et émincées
60 mL	(4 c. à soupe) de beurre fondu
30 mL	(2 c. à soupe) d'amandes effilées sel et poivre

Préchauffer le four à 190°C (375°F).

Laver et assécher les pommes de terre émincées.

Verser le beurre fondu dans un plat à tarte en pyrex ou en aluminium et y placer les pommes de terre en formant une couronne.

Saler, poivrer et couvrir le tout d'un papier d'aluminium; faire cuire au four pendant 30 min.

Dès que les pommes de terre sont cuites, retirer le papier. Parsemer les pommes de terre d'amandes effilées.

Faire griller le tout sous le grill du four de 3 à 4 minutes.

Pommes de terre habillées

(pour 4 personnes)

24	petites pommes de terre lavées
4	tranches de bacon croustillant et coupé en dés
30 mL	(2 c. à soupe) de gras de bacon
1 1/2	piment rouge lavé et coupé en petits dés
1 mL	(1/4 c. à thé) de piments rouges broyés sel et poivre

Faire cuire les pommes de terre, avec la peau, dans l'eau salée. Dès que les pommes de terre sont cuites, les égoutter et les remettre dans la casserole.

Placer la casserole sur l'élément du feu et assécher les pommes de terre pendant 1 minute.

À feu moyen, mettre le gras de bacon dans une poêle à frire et le faire chauffer à feu moyen.

Ajouter les pommes de terre et le piment et les faire cuire pendant 3 minutes.

Ajouter les piments rouges broyés et saler, poivrer. Ajouter les dés de bacon et faire mijoter le tout.

Servir.

Pommes de terre farcies

Technique

1. Piquer les pommes de terre avec un couteau ou une fourchette.

2. Evider les pommes de terre. Mettre un morceau de beurre et du persil haché dans chaque pomme de terre.

3. Ajouter le fromage râpé.

4. Battre la pulpe de pommes de terre en purée. Ajouter le beurre, la crème sure et le paprika.

(pour 4 personnes)

4	pommes de terre Idaho
45 mL	(3 c. à soupe) de beurre
125 mL	(½ tasse) de fromage gruyère râpé
60 mL	(4 c. à soupe) de crème sure
50 mL	(¼ tasse) de lait chaud sel, poivre et paprika persil haché

Préchauffer la grille du barbecue.

Piquer les pommes de terre avec une fourchette ou un petit couteau d'office.

Placer les pommes de terre sur la grille du barbecue, fermer le couvercle (si possible) et faire cuire les pommes de terre.

Lorsque les pommes de terre sont cuites, les retirer du barbecue.

Enlever le papier d'aluminium. A l'aide d'un couteau, couper ¼ de la partie supérieure.

Evider les pommes de terre en prenant soin de ne pas briser la peau.

Passer la pulpe au tamis. Ajouter 5 mL (1 c. à thé) de beurre.

Ajouter la crème sure et assaisonner de sel, de poivre et de paprika. Ajouter le lait chaud et mélanger le tout.

Partager le reste du beurre entre les 4 pelures de pommes de terre. Parsemer de persil haché et ajouter la moitié du fromage. Mettre la purée de pommes de terre dans un sac à pâtisserie. Farcir les pelures et saupoudrer le tout de fromage râpé.

Placer le tout au four à grill de 4 à 5 minutes OU placer les pommes de terre sur la grille du barbecue, fermer le couvercle et les faire cuire de 4 à 5 minutes.

Bouchées de pommes de terre au fromage

(pour 4 personnes)

3	pommes de terre cuites avec la peau
250 mL	(1 tasse) d'eau
1 mL	(¼ c. à thé) de sel
60 mL	(4 c. à soupe) de beurre
250 mL	(1 tasse) de farine
4	oeufs
125 mL	(½ tasse) de fromage mozzarella râpé
	sel et poivre

Huile d'arachide pour la friture chauffée à 180°C (375°F).

Verser l'eau dans une casserole. Ajouter le sel et le beurre; amener à ébullition et faire cuire de 2 à 3 minutes. Retirer la casserole du feu. Ajouter la farine et mélanger vivement.

Replacer la casserole sur l'élément du poêle et faire cuire le mélange de 2 à 3 minutes tout en remuant constamment avec une cuillère en bois.

Note: le mélange est prêt dès qu'il n'adhère plus à la cuillère.

Retirer la casserole du feu et verser la pâte dans un bol.

Ajouter un oeuf entier et brasser le tout avec une cuillère en bois jusqu'à ce que le mélange reforme une pâte.

Répéter la même opération après l'addition de chaque oeuf. Peler les pommes de terre et les mettre en purée.

Ajouter la purée de pommes de terre et le fromage à la pâte.

Saler, poivrer et bien incorporer le tout.

À l'aide d'une cuillère, former des petites boules et les plonger dans la friture pendant 3 minutes.

Saler et servir.

Pelures de pommes de terre au fromage

(pour 4 personnes)

Pelure de 4 pommes de terre
lavées et asséchées
Huile d'arachide pour la friture
Fromage mozzarella râpé

Poivre du moulin
Paprika

Faire chauffer l'huile dans une
friteuse à 180°C (350°F).
Plonger les pelures dans l'huile
chaude et les faire cuire pendant

3 minutes. Égoutter et placer les
pelures dans un plat allant au
four. Saupoudrer de paprika et
parsemer de fromage râpé.
Faire cuire au four de 2 à 3 minutes à 200°C (400°F). Poivrer
et servir.

Pommes de terre aux oignons

(pour 4 personnes)

3	pommes de terre pelées et émincées
1	oignon d'Espagne émincé
500 mL	(2 tasses) de bouillon de poulet chaud
15 mL	(1 c. à soupe) d'huile d'olive
1	gousse d'ail écrasée et hachée
15 mL	(1 c. à soupe) de persil haché
	sel et poivre

Mettre les pommes de terre et les oignons dans une poêle à frire; saler, poivrer et recouvrir de bouillon de poulet chaud. Couvrir et faire cuire de 6 à 7 minutes.

Égoutter et mettre de côté.

À feu vif, verser l'huile dans une poêle à frire. Dès que l'huile est chaude, ajouter les pommes de terre et les oignons; faire cuire de 3 à 4 minutes de chaque côté. Ajouter l'ail et le persil; mélanger et faire cuire pendant 2 minutes. Servir avec rôti de bœuf ou d'agneau.

Pommes de terre des îles au four

(pour 4 personnes)

4	eddoes*
15 mL	(1 c. à soupe) de beurre
60 mL	(4 c. à soupe) de crème sure
15 mL	(1 c. à soupe) de ciboulette hachée quelques gouttes de jus de citron

sel et poivre blanc
paprika

* On peut utiliser des pommes de terre sucrées.

Préchauffer le four à 190°C (375°F).

Laver les eddoes et les faire cuire au four de 50 à 60 minutes.

Les retirer du four et les laisser reposer de 3 à 4 minutes.

Mettre la crème sure dans un bol. Ajouter la ciboulette, le paprika et le jus de citron. Saler, poivrer. Couper les eddoes en quatre et les ouvrir, y placer un petit morceau de beurre.

Servir avec de la crème sure. Elles accompagnent bien un plat cuit au four.

DESSERTS

Pudding aux pommes

(pour 4 personnes)

500 mL	(2 tasses) de compote de pommes chaude
50 mL	(¹/₄ tasse) de cassonade
3 mL	(¹/₂ c. à thé) de cannelle
30 mL	(2 c. à soupe) de fécule de maïs
75 mL	(5 c. à soupe) de jus d'orange
45 mL	(3 c. à soupe) de beurre mou
125 mL	(¹/₂ tasse) de raisins

secs ou de Corinthe

Mélanger la fécule de maïs et le jus d'orange. Mettre les pommes, la cassonade et la cannelle dans une petite casserole. Ajouter le mélange de fécule de maïs, le beurre et les raisins; faire mijoter le tout pendant 2 minutes. Mettre le tout dans des coquilles et décorer avec une meringue. Mettre au four à « broil » pendant 2 minutes.

Meringue:

3	blancs d'œufs

45 mL   (3 c. à soupe) de sucre

Mettre les blancs d'œufs dans un bol en acier inoxydable et les battre avec un batteur électrique.
Dès que les blancs commencent à former des piques, ajouter le sucre et continuer de battre rapidement.
Mettre la meringue dans un sac à pâtisserie contenant une douille unie et décorer les coquilles.

Fraises au chocolat

(pour 4 personnes)

1	boîte de fraises lavées et équeutées*
170 g	(6 onces) de chocolat mi-sucré
125 mL	(½ tasse) de crème à 35%
30 mL	(2 c. à soupe) de Triple Sec
45 mL	(3 c. à soupe) d'amandes effilées
2	gouttes de jus de citron

Verser la crème dans un bol en acier inoxydable et la faire chauffer en plaçant le bol sur une casserole contenant de l'eau bouillante.

Dès que la crème est chaude, ajouter le chocolat et le faire fondre à feu très doux; mélanger le tout.

Dès que le chocolat est fondu, ajouter le Triple Sec, le jus de citron et les amandes.

À l'aide d'une fourchette à fondue, tremper les fraises dans la sauce et servir.

*(Pour la photo, nous n'avons pas équeuté les fraises.)

Coupe cardinale

(pour 4 personnes)

300 mL	(1¼ tasse) d'eau froide
50 mL	(¼ tasse) d'eau froide
15 mL	(1 c. à soupe) de fécule de maïs
30 mL	(2 c. à soupe) de confiture de framboises
30 mL	(2 c. à soupe) de sucre
1	petit panier de fraises lavées, équeutées et tranchées
4	grosses boules de crème glacée aux fraises
30 mL	(2 c. à soupe) d'amandes effilées

Utiliser 4 coupes en verre pour la présentation.
Verser 300 mL (1¼ tasse) d'eau froide dans une casserole.
Mélanger 50 mL (¼ tasse) d'eau à la fécule de maïs. Verser le mélange dans la casserole contenant l'eau froide et remuer le tout. Ajouter le sucre et la confiture de framboises.
Amener le tout à ébullition et faire cuire pendant 2 minutes.
Ajouter les fraises tranchées et remuer le tout délicatement.
Retirer la casserole du feu et laisser refroidir. Placer une grosse boule de crème glacée dans chaque coupe. Ajouter de 30 à 45 mL (2 à 3 c. à soupe) de sauce froide. Parsemer le tout d'amandes effilées et servir.

Coupe au citron

(pour 4 à 6 personnes)

60 mL	(4 c. à soupe) de fécule de maïs
45 mL	(3 c. à soupe) de farine tout usage
250 mL	(1 tasse) de sucre
250 mL	(1 tasse) d'eau chaude
30 mL	(2 c. à soupe) de zeste de citron
3	jaunes d'oeufs
4	blancs d'oeufs
	jus de 2 citrons
	une pincée de sel

Mettre la fécule de maïs, la farine, le sel et les ¾ du sucre dans un bain-marie; mélanger le tout.

Ajouter le jus de citron et l'eau chaude; faire cuire de 10 à 12 minutes tout en remuant de temps en temps.

Ajouter les jaunes d'oeufs et les zestes; mélanger et continuer la cuisson jusqu'à ce que le mélange épaississe.

Retirer du feu et laisser refroidir. (Recouvrir la crème d'un papier ciré pour empêcher la formation d'une croûte.) Mettre les blancs d'oeufs dans un bol en acier inoxydable et les monter en neige ferme avec un batteur électrique.

Dès que les blancs commencent à former des piques, ajouter petit à petit le reste du sucre tout en continuant de battre les blancs. À l'aide d'une spatule, incorporer les blancs à la crème froide. Remplir un sac à pâtisserie muni d'une douille étoilée avec le mélange. Remplir les coupes et décorer le tout de citron.

Servir.

Fromage au rhum

(pour 4 personnes)

454 g	(1 livre) de fromage ricotta
50 mL	(¼ tasse) de sucre fin
50 mL	(¼ tasse) de cassonade
4	jaunes d'oeufs
30 mL	(2 c. à soupe) de rhum
125 mL	(½ tasse) de noix de pacanes
50 mL	(¼ tasse) de brisures de chocolat (facultatif)
15 mL	(1 c. à soupe) de cannelle (facultatif) jus d'¼ citron

Défaire le fromage en crème dans le robot-coupe.

Ajouter le sucre et la cassonade et mélanger le tout pendant 30 secondes.

Ajouter les jaunes d'oeufs, le rhum, la cannelle et le jus de citron; mélanger pendant 1 minute. Verser le tout dans des coupes et les réfrigérer pendant 2 heures.

Décorer le tout de noix pacanes et de brisures de chocolat.

Servir.

Flan à l'orange

(pour 4 personnes)

2	jaunes d'oeufs
3	oeufs entiers
1¼	tasse de jus d'orange chaud
½	tasse de sucre
30 mL	(2 c. à soupe) de zestes de citron

Préchauffer le four à 190°C (375°F).

Mettre les oeufs dans un bol à mélanger.

Ajouter le sucre et les zestes de citron; mélanger le tout avec un fouet de cuisine.

Ajouter le jus d'orange chaud et mélanger le tout.

Verser le mélange dans des ramequins.

Placer les ramequins dans un plat à rôtir contenant 2,5 cm (1 pouce) d'eau chaude.

Faire cuire au four de 40 à 45 minutes.

Faire refroidir.

Servir.

Gourmandise aux fraises

(pour 4 personnes)

1   petit panier de fraises
        équeutées et lavées
50 mL (¼ tasse) de sucre
750 mL (3 tasses) de lait
        froid

4   boules de crème
        glacée aux fraises

Écraser les fraises à l'aide d'une fourchette. Ajouter le sucre et mélanger le tout.
Verser le mélange dans le bol du mélangeur.
Ajouter le lait froid et la crème glacée; mélanger le tout de 1 à 2 minutes.
Servir dans des grands verres.
Décorer le tout avec des fraises ou des rondelles d'orange.

Fraises chantilly

(pour 4 personnes)

2	petits paniers de fraises équeutées et lavées
375 mL	(1½ tasse) de crème à 35%
60 mL	(4 c. à soupe) de sucre
30 mL	(2 c. à soupe) de Cointreau
15 mL	(1 c. à soupe) de zeste de citron

Écraser les fraises à l'aide d'une fourchette.

Ajouter le sucre et le Cointreau mélanger le tout.

Ajouter le zeste de citron.

Fouetter la crème et l'incorporer délicatement aux fraises.

Servir.

Pommes au sirop d'érable

(pour 4 personnes)

4	pommes évidées
10 mL	(2 c. à thé) de beurre
15 mL	(1 c. à soupe) de cassonade
5 mL	(1 c. à thé) de cannelle
30 mL	(2 c. à soupe) de sirop d'érable
	quelques gouttes de jus de citron

Huiler et faire chauffer la grille du barbecue.

A l'aide d'un couteau d'office, faire une incision tout autour de la pomme pour permettre à la peau de s'ouvrir pendant la cuisson.

Placer les pommes sur une feuille de papier d'aluminium.

Remplir chaque cavité de beurre et de cassonade.

Parsemer de cannelle et arroser le tout de sirop d'érable et de jus de citron.*

Replier le papier sur lui-même et placer le tout sur la grille du barbecue. Fermer le couvercle et faire cuire le tout de 35 à 40 minutes.

Servir avec de la crème sure.

* On peut aussi ajouter des raisins secs.

Parfait à la crème de menthe

(pour 4 personnes)

15 mL (1 c. à soupe) de
       beurre
15 mL (1 c. à soupe) de sucre
375 mL (1½ tasse) de jus de
       poires (poires en
       conserve)
45 mL (3 c. à soupe) de
       crème de menthe
15 mL (1 c. à soupe) de
       fécule de maïs

45 mL (3 c. à soupe) d'eau
       froide
       crème glacée
       citron pour la garniture

Faire chauffer le beurre dans
une poêle à frire, à feu moyen.
Ajouter le sucre et mélanger le
tout; faire cuire pendant 1 minute.
Ajouter le jus de poires et mélanger à nouveau.
Ajouter la crème de menthe et

faire cuire pendant 2 minutes.
Mélanger la fécule de maïs et
l'eau froide.
Ajouter le mélange à la sauce et
laisser refroidir le tout.
Placer 30 mL (2 c. à soupe) de
sauce à la menthe dans le fond
d'un verre, ajouter de la crème
glacée et ajouter 30 mL (2 c. à
soupe) de sauce à la menthe.
Décorer de crème fouettée et de
citron.
Servir avec des doigts de dame.

Poires Cupidon

(pour 4 personnes)

4	poires fraîches pelées et évidées
30 mL	(2 c. à soupe) de jus de citron
125 mL	(½ tasse) de miel
50 mL	(¼ tasse) de beurre fondu
625 mL	(2½ tasses) de chapelure graham

Ingrédients du mélange de miel:

30 mL	(2 c. à soupe) de zeste de citron
15 mL	(1 c. à soupe) de miel
30 mL	(2 c. à soupe) de beurre fondu

Préchauffer le four à 170°C (325°F).

Bien arroser les poires de jus de citron et les plonger dans le miel.

Rouler les poires dans la chapelure.

Verser le beurre fondu dans un plat en pyrex et y placer les poires.

Dans un petit bol, mélanger tous les ingrédients du mélange de miel.

Placer une petite quantité du mélange dans le centre de chaque poire.

Faire cuire le tout au four de 20 à 25 minutes ou jusqu'à ce qu'elles soient tendres.

Servir chaud avec une sauce au citron.*

Sauce au citron:

1	citron, jus et zeste
5 mL	(1 c. à thé) de fécule de maïs
2	jaunes d'oeufs battus
30 mL	(2 c. à soupe) de beurre
125 mL	(½ tasse) de sucre
125 mL	(½ tasse) d'eau bouillante
30 mL	(2 c. à soupe) d'eau froide

Mettre le jus de citron et les zestes dans un bain-marie. Ajouter les jaunes d'oeufs, le beurre, le sucre et l'eau bouillante; faire cuire le tout pendant quelques minutes. Ajouter le fécule de maïs diluée dans l'eau froide et continuer la cuisson jusqu'à épaississement de la sauce. Servir.

Technique des poires Cupidon

1. Verser le beurre fondu dans un plat en pyrex. Mettre de côté.

2. Bien arroser les poires de jus de citron et les plonger dans le miel.

3. Rouler les poires dans la chapelure graham.

4. Placer les poires dans le plat contenant le beurre fondu.

5. Placer une petite quantité du mélange de miel dans chaque cavité.

Ananas en surprise

(pour 4 personnes)

2	ananas coupés en 2 dans le sens de la longueur
30 mL	(2 c. à soupe) de gélatine
60 mL	(4 c. à soupe) d'eau froide
125 mL	(½ tasse) de crème à 35%
5 mL	(1 c. à thé) de vanille
1	chopine de fraises lavées et équeutées

Sirop:

125 mL (½ tasse) de sucre

50 mL (¼ tasse) d'eau

À l'aide d'une cuillère, retirer la chair des ananas et la mettre dans un bol.

Verser la gélatine dans un petit bol. Ajouter l'eau froide (60 mL) et mettre de côté.

Sirop: Mettre le sucre dans une casserole. Ajouter l'eau, faire cuire à feu moyen de 5 à 6 minutes.

Dans un mélangeur, mettre en purée la chair des ananas et les ¾ des fraises.

Verser le tout dans la casserole contenant le sirop.

Ajouter la gélatine et la vanille;

brasser et faire cuire de 4 à 5 minutes. Retirer la casserole du feu.

Verser le tout dans un bol et laisser refroidir au réfrigérateur.

Verser la crème dans un bol et la fouetter avec un batteur électrique jusqu'à ce qu'elle forme des piques.

Dès que le mélange d'ananas et de fraises est froid, incorporer la crème fouettée.

Remettre le tout au réfrigérateur et laisser refroidir pendant 15 minutes.

Farcir les ananas et les garnir avec le reste des fraises.

Réfrigérer 3 heures et servir.

Salade de fruits au rhum

(pour 4 personnes)

2	poires évidées, pelées et émincées
227 g	(½ livre) de raisins rouges
½	cantaloup
2	tranches de melon d'eau coupées en cubes
2	kiwis pelés et coupés en rondelles

2	prunes coupées en 4
125 mL	(½ tasse) de framboises lavées
50 mL	(¼ tasse) de graines de tournesol
30 mL	(2 c. à soupe) de rhum
15 mL	(1 c. à soupe) de sucre
125 mL	(½ tasse) de yogourt nature
	quelques gouttes de jus de citron

À l'aide d'une cuillère à pommes de terre parisiennes, retirer la chair du cantaloup en formant des boules.

Placer tous les fruits dans un bol. Ajouter le rhum et le sucre; arroser le tout de jus de citron.

Bien mélanger et faire mariner le tout pendant 15 minutes.

Ajouter le yogourt; mélanger le tout. Parsemer la salade de graines de tournesol et servir.

Salade de cantaloup et de fruits

(pour 4 personnes)

1	chopine de fraises lavées et équeutées
227 g	(½ livre) de raisins verts lavés
227 g	(½ livre) de raisins rouges lavés
1	cantaloup bien mûr
125 mL	(½ tasse) de jus d'orange
30 mL	(2 c. à soupe) de rhum
75 mL	(5 c. à soupe) de yogourt
5 mL	(1 c. à thé) de sucre quelques gouttes de jus de citron

À l'aide d'une cuillère à pommes de terre parisiennes, retirer la chair du cantaloup en formant des boules.

Mettre le tout dans un bol et arroser de jus de citron.

Mettre de côté.

Mettre le rhum et le yogourt dans un bol. Ajouter le sucre et bien incorporer les ingrédients.

Ajouter le jus d'orange et mélanger à nouveau.

Mettre tous les légumes dans le bol contenant le melon.

Ajouter la sauce au yogourt; mélanger le tout.

Servir froid dans des coupes à dessert.

414

Salade de pêches au gingembre

(pour 4 personnes)

5	pêches mûres
30 mL	(2 c. à soupe) de sucre
30 mL	(2 c. à soupe) de gingembre confit haché
5 mL	(1 c. à thé) de fécule de maïs
45 mL	(3 c. à soupe) d'eau froide
1 mL	(¼ c. à thé) de

muscade
jus de 1 orange
jus de ¹/₂ citron

Plonger les pêches, pendant 30 secondes, dans une casserole contenant de l'eau bouillante. Peler les pêches et les couper en deux. Retirer le noyau. Émincer les pêches et les mettre de côté.

Mettre le sucre, le gingembre, le jus d'orange et le jus de citron dans une casserole; amener à ébullition et faire cuire 2 minutes. Ajouter les pêches et la muscade; couvrir et faire cuire 3 minutes.

Mélanger la fécule de maïs et l'eau froide. Verser le mélange dans les pêches; faire cuire 1 minute pour épaissir le liquide. Retirer du feu et faire refroidir le tout.

Servir sur du fromage cottage avec des mûres.

Crème aux pêches

(pour 4 personnes)

50 mL	(¼ tasse) de sucre
30 mL	(2 c. à soupe) d'eau
375 mL	(1½ tasse) de lait chaud
50 mL	(¼ tasse) de sucre
4	jaunes d'oeufs
1	oeuf entier
4	pêches en boîtes, égouttées et coupées en dés

Préchauffer le four à 180°C (350°F).

Mettre 50 mL (¼ tasse) de sucre et l'eau dans une casserole et amener le tout à ébullition; faire cuire à feu moyen jusqu'à ce que le mélange se caramélise.

Retirer la casserole du feu et verser le lait dans le caramel. Ajouter le sucre et replacer la casserole sur l'élément; faire cuire le tout de 6 à 7 minutes pour faire fondre le caramel.

Mettre les oeufs dans un bol et les mélanger avec un fouet de cuisine.

Verser le mélange de lait chaud dans les oeufs tout en remuant avec un fouet de cuisine.

Partager les pêches entre chaque ramequin. Verser le mélange d'oeufs sur les pêches.

Placer les 4 ramequins dans un plat à rôtir contenant 3,7 cm (1½ po.) d'eau chaude et faire cuire le tout de 35 à 45 minutes.

Décorer avec une meringue (facultatif).

Servir chaude ou froide.

Poires au sabayon

(pour 4 personnes)

4	poires entières pelées
500 mL	(2 tasses) d'eau
175 mL	(¾ tasse) de sucre
3	jaunes d'oeufs
1	blanc d'oeuf
45 mL	(3 c. à soupe) de sucre
125 mL	(½ tasse) de vin blanc sec
	jus de ¼ de citron

Verser l'eau dans une casserole.

Ajouter 175 mL (¾ tasse) de sucre; amener à ébullition.
Ajouter le jus de citron et faire cuire pendant 3 minutes.
Ajouter les poires, couvrir et faire cuire de 15 à 16 minutes.
Retourner les poires de temps en temps pendant la cuisson.
Dès que les poires sont cuites, les faire refroidir dans leur sirop.

Sabayon:

Mettre le blanc et les jaunes d'oeufs dans un bol. Ajouter 45 mL (3 c. à soupe) de sucre et le vin blanc.
Placer le bol sur une casserole contenant 750 mL (3 tasses) d'eau frémissante.
(Attention: l'eau ne doit pas être trop chaude pour éviter de cuire les oeufs.)
Battre le mélange d'oeufs jusqu'à épaississement.
Placer les poires sur un plat de service et les napper de sauce.
Servir.

Bagatelle aux fraises

(pour 4 personnes)

500 mL	(2 tasses) de lait
15 mL	(1 c. à soupe) de vanille
125 mL	(½ tasse) de sucre
4	jaunes d'oeufs
5 mL	(1 c. à thé) de fécule de maïs
30 mL	(2 c. à soupe) d'eau
1	gâteau éponge commercial ou 16 doigts de dame
1½	chopine de fraises lavées, équeutées et coupées en 2
15 mL	(1 c. à soupe) de beurre
30 mL	(2 c. à soupe) de sucre
125 mL	(½ tasse) d'amandes effilées
375 mL	(1½ tasse) de crème fouettée

jus de 2 oranges

Préparation de la crème anglaise:

Verser le lait dans une casserole et l'amener au point d'ébullition. Verser le lait chaud dans un bol. Ajouter la vanille et 125 mL (½ tasse) de sucre; bien mélanger le tout.

Mettre les jaunes d'oeufs dans un bol.

Mélanger les jaunes avec un fouet et ajouter le lait chaud; faire cuire au bain-marie jusqu'à ce que le mélange nappe le dos d'une cuillère.

Retirer la casserole du feu. Continuer à battre le mélange pour qu'il refroidisse rapidement.

Couvrir la crème anglaise avec un papier ciré et placer le tout au réfrigérateur.

Préparation des fraises:

Mettre le beurre et le sucre dans une poêle à frire, sur un feu moyen. Dès que le mélange commence à caraméliser, ajouter le jus d'orange; faire cuire de 4 à 5 minutes. Ajouter les fraises et faire cuire 2 minutes. Mélanger la fécule de maïs et l'eau froide. Incorporer le mélange aux fraises, remuer et verser le tout dans un bol. Laisser refroidir. Placer une rondelle de gâteau ou 4 doigts de dame dans une coupe.

Ajouter les fraises, la crème anglaise, les amandes et la crème fouettée. Répéter la même opération pour remplir la coupe en terminant avec la crème fouettée. Remplir les autres coupes. Décorer le tout avec une fraise et servir.

Technique de la bagatelle aux fraises

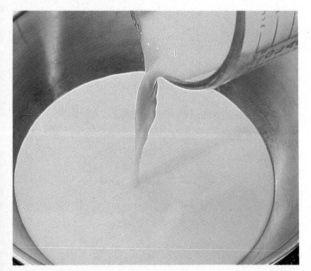

1. Verser le lait chaud dans un bol.

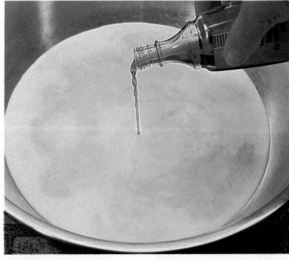

2. Ajouter la vanille.

3. Ajouter le sucre et bien mélanger.

4. Mettre les jaunes d'oeufs dans un bol et ajouter le mélange de lait chaud; incorporer le tout.

5. Faire cuire le mélange au bain-marie.

6. La crème doit napper le dos d'une cuillère.

➤

Technique
de la bagatelle
aux fraises

1. Mettre le beurre et le sucre dans une poêle à frire.

2. Faire caraméliser le tout.

3. Ajouter le jus d'orange.

4. Ajouter les fraises; faire cuire 2 minutes.

5. Ajouter le mélange de fécule de maïs pour épaissir la sauce.

6. Mettre une rondelle de gâteau éponge dans le fond d'une coupe.

7. Ajouter les fraises et la crème anglaise.

8. Ajouter les amandes effilées.

9. Ajouter la crème fouettée.

Pudding au pain

(pour 4 à 6 personnes)

500 mL *(2 tasses) de lait chaud*
3   *œufs entiers*
250 mL *(1 tasse) de raisins secs*
45 mL   *(3 c. à soupe) de liqueur au rhum
         et aux fruits tropicaux*
15 mL   *(1 c. à soupe) de vanille*
625 mL *(2¹/₂ tasses) de pain blanc coupé
         en dés*
250 mL *(1 tasse) de cassonade*
30 mL   *(2 c. à soupe) de beurre
         une pincée de sel*

Préchauffer le four à 180°C (350°F).

Mettre les raisins dans un bol, ajouter le rhum et faire mariner le tout pendant 2 heures.

Mettre les œufs dans un bol, ajouter la vanille, le sel et la cassonade; mélanger le tout avec un batteur électrique.

Ajouter le lait chaud et le pain; mélanger le tout.

Ajouter les raisins et le rhum; ajouter le beurre et bien incorporer le tout.

Verser le mélange dans un moule beurré* et faire cuire au four pendant 45 minutes.

Servir avec de la crème à 35% battue légèrement (facultatif).

*Note: On peut utiliser un moule à tarte.

Pudding aux amandes

(pour 4 personnes)

60 mL	(4 c. à soupe) de fécule de maïs
30 mL	(2 c. à soupe) de farine
60 mL	(4 c. à soupe) d'amandes en poudre
250 mL	(1 tasse) de sucre
250 mL	(1 tasse) d'eau chaude
5 mL	(1 c. à thé) d'essence d'amandes
3	jaunes d'oeufs
4	blancs d'oeufs
30 mL	(2 c. à soupe) d'amandes effilées

une pincée de sel

Mettre la fécule de maïs, la farine, la poudre d'amandes et le sel dans un bain-marie; mélanger le tout.

Ajouter les ¾ du sucre; mélanger à nouveau.

Ajouter l'eau chaude, mélanger et faire cuire de 10 à 12 minutes. Ajouter les jaunes d'oeufs et l'essence d'amandes; prolonger la cuisson de 2 à 3 minutes jusqu'à ce que le mélange épaississe. Retirer du feu, laisser refroidir et couvrir d'un papier ciré.

Mettre les blancs dans un bol et les mélanger avec un batteur électrique jusqu'à ce que les blancs forment des piques.

Ajouter le reste du sucre et mélanger le tout.

Incorporer les blancs battus à la crème froide à l'aide d'une spatule. Placer le mélange dans un sac à pâtisserie muni d'une douille étoilée et garnir des coupes en verre.

Parsemer le tout d'amandes effilées et servir.

Quatre-quarts au chocolat

(pour 4 à 6 personnes)

* méthode simplifiée

115 g	(¹/₄ livre) de beurre mou
125 mL	(¹/₂ tasse) de sucre
180 mL	(³/₄ tasse) de farine
75 mL	(¹/₃ tasse) de noix hachées
3	œufs
2	carrés de chocolat mi-sucré

Utiliser un moule à tarte à fond amovible.

Préchauffer le four à 180°C (350°F).

Mettre les carrés de chocolat dans un bol en acier inoxydable et placer le bol sur une casserole contenant de l'eau chaude; faire fondre le chocolat. Dès que le chocolat est fondu, le mettre de côté pour qu'il refroidisse.

Mettre le beurre et le sucre dans un bol à mélanger et à l'aide d'un batteur électrique, battre le mélange pendant 1 minute.

Ajouter les œufs, un à un, tout en mélangeant entre l'addition de chaque œuf pendant 1 minute. Ajouter le chocolat fondu et l'incorporer à l'aide d'une spatule.

Ajouter la farine et l'incorporer avec la spatule.

Ajouter les noix et plier le tout dans le mélange.

Beurrer un moule à tarte. Verser le mélange dans le moule et le faire cuire au four pendant 40 minutes.

Laisser refroidir le gâteau sur une grille.

Couper en pointes de tarte et servir.

Gâteau Valentin

(pour 6 à 8 personnes)

250 mL (1 tasse) de farine à
 pâtisserie
5 mL (1 c. à thé) de poudre
 à pâte
125 mL (½ tasse) de beurre doux
 à la température de la
 pièce
125 mL (½ tasse) de sucre
 granulé
3 oeufs entiers à la
 température de la pièce
2 blancs d'oeufs montés en
 neige ferme
 une pincée de sel
 zeste d'un citron finement
 râpé

Préchauffer le four à 180°C
(350°F).
Beurrer et fariner un moule de
20 cm (8 po.).
Mettre le sucre et les zestes dans
un bol. Ajouter le beurre et bien
incorporer le tout avec une spatule.
Mettre les oeufs entiers dans un
bol et les battre avec une fouet de
cuisine. Verser la moitié des oeufs
dans le mélange de beurre et bien
incorporer le tout avec un batteur
électrique pendant 2 minutes.
Répéter la même opération pour
le reste des oeufs battus.
Tamiser la farine, la poudre à pâte
et le sel dans un bol. Incorporer le
tout au mélange d'oeufs.
Battre les blancs d'oeufs dans un
bol en acier inoxydable jusqu'à ce
qu'ils forment des piques. Incorporer les blancs au mélange à
l'aide d'une spatule.
Verser la pâte dans le moule et
faire cuire au four de 30 à 35
minutes.
Piquer le gâteau avec un cure-
dent, lorsqu'il en ressort sec, le
gâteau est cuit.
Retourner le moule sur une grille

et laisser refroidir.
Dès que le gâteau est froid, le couper en deux et le fourrer de crème
fouettée. Placer la deuxième partie du gâteau sur la crème.
Verser le glaçage sur le gâteau,
laisser refroidir et servir.

Glaçage:

250 mL (1 tasse) de sucre brun
125 mL (½ tasse) de beurre
50 mL (¼ tasse) de lait
 évaporé
5 mL (1 c. à thé) de vanille

Dans une casserole, amener le
sucre brun, le beurre et le lait à
ébullition tout en mélangeant constamment.
Retirer la casserole du feu et ajouter la vanille. Remuer le tout avec
une cuillère pour faire refroidir le
glaçage.
Verser le glaçage sur le gâteau.

*Technique
du
gâteau
Valentin*

1. *Mettre le sucre et les zestes dans un bol.*

2. *Ajouter le beurre et incorporer le tout avec une
spatule.*

3. *Battre les oeufs avec un fouet de cuisine.*

➤

4. Incorporer les oeufs par petite quantité et mélanger le tout avec une spatule.

5. Bien mélanger le tout avec un batteur électrique pendant 2 minutes.

Technique
du
gâteau
Valentin

6. Incorporer le reste des oeufs.

7. Battre de nouveau avec un batteur électrique.

8. Tamiser la farine, le sel et la poudre à pâte.

9. Plier le mélange de farine dans la pâte.

10. Incorporer les blancs d'oeufs à la pâte.

427

Gâteau épicé

(pour 6 à 8 personnes)

½	tasse de beurre mou
1	tasse de sucre
½	tasse de crème à 35%
1½	tasse de farine pré-tamisée
2 mL	(½ c. à thé) de bicarbonate de soude
2 mL	(½ c. à thé) de clou de girofle
5 mL	(1 c. à thé) de cannelle
30 mL	(2 c. à soupe) de miel
½	tasse de fruits confits
¾	tasse de raisins secs
½	tasse de rhum
5 mL	(1 c. à thé) de poudre à pâte
2	oeufs entiers
2	jaunes d'oeufs
2	blancs d'oeufs

Préchauffer le four à 160°C (325°F).

Mettre les raisins dans un bol. Ajouter le rhum et faire mariner pendant 30 minutes.

Tamiser la farine, le bicarbonate de soude, la poudre à pâte et les épices. Laisser de côté. Mettre le beurre et le sucre dans un bol à mélanger. Rendre le tout en pommade à l'aide d'une spatule.

Ajouter les 2 oeufs entiers et les jaunes d'oeufs; mélanger le tout.

Ajouter la crème et mélanger le tout pour obtenir une pâte lisse.

Ajouter la farine en la tamisant et l'incorporer au mélange à l'aide d'une spatule.

Ajouter les raisins et le rhum.

428

1. Mettre les raisins et le rhum dans un bol; faire mariner pendant 30 minutes.

2. Mesurer la quantité de farine tamisée; mettre le tout dans un bol.

Ajouter les fruits confits et le miel.
Mélanger le tout.
A l'aide d'un batteur électrique, battre les blancs en neige très ferme.
Incorporer les blancs à la pâte à l'aide d'une spatule.
Verser la pâte dans un moule à gâteau beurré et fariné; faire cuire au four de 60 à 75 minutes.
Glacer dès que le gâteau est froid.
Servir.

3. Ajouter les épices. ➤

Technique du gâteau épicé

4. Ajouter la poudre à pâte et le bicarbonate de soude.

5. Mettre le beurre dans un bol.

6. Ajouter le sucre.

7. Mélanger avec une spatule.

8. La pâte doit être lisse.

9. Ajouter les jaunes d'oeufs et les oeufs entiers.

10. *Ajouter la crème à 35%.*

11. *Bien mélanger le tout pour obtenir un mélange lisse.*

12. *Ajouter la farine en la tamisant au-dessus du bol.*

13. *Mélanger avec une spatule.*

14. *Ajouter les fruits confits et les raisins.*

15. *Ajouter le miel.*

➤

431

Technique du gâteau épicé (suite)

16. *Battre les blancs en neige très ferme pour qu'ils forment des piques.*

17. *Incorporer les blancs au mélange à l'aide d'une spatule.*

18. *Il est très important de bien incorporer le mélange. Il ne doit pas rester de trace de blancs d'oeufs.*

19. *Beurrer un moule à gâteau.*

20. *Fariner le moule.*

21. *Verser la pâte dans le moule et faire cuire au four.*

Gâteau aux ananas

(pour 6 personnes)

500 mL	(2 tasses) de sucre
500 mL	(2 tasses) de farine
30 mL	(2 c. à soupe) de bicarbonate de soude
2	oeufs battus
250 mL	(1 tasse) d'ananas hachés avec le jus une pincée de sel

Un moule à gâteau de 20 cm (3 po.), beurré et fariné.
Préchauffer le four à 180°C (350°F).
Tamiser la farine, le sucre, le sel et le bicarbonate de soude dans un bol à mélanger.
Ajouter les oeufs battus et les ananas; mélanger avec une spatule.

Verser le mélange dans un moule à gâteau et faire cuire au four de 50 à 60 minutes.
Pour empêcher le gâteau de trop brunir pendant la cuisson, on le couvre avec un papier d'aluminium.
Laisser refroidir le gâteau, le couper.
Servir.

Gâteau aux marrons

(pour 6 à 8 personnes)

125 mL (½ tasse) d'huile végétale
250 mL (1 tasse) de sucre
1 boîte de purée de marrons de 425 mL (15 onces)
3 oeufs entiers
2 blancs d'oeufs battus fermement
250 mL (1 tasse) de farine tamisée
5 mL (1 c. à thé) de poudre à pâte

5 mL (1 c. à thé) de bicarbonate de soude
crème fouettée pour la garniture

Préchauffer le four à 180°C (350°F).
Verser l'huile dans un bol à mélanger. Ajouter le sucre et mélanger le tout avec un batteur électrique. Ajouter les 3 oeufs entiers et continuer de mélanger pendant 2 minutes. Ajouter la purée de marrons, mélanger et mettre de côté.

Tamiser la farine, la poudre à pâte et le bicarbonate de soude. Ajouter le tout à la purée de marrons et mélanger le tout.
Incorporer les blancs d'oeufs à l'aide d'une spatule.
Beurrer et fariner un moule à gâteau de 20 cm (8 po.).
Verser le mélange dans le moule et faire cuire le tout au four de 40 à 45 minutes.
Dès que le gâteau est froid, le couper en 3 étages horizontalement et le garnir de crème fouettée.

Gâteau aux carottes

(pour 8 à 10 personnes)

1	tasse de sucre
½	tasse d'huile végétale
1	tasse de farine
15 mL	(1 c. à soupe) de poudre à pâte
15 mL	(1 c. à soupe) de cannelle
2 mL	(½ c. à thé) de bicarbonate de soude
3	oeufs entiers
2	tasses de carottes râpées
½	tasse de noix hachées
½	tasse de raisins secs
½	tasse de fruits confits une pincée de sel

Préchauffer le four à 180°C (350°F).
Beurrer et fariner un moule à gâteau à fond amovible.

Mettre le sucre et l'huile dans le bol d'un malaxeur électrique; mélanger pendant 3 minutes.
Tamiser la farine, le sel, la poudre à pâte, le bicarbonate de soude et la cannelle; ajouter le tout au mélange de sucre.
Ajouter les oeufs, un à un, tout en mélangeant à vitesse moyenne, 1 à 2 minutes après chaque addition.
Mettre les noix, les fruits et les raisins dans un bol.
Ajouter 15 mL (1 c. à soupe) de farine; mélanger le tout rapidement.
Ajouter le tout au mélange de farine.
Incorporer les carottes à l'aide d'une spatule.
Verser la pâte dans un moule à gâteau beurré et fariné. Faire cuire au four de 60 à 70 minutes.

Retirer le gâteau du four. Renverser le gâteau sur une grille et le démouler.
Laisser refroidir.

Glaçage à l'orange:

1	tasse de sucre
30 mL	(2 c. à soupe) de fécule de maïs
½	tasse de jus d'orange zeste d'un citron ou d'une orange une pincée de sel

Mélanger la fécule de maïs et le sucre dans une casserole.
Ajouter le jus d'orange, les zestes et le sel; bien mélanger et faire cuire à feu moyen de 3 à 4 minutes pour épaissir le mélange.
Laisser refroidir le gâteau.

Gâteau aux carottes

(pour 6 à 8 personnes)

375 mL	(1 ¹/₂ tasse) de farine tout usage
5 mL	(1 c. à thé) de bicarbonate de soude
5 mL	(1 c. à thé) de poudre à pâte
5 mL	(1 c. à thé) de cannelle
3 mL	(¹/₂ c. à thé) de clou de girofle

125 mL	(¹/₂ tasse) de miel
125 mL	(¹/₂ tasse) d'huile
3	œufs
250 mL	(1 tasse) de carottes râpées
50 mL	(¹/₄ tasse) de raisins secs
50 mL	(¹/₄ tasse) de noix hachées

Tamiser la farine, le bicarbonate et la poudre à pâte dans un bol. Ajouter la cannelle, le clou de girofle et bien mélanger.

Ajouter le miel, l'huile et les œufs; mélanger le tout avec un batteur électrique de 1 à 2 minutes. Ajouter le reste des ingrédients et incorporer avec une spatule.

Verser le mélange dans un moule à gâteau de 22 x 33 cm (9″ x 13″) beurré et fariné. Faire cuire au four de 35 à 40 minutes. Retourner le gâteau sur une grille et laisser refroidir.

Gâteau Balthazar

(pour 6 à 8 personnes)

1	*tasse de farine pré-tamisée*
1¼	*tasse d'amandes en poudre*
¾	tasse de sucre
1	tasse de fruits confits
3	jaunes d'oeufs
4	blancs d'oeufs montés en neige ferme
¾	*tasse de rhum*
30 mL	*(2 c. à soupe) d'amandes effilées*
15 mL	*(1 c. à soupe) de beurre*

Préchauffer le four à 180°C (350°F).
Tamiser la farine dans un bol. Mettre de côté.
Mettre les amandes en poudre et le sucre dans un bol; mélanger le tout.
Ajouter les jaunes d'oeufs et mélanger le tout avec un batteur électrique.
A l'aide d'une spatule, former une pâte.
Ajouter le rhum et mélanger.
Ajouter les fruits confits et mélanger à nouveau.

Ajouter la farine au mélange en la tamisant. Ajouter la moitié des blancs d'oeufs et incorporer le tout avec une spatule.*
* IMPORTANT: Il faut incorporer la farine et la moitié des blancs d'oeufs au même moment, sinon la pâte deviendra trop épaisse.
Répéter la même opération avec le reste des blancs d'oeufs.
Beurrer le moule et le parsemer d'amandes effilées. Verser la pâte dans le moule; faire cuire au four de 35 à 45 minutes.

Gâteau de Noël

(pour 6 à 8 personnes)

180 mL (³/₄ *tasse*) *de raisins de smyrne*
      (raisins secs)
125 mL (¹/₂ *tasse*) *de fruits confits*
180 mL (³/₄ *tasse*) *de noix hachées*
8 mL   (1¹/₂ *c. à thé*) *de bicarbonate de soude*
125 mL (¹/₂ *tasse*) *d'eau bouillante*
180 mL (³/₄ *tasse*) *de beurre mou*
250 mL (1 *tasse*) *de sucre*
2   *œufs entiers*
45 mL (3 *c. à soupe*) *de brandy*
430 mL (1³/₄ *tasse*) *de farine tout usage*
23 mL (1¹/₂ *c. à soupe*) *de cannelle*
1 mL   (¹/₄ *c. à thé*) *de sel*

Un moule à pain (ou de forme rectangulaire) de 25 x 11 x 7 cm (10″ x 4¹/₂″ x 3″).
Préchauffer le four à 160°C (325°F).
Mettre les raisins, les fruits confits et les noix dans un bol.

Ajouter l'eau bouillante et le bicarbonate de soude; faire mariner pendant 15 minutes. Mettre le beurre dans un bol à mélanger*.
Ajouter le sucre et mélanger le tout de 2 à 3 minutes.
Ajouter le brandy et mélanger le tout.
Ajouter les œufs et continuer de battre avec un batteur électrique de 3 à 4 minutes. Tamiser la farine, le sel et la cannelle dans un bol. Ajouter le mélange aux œufs et bien mélanger le tout.
Incorporer les raisins, les fruits confits, les noix et le liquide de la marinade.
Verser le tout dans un moule bien beurré (très important) et faire cuire au four de 60 à 70 minutes.
Démouler le gâteau et le laisser refroidir sur une grille.
Glacer le gâteau froid avec le glaçage de votre choix. Décorer le tout de pacanes!!

*On peut utiliser un robot-coupe. (Tel qu'illustré dans la technique.)

1. *Mettre les raisins dans un bol.*

2. *Ajouter les fruits confits.*

Technique
du gâteau
de Noël

3. *Ajouter les noix.*

4. *Ajouter l'eau bouillante.*

5. *Ajouter le bicarbonate de soude. Faire mariner le tout pendant 15 minutes.*

➤

Technique
du gâteau
de Noël

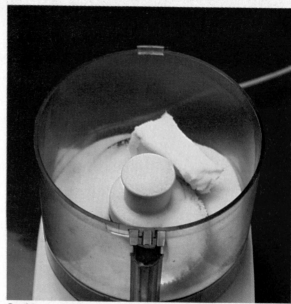

6. Mettre le beurre et le sucre dans le bol du robot-coupe.

7. Ajouter le brandy et les oeufs; mélanger le tout.

8. Ajouter la farine tamisée.

9. Ajouter le sel.

10. Mélanger le tout pour former une pâte. Ajouter les raisins, les fruits confits, les noix et le liquide de la marinade.

Gâteau aux prunes

(pour 6 à 8 personnes)

250 mL (1 tasse) de sucre
125 mL (½ tasse) d'huile
2   oeufs battus
250 mL (1 tasse) de farine
5 mL   (1 c. à thé) de cannelle
2 mL   (½ c. à thé) de muscade
2 mL   (½ c. à thé) de
        bicarbonate de soude
50 mL   (¼ tasse) de lait de
        beurre
375 mL (1½ tasse) de
        pruneaux

dénoyautés
125 mL (½ tasse) de brisures de
        chocolat
5 mL   (1 c. à thé) d'essence
        d'orange

Préchauffer le four à 160°C (325°F).
A l'aide d'un batteur électrique mélanger le sucre et l'huile dans un bol.
Ajouter les oeufs et mélanger le tout.
Tamiser tous les ingrédients secs et les ajouter aux oeufs. Incorporer le tout à l'aide d'une spatule.
Ajouter le lait de beurre, les pruneaux et les brisures de chocolat; mélanger et ajouter l'essence d'orange.
Verser le tout dans un moule à manqué (à brioche) beurré et fariné de 22 cm x 3,8 cm de profondeur (9 po x 1½ po).
Faire cuire au four pendant 1 heure 15 minutes.
Servir.

Gâteau au chocolat

(pour 6 à 8 personnes)

½	tasse de saindoux
1¼	tasse de sucre
1¼	tasse de farine pré-tamisée
15 mL	(1 c. à soupe) de poudre à pâte
1 mL	(¼ c. à thé) de sel
½	tasse de crème à 35%
3	carrés de chocolat mi-sucré
3	jaunes d'oeufs
3	blancs d'oeufs
15 mL	(1 c. à soupe) de

vanille

Préchauffer le four à 180°C (350°F).

Mettre le saindoux et le sucre dans un bol; mélanger le tout avec une spatule pour former une pâte. Ajouter les jaunes d'oeufs et mélanger le tout.

Ajouter la crème et la vanille; mélanger à nouveau.

Tamiser la farine, la poudre à pâte et le sel dans un bol.

Ajouter le mélange de farine à la pâte tout en le tamisant.

Incorporer le tout à la pâte à l'aide d'une spatule.

Faire fondre le chocolat à feu doux. Incorporer le chocolat à la pâte avec la spatule (le chocolat ne doit pas être trop chaud).

Battre les blancs d'oeufs en neige très ferme et les incorporer au mélange avec une spatule. Suivre la technique.

Faire cuire le tout au four dans un moule carré beurré et fariné pendant 35 à 40 minutes.

Décorer avec un glaçage.

442

Technique du gâteau au chocolat

1. Mettre le saindoux dans un bol.

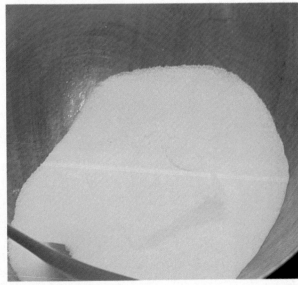

2. Ajouter le sucre.

3. Mélanger le tout avec une spatule.

4. Ajouter les jaunes d'oeufs.

5. Bien mélanger avec une spatule pour obtenir une pâte.

6. Ajouter la crème et mélanger le tout. ►

Technique du gâteau au chocolat

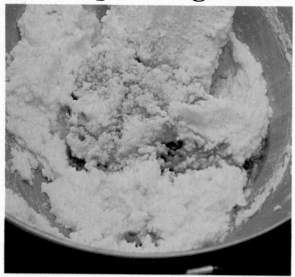

7. Ajouter la vanille.

8. Tamiser la farine, la poudre à pâte et le sel au-dessus du mélange.

9. Incorporer la farine au mélange de saindoux et de sucre.

10. Faire fondre le chocolat à feu doux.

11. Ajouter le chocolat fondu au mélange. Note: le chocolat ne doit pas être trop chaud.

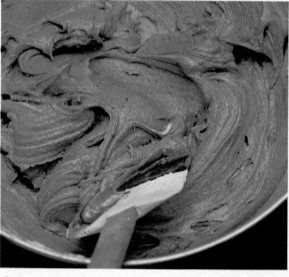

12. Incorporer le chocolat fondu avec une spatule.

13. *Battre les blancs d'oeufs en neige très ferme.*

14. *Incorporer les blancs à la pâte avec une spatule.*

15. *Plier les blancs dans la pâte.*

16. *Beurrer un moule carré.*

17. *Fariner le moule.*

18. *Verser le mélange dans le moule et faire cuire au four 35 à 40 minutes.*

Glaçage au chocolat

120 mL	(8 c. à soupe) de beurre mou
120 mL	(8 c. à soupe) de cacao
340,2 g	(¾ livre) de sucre à glacer
15 mL	(1 c. à soupe) de vanille
15 mL	(1 c. à soupe) de Cointreau
¼	tasse de crème à 35%

Défaire le beurre en pommade dans un bol.

Ajouter le cacao et le sucre à glacer; mélanger le tout pour obtenir une pâte.

Ajouter la vanille et le Cointreau; mélanger le tout avec une cuillère en bois.

Ajouter la crème et mélanger avec un fouet de cuisine pour obtenir un glaçage onctueux.

Note: On peut conserver ce glaçage au réfrigérateur.

Technique du glaçage au chocolat

1. *Mettre le beurre dans un bol.*

2. *Ajouter le sucre à glacer.*

3. *Ajouter le cacao.*

4. *Ajouter la vanille.*

5. *Ajouter le Cointreau.*

6. *Bien mélanger avec une cuillère en bois.* ➤

Technique du glaçage au chocolat (suite)

7. Ajouter la crème et mélanger le tout.

8. Pour obtenir un mélange onctueux, utiliser un fouet de cuisine.

9. Utiliser un sac à pâtisserie et une douille étoilée.

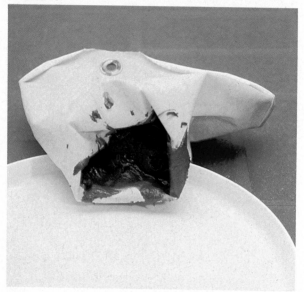

10. Remplir le sac jusqu'à la moitié pour faciliter la tâche.

11. Décorer le gâteau selon votre imagination.

Tartelettes au fromage

(pour 4 personnes)

Faire cuire des fonds de tarte-lettes de chapelure graham. Sui-vre le mode d'emploi sur le pa-quet.

226,8 g	*(8 onces) de fromage à la crème*
½	*tasse de sucre*
15 mL	*(1 c. à soupe) de farine*
15 mL	*(1 c. à soupe) de vanille*
15 mL	*(1 c. à soupe) de zeste d'orange*
15 mL	*(1 c. à soupe) de zeste de citron*
45 mL	*(3 c. à soupe) de crème sure*
3	*jaunes d'oeufs*
30 mL	*(2 c. à soupe) de lait*

Préchauffer le four à 200°C (400°F.)

Mettre le fromage dans le bol d'un malaxeur et le mélanger pour obtenir une crème.

Ajouter la farine, le sucre et les zestes.

Bien mélanger le tout.

Ajouter la crème sure, la vanille et le lait; mélanger à nouveau.

Ajouter les jaunes d'oeufs, un à un, tout en mélangeant entre chaque addition.

Remplir les tartelettes avec le mélange de fromage. Faire cuire au four de 4 à 5 minutes à 200°C (400°F.). Réduire le four à 100°C (200°F.) et continuer la cuisson de 10 à 12 minutes.

Glaçage:

1½	*tasse de fraises*

congelées

¼	*tasse de sucre*
22 mL	*(1½ c. à soupe) de fécule de maïs*
45 mL	*(3 c. à soupe) d'eau froide*

quelques gouttes de jus de citron

Mettre les fraises, le sucre et le citron dans une casserole; couvrir et faire cuire à feu doux pendant 3 minutes.

Retirer le couvercle et continuer la cuisson pendant 3 minutes à feu moyen.

Mélanger la fécule de maïs et l'eau froide.

Ajouter le mélange aux fraises; faire cuire pendant 1 minute pour épaissir le liquide.

Laisser refroidir et garnir les tar-telettes.

Tartelettes aux pommes

(pour 4 personnes)

Première partie: la pâte sucrée

500 mL	(2 tasses) de farine
45 mL	(3 c. à soupe) de sucre
175 mL	(¾ tasse) de corps gras: moitié beurre, moitié saindoux
1	oeuf battu
2	oeufs entiers
45 à 60 mL	(3 à 4 c. à soupe) d'eau froide
	une pincée de sel

Mettre la farine dans un bol. Faire un trou au milieu de la farine et ajouter le sel, le sucre et les corps gras coupés en morceaux. Ajouter les oeufs et mélanger le tout avec un couteau à pâtisserie.

Dès que le gras est bien incorporé, ajouter l'eau froide et former une boule. Envelopper la pâte dans un linge et la faire reposer 2 heures au réfrigérateur. Rouler la pâte et foncer des moules à tartelettes. Badigeonner le tout d'oeuf battu et faire cuire au four à 190°C (375°F), pendant 15 minutes.

Deuxième partie: les pommes

4	pommes à cuire avec la peau, coupées en 4
15 mL	(1 c. à soupe) de cannelle
50 mL	(¼ tasse) de cassonade
	une pincée de clou de girofle

Mettre les pommes dans une casserole.

Ajouter tous les autres ingrédients; couvrir et faire cuire pendant 30 minutes.

Verser dans un mélangeur et mettre en purée.

Farcir chaque tartelette avec la purée de pommes.

Décorer avec une meringue et servir (facultatif).

Gâteau en toute vitesse

(pour 4 personnes)

gâteau à décorer*
boîte de fraises
bananes
5 mL (3 c. à soupe)
d'amandes effilées
5 mL (1 c. à soupe) de beurre
5 mL (1 c. à soupe) de sucre
mL (1 c. à thé) de fécule de
maïs
0 mL (2 c. à soupe) d'eau

froide
jus d'une orange
jus de ½ citron

Trancher les bananes en grosses rondelles.
Laver et équeuter les fraises.
À feu moyen, mettre le beurre dans une poêle à frire.
Ajouter le sucre et faire cuire le tout pendant 2 minutes pour faire caraméliser le mélange.

Ajouter le jus d'orange et de citron; mélanger le tout.
Ajouter les fruits et faire cuire pendant 2 minutes.
Mélanger la fécule de maïs et l'eau froide.
Ajouter le mélange aux fruits et faire cuire pendant 1 minute. Verser le tout sur le gâteau, parsemer d'amandes effilées et servir.
*On trouve ce fond de gâteau cuit dans les supermarchés.

Tarte aux bleuets

(pour 6 personnes)

1	fond de tarte de chapelure graham
500 mL	(2 tasses) de bleuets lavés
30 mL	(2 c.à soupe) de jus de citron
15 mL	(1 c. à soupe) de zestes de citron
50 mL	(¼ tasse) de sucre
5 mL	(1 c. à thé) de fécule de maïs
45 mL	(3 c. à soupe) d'eau froide

Faire cuire le fond de tarte en suivant le mode d'emploi sur le paquet. Mettre les bleuets dans une casserole. Ajouter le jus de citron, les zestes et le sucre; couvrir et faire cuire de 3 à 4 minutes. Mélanger la fécule de maïs et l'eau froide; verser le mélange dans les bleuets et faire cuire le tout pendant 2 minutes.

Laisser refroidir et garnir le fond de tarte cuit.

Servir avec de la crème fouettée (facultatif).

Surprise aux poires et aux kiwis

(pour 4 personnes)

Voici une recette facile de pâte feuilletée mais vous pouvez utiliser au choix une pâte commerciale.

227 g   *(½ livre) de beurre doux*
227 g   *(½ livre) de farine*
2 mL   *(½ c. à thé) de sel*
175 mL   *(¾ tasse) d'eau très froide*

Placer le beurre sur un linge propre et le saupoudrer de farine; le ramollir avec un rouleau à pâte en le saupoudrant de farine. Mettre de côté.
Tamiser la farine et le sel dans un bol à mélanger. Faire un trou au milieu de la farine, y ajouter l'eau et former une pâte.
Note: La pâte doit être assez souple. Le beurre et la pâte doivent avoir la même souplesse.
Fariner le comptoir de cuisine.
Placer la pâte sur le comptoir et la marquer d'une incision en forme de croix, de 8 cm (3 po.) de longueur et 2,5 cm (1 po.) de largeur. Étendre la pâte avec un rouleau. Placer le beurre au centre de la pâte et la ramener pour recouvrir complètement le beurre. Former un rectangle.
Étendre la pâte dans le sens de la longueur pour obtenir un rectangle de 46 à 50 cm (18 à 20 po.) environ.
Plier 1/3 de la pâte sur elle-même et replier l'autre tiers.
Envelopper la pâte dans un papier ciré et la faire reposer au réfrigérateur pendant 20 minutes. Répéter la même opération 4 fois et laisser reposer chaque fois.

Préparation des fruits:

3   *poires pelées, évidées et émincées*
3   *kiwis pelés et coupés en rondelles*
125 mL *(½ tasse) de cassonade*
15 mL *(1 c. à soupe) de cannelle*
2 mL   *(½ c. à thé) de muscade*
1   *oeuf battu*

Préchauffer le four à 200°C (400°F).
Beurrer et fariner un moule à tarte de 3,7 cm (1½ po.) de profondeur et 20 à 22 cm (8 à 9 po.) de largeur. Foncer le moule de pâte feuilletée et le mettre de côté. Mettre les poires et les kiwis dans un bol. Ajouter la cassonade, la cannelle et la muscade; mélanger le tout.
Verser le mélange dans le moule à tarte et le recouvrir de pâte. Souder le pourtour de la pâte avec de l'eau froide. Faire une petite incision au milieu de la pâte pour permettre à la vapeur de s'échapper pendant la cuisson. Badigeonner la tarte avec l'oeuf battu et la faire cuire au four pendant 20 minutes.
Réduire le four à 190°C (375°F) et continuer la cuisson pour un autre 20 minutes. Retirer la tarte du four, la laisser refroidir et la démouler dans un plat allant au four. Saupoudrer le tout de sucre et faire cuire au four à grill (broil) de 3 à 4 minutes.
Servir avec de la crème fraîche.

Pudding aux pêches

(pour 4 à 6 personnes)

30 mL	(2 c. à soupe) de cassonade
30 mL	(2 c. à soupe) de beurre
250 mL	(1 tasse) de farine tout usage
175 mL	(¾ tasse) de sucre
30 mL	(2 c. à soupe) de poudre à pâte
1	oeuf
15 mL	(1 c. à soupe) de vanille
175 mL	(¾ tasse) de lait
1	boîte de 796 mL (28 onces) de pêches tranchées
125 mL	(½ tasse) de jus des pêches

Préchauffer le four à 180°C (350°F).
Beurrer et saupoudrer de cassonade un plat de 30x20x5 cm (12x8x2 po.). Mettre de côté.

Tamiser la farine, le sucre et la poudre à pâte dans un bol.
Ajouter le lait et mélanger le tout.
Ajouter l'oeuf et mélanger à nouveau. Ajouter la vanille et le jus de pêches; bien mélanger le tout. Verser le mélange dans le plat. Ajouter les pêches et faire cuire au four de 50 à 60 minutes. Servir froid avec du sirop d'érable.

Technique du pudding
aux pêches

1. Beurrer et saupoudrer de cassonade un plat allant au four.

2. Tamiser la farine, le sucre et la poudre à pâte.

3. Ajouter le lait, les oeufs et le jus des pêches. Verser le tout dans un plat beurré et saupoudrer de cassonade.

4. Ajouter les pêches.

Pudding aux pommes

(pour 4 à 6 personnes)

250 mL	(1 tasse) de sucre
1	oeuf entier
125 mL	(½ tasse) de saindoux
500 mL	(2 tasses) de pommes à cuire coupées en dés
250 mL	(1 tasse) de farine tout usage
15 mL	(1 c. à soupe) de poudre à pâte
1 mL	(¼ c. à thé) de muscade
2 mL	(½ c. à thé) de cannelle
5 mL	(1 c. à thé) de bicarbonate de soude
30 mL	(2 c. à soupe) de beurre
	une pincée de clou de girofle
	sel

Préchauffer le four à 180°C (350°F).

Mettre l'oeuf, le sucre et le saindoux dans un bol; mélanger le tout avec un batteur électrique pendant 3 minutes.

Ajouter les pommes et bien les incorporer.

Tamiser la farine, le sel, la poudre à pâte, le bicarbonate de soude et les épices.

Incorporer le mélange tamisé aux pommes; bien mélanger.

Mettre le beurre dans un plat allant au four et le faire fondre au four pendant 3 minutes.

Ajouter le mélange de pommes. Faire cuire le tout au four de 40 à 50 minutes.

Servir avec une crème fouettée et décorer avec des kiwis.

Technique du pudding aux pommes

1. Mettre le sucre, le saindoux et l'oeuf dans un bol à mélanger.

2. Mélanger le tout avec un batteur électrique.

3. Ajouter les pommes.

4. Tamiser la farine, le sel, la poudre à pâte, le bicarbonate de soude et les épices.

5. *Incorporer le mélange aux pommes.*

6. *Verser le mélange dans un plat contenant du beurre fondu*

Crêpes aux ananas

(pour 4 personnes)

3	gros œufs
30 mL	(2 c. à soupe) de farine tout usage
15 mL	(1 c. à soupe) d'eau froide
30 mL	(2 c. à soupe) de lait
15 mL	(1 c. à soupe) de zestes de citron
	beurre

Mettre les œufs dans un bol et les battre avec un fouet de cuisine. Ajouter tous les autres ingrédients et mélanger le tout avec le fouet de cuisine.

Beurrer une poêle à crêpe à l'aide d'un papier ciré.

Faire chauffer la poêle et dès qu'elle est chaude, verser assez de pâte pour couvrir le fond de la poêle; faire cuire les crêpes pendant 1 minute de chaque côté, à feu vif.

La sauce:

1	boîte d'ananas, coupés en dés
125 mL	(½ tasse) de jus d'ananas
15 mL	(1 c. à soupe) de beurre
15 mL	(1 c. à soupe) de sucre
60 mL	(4 c. à soupe) de
	Cointreau chaud
	jus de 2 oranges
	jus de ½ citron

Sur un feu moyen, faire chauffer le beurre dans une poêle à frire. Ajouter le sucre et mélanger le tout avec une fourchette.

Dès que le mélange devient couleur or, ajouter le jus d'ananas, le jus d'orange et le jus de citron; mélanger le tout et faire cuire pendant 1 minute.

Ajouter les ananas et farcir les crêpes. Verser la sauce sur les crêpes et arroser le tout de Cointreau chaud.

Flamber et servir.

Pain aux pommes

(pour 4 à 6 personnes)

1	paquet de pâte feuilletée commerciale
5	pommes à cuire évidées, pelées et émincées
30 mL	(2 c. à soupe) de beurre doux
125 mL	(½ tasse) de raisins dorés secs
175 mL	(¾ tasse) de cassonade
15 mL	(1 c. à soupe) de cannelle
2 mL	(½ c. à thé) de muscade

	quelques gouttes de jus de citron
1	oeuf battu

Préchauffer le four à 190°C (375°F).

Faire chauffer le beurre dans une sauteuse. Ajouter les pommes, les raisins, la cassonade, la cannelle et la muscade; bien mélanger et faire cuire à feu moyen de 15 à 18 minutes. Remuer les pommes de temps en temps pendant la cuisson.

Vers la fin de la cuisson, s'assurer que les pommes sont brunes. Arroser le tout de jus de citron. Rouler la pâte feuilletée et la placer sur une plaque à biscuits. Placer les pommes cuites au centre de la pâte et fermer le tout en soudant les extrémités avec un oeuf battu. Faire 2 grandes incisions sur le dessus de la pâte pour permettre à la vapeur de s'échapper pendant la cuisson. Badigeonner le tout d'oeuf battu. Faire cuire le pain aux pommes au four, de 30 à 35 minutes. Laisser refroidir. Couper et servir.

Petits gâteaux maison

(pour 4 personnes)

Première partie:
les gâteaux

125 mL	(½ tasse) de beurre mou
50 mL	(¼ tasse) de sucre à glacer
300 mL	(1¼ tasse) de farine tout usage
1	œuf

Préchauffer le four à 190°C (375°F).

Mettre le beurre dans un bol et le défaire en crème pendant 2 minutes avec une cuillère en bois.

Ajouter le sucre à glacer et l'incorporer avec un batteur électrique à petite vitesse.

Tamiser la farine et l'incorporer au mélange à l'aide d'une spatule. Ajouter l'œuf et incorporer le tout.

Mettre le mélange dans un sac à pâtisserie contenant une douille étoilée.

En pressant de la main droite le sac à pâtisserie, former des étoiles sur une plaque à biscuits beurrée et farinée.

Note: Former un nombre égal d'étoiles.

Faire cuire le tout au four pendant 10 minutes.

Retirer du four et placer les étoiles sur une grille et les laisser refroidir.

Deuxième partie:
la crème

50 mL	(¼ tasse) de beurre mou et doux
250 mL	(1 tasse) de sucre à glacer
28 g	(1 once) de chocolat non sucré
5 mL	(1 c. à thé) de Tia Maria

Mettre le chocolat dans un bol en acier inoxydable et le faire fondre à feu doux.

Mettre le beurre dans un bol et le défaire en pommade à l'aide d'une spatule. Ajouter le sucre à glacer et incorporer le tout.

Ajouter le chocolat tiède et l'incorporer.

Ajouter le Tia Maria et mélanger le tout.

À l'aide de la crème « coller » les étoiles en groupe de deux.

Biscuits Doris

(donne 3 à 4 douzaines)

450 g (1 livre) de beurre doux, mou
750 mL (3 tasses) de farine tout usage
250 mL (1 tasse) de sucre à glacer
250 mL (1 tasse) de fécule de maïs
1 mL (¼ c. à thé) de sel
      cerises glacées pour la garniture

Préchauffer le four à 160°C (325°F).
Mettre le beurre dans le bol du robot-coupe.
Ajouter le sucre à glacer et mélanger le tout pendant 1½ minute.
Note: Si vous utilisez un batteur électrique, mélanger de 8 à 10 minutes. Le secret de cette recette est de bien mélanger les ingrédients.
Ajouter la fécule de maïs et mélanger. Ajouter la farine, le sel et bien mélanger le tout pour former une pâte. Beurrer et fariner une plaque à biscuits.
Former des petites boules avec le mélange et à l'aide d'une fourchette, aplatir les boules.
Placer une cerise rouge ou verte sur chaque biscuit et faire cuire au four de 10 à 15 minutes.
Laisser refroidir et servir.

➤

461

Technique
des biscuits Doris

1. Mettre le beurre mou dans le bol du robot-coupe.

2. Ajouter le sucre à glacer.

3. Mélanger le tout.

4. Ajouter la fécule de maïs et la farine.

5. *Ajouter le sel.*

6. *Bien mélanger le tout.*

7. *Beurrer et fariner une plaque à biscuits.*

8. *Former des boules avec le mélange et les placer sur la plaque à biscuits.*

9. *Aplatir chaque boule à l'aide d'une fourchette trempée dans l'eau froide.*

10. *Placer une cerise rouge ou verte sur chaque biscuit.*

Biscuits Victoria

(donne 3 douzaines)

250 mL (1 tasse) de beurre
500 mL (2 tasses) de cassonade
2 œufs battus
15 mL (1 c. à soupe) de vanille
500 mL (2 tasses) de farine tout usage
8 mL (¹/₂ c. à soupe) de bicarbonate de soude
15 mL (1 c. à soupe) de poudre à pâte
1 mL (¹/₄ c. à thé) de sel
250 mL (1 tasse) de noix de coco râpée
500 mL (2 tasses) de gruau Quaker

Préchauffer le four à 180°C (350°F).

Mettre le beurre dans un bol du robot-coupe, ajouter la cassonade et mélanger le tout. Ajouter les œufs battus et la vanille; mélanger le tout.
Tamiser la farine, le bicarbonate de soude, la poudre à pâte et le sel dans un bol.
Ajouter la farine tamisée au mélange de beurre et mélanger à nouveau. Ajouter la noix de coco râpée et le gruau; mélanger le tout.
Beurrer et fariner des plaques à biscuits.
Rouler la pâte à biscuits en petites boules de la grosseur d'une noix et à l'aide d'une fourchette trempée dans l'eau froide, aplatir les biscuits pour obtenir des galettes très minces.
Faire cuire au four de 10 à 12 minutes.

Technique
des biscuits Victoria

1. *Mettre le beurre dans le robot-coupe.*

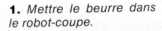

2. *Ajouter la cassonade.*

3. *Mélanger le tout.*

4. *Ajouter les oeufs battus.*

5. *Tamiser la farine, la poudre à pâte, le bicarbonate de soude et le sel dans un bol.*

6. *Ajouter le mélange de farine au mélange de beurre.*

7. *Ajouter la noix de coco râpée et le gruau.*

465

Biscuits à l'orange

(donne 4 douzaines)

250 mL (1 tasse) de beurre mou
375 mL (1¹/₂ tasse) de sucre
1   œuf entier
15 mL   (1 c. à soupe) d'eau
15 mL   (1 c. à soupe) d'essence d'orange
625 mL (2¹/₂ tasses) de farine tout usage
3 mL   (¹/₂ c. à thé) de sel
15 mL   (1 c. à soupe) de poudre à pâte
125 mL (¹/₂ tasse) de noix de coco râpée
              amandes

Préchauffer le four à 180°C (350°F).
Mettre le beurre mou dans un bol du robot-coupe, ajouter le sucre et mélanger le tout pour obtenir une pommade.

Note: On peut utiliser un bol à mélanger et un batteur électrique. Ajouter l'œuf, l'eau et l'essence d'orange; mélanger le tout, ou mélanger 3 minutes avec un batteur électrique.
Tamiser la farine, le sel et la poudre à pâte dans un bol. Verser le mélange de farine dans le mélange de beurre et incorporer le tout pour obtenir une pâte.
Ajouter la noix de coco et mélanger le tout.
Beurrer et fariner une plaque à biscuits.
Former des petites boules de la grosseur d'une noix avec le mélange et placer les boules sur la plaque à biscuits.
À l'aide du pouce, presser sur les biscuits et placer une amande dans chaque cavité.
Faire cuire au four de 12 à 15 minutes.
Refroidir les biscuits sur une grille, si possible.

Technique des biscuits à l'orange

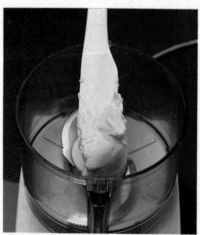

1. Mettre le beurre dans le bol du robot-coupe.

2. Ajouter le sucre.

3. Mélanger le tout pendant 2 minutes pour obtenir une pâte.

4. Ajouter l'oeuf.

5. Mélanger le tout.

6. *Ajouter la farine.*

7. *Ajouter l'essence d'orange.*

8. *Ajouter la noix de coco râpée.*

DIVERS

Cuisses de grenouilles à l'ail

(pour 4 personnes)

16	cuisses de grenouilles
125 mL	(½ tasse) de farine
45 mL	(3 c. à soupe) de beurre
30 mL	(2 c. à soupe) d'huile
30 mL	(2 c. à soupe) d'ail écrasé et haché
30 mL	(2 c. à soupe) de persil haché
	quelques gouttes de jus de citron

sel et poivre

Préchauffer le four à 180°C (350°F).

Laver et assécher les cuisses. Les disposer croisées.

Saler, poivrer et enfariner les cuisses de grenouilles.

Faire chauffer 15 mL (1 c. à soupe) de beurre et 30 mL (2 c. à soupe) d'huile dans une sauteuse, à feu moyen. Ajouter les cuisses et les faire cuire de 3 à 4 minutes de chaque côté.

Saler, poivrer et mettre au four de 15 à 18 minutes ou selon leur grosseur.

Note: Elles sont cuites lorsque la chair se détache des os.

3 minutes avant la fin de la cuisson, ajouter l'ail, le persil et 30 mL (2 c. à soupe) de beurre.

Arroser le tout de jus de citron. Poivrer et servir.

Technique des cuisses de grenouilles à l'ail

1. Laver et assécher les cuisses de grenouilles. Les disposer croisées.

2. Saler, poivrer et enfariner les cuisses.

3. Placer les cuisses dans une poêle à frire contenant un mélange de beurre et d'huile.

4. Faire saisir les cuisses des deux côtés.

5. *Continuer la cuisson dans le four. La chair doit se détacher des os.*

6. *3 minutes avant la fin de la cuisson, ajouter l'ail, le beurre, le persil. Servir avec du jus de citron.*

Sandwich de légumes chauds

(pour 4 personnes)

2	carottes coupées en julienne
1	piment vert coupé en julienne
2	branches de céleri coupées en julienne
20	champignons lavés et émincés
250 mL	(1 tasse) de fromage cheddar râpé
	jus de ¼ de citron
4	tranches de pain grillées et beurrées
	sel et poivre

Préchauffer le four à 200°C (400°F).

Verser 250 mL (1 tasse) d'eau dans une casserole, saler et ajouter le jus de citron; amener à ébullition.

Ajouter la julienne de carottes, de piment et de céleri; ajouter les champignons, couvrir et faire cuire 3 minutes.

Placer la casserole sous l'eau froide pour arrêter la cuisson et conserver la couleur des légumes. Égoutter les légumes et les remettre dans la casserole.

Ajouter la moitié du fromage râpé, mélanger et faire cuire 2 minutes.

Placer le mélange sur les tranches de pain et les parsemer de fromage râpé; assaisonner au goût et faire cuire au four, sous le grill, pendant 3 minutes.

Servir.

Saucisses aigres-douces

pour 4 personnes)

saucisses knackwurste
(ou de votre choix),
coupées en trois
oignon coupé en dés
5 mL   (1 c. à soupe) d'huile
5 mL   (1 c. à soupe) de sirop
d'érable
0 mL   (2 c. à soupe) de
ketchup
75 mL   (1¹/₂ tasse) de bouillon
de poulet chaud
3 mL   (1¹/₂ c. à soupe) de
fécule de maïs
5 mL   (3 c. à soupe) d'eau
froide

La marinade:

30 mL   (2 c. à soupe) de sauce
soya
30 mL   (2 c. à soupe) de
vinaigre
125 mL (¹/₂ tasse) de vin blanc
sec
5 mL   (1 c. à thé) de gingembre

Mettre tous les ingrédients de la
marinade dans un bol et les mélanger. Ajouter les saucisses et
laisser mariner le tout pendant
30 minutes.

Faire chauffer l'huile dans une
poêle, à feu moyen. Ajouter les
saucisses (sans la marinade) et
faire cuire pendant 3 minutes.
Ajouter les oignons et le sirop
d'érable; continuer la cuisson de
2 à 3 minutes.
Ajouter le ketchup et la marinade;
faire cuire pendant 2 minutes.
Ajouter le bouillon de poulet et
mélanger le tout.
Mélanger la fécule de maïs et
l'eau froide, ajouter le mélange
aux saucisses; assaisonner au
goût et faire mijoter le tout de 8
à 10 minutes. Servir.

Saucisses au chou

(pour 4 personnes)

15 mL	(1 c. à soupe) d'huile végétale
1	oignon rouge émincé
30 mL	(2 c. à soupe) de vinaigre de vin
½	chou émincé
15 mL	(1 c. à soupe) de persil haché
4	pommes de terre lavées et émincées
4	saucisses polonaises fumées (ou au choix)
30 mL	(2 c. à soupe) de sirop de maïs
	sel et poivre

Préchauffer le four à 180°C (350°F).

Faire chauffer l'huile à feu moyen dans une sauteuse. Ajouter les oignons et le persil; couvrir et faire cuire de 4 à 5 minutes à feu doux.

Retirer le couvercle. Verser le vinaigre sur les oignons et le laisser évaporer de 2 à 3 minutes. Ajouter le chou et les pommes de terre.

Saler, poivrer; couvrir et faire cuire à feu moyen pendant 30 minutes, tout en remuant de temps en temps.

Ajouter les saucisses et le sirop de maïs; couvrir et faire cuire au four de 15 à 18 minutes.

Servir avec de la moutarde forte et une bière froide.

Technique des saucisses au chou

1. Mettre les oignons et le persil dans une sauteuse contenant de l'huile chaude.

2. Déglacer avec le vinaigre.

3. Ajouter le chou.

4. Ajouter les pommes de terre.

5. *Ajouter les saucisses.*

6. *Ajouter le sirop de maïs, couvrir et faire cuire au four.*

Saucisses knackwurst et légumes

(pour 4 personnes)

4	saucisses knackwurst
8	tranches d'aubergine
8	tranches de courgette
1	gros oignon en rondelles
30 mL	(2 c. à soupe) d'huile
15 mL	(1 c. à soupe) de sirop d'érable
	quelques gouttes de sauce soya
	quelques gouttes de jus de citron
	sel et poivre

Huiler et faire chauffer la grille du barbecue.

Mélanger l'huile, le sirop d'érable et la sauce soya dans un bol. Poivrer le tout fortement.

A l'aide d'un petit couteau d'office, faire des petites incisions sur les saucisses et badigeonner le tout de marinade.

Faire cuire le tout sur le barbecue de 10 à 12 minutes.

5 minutes avant la fin de la cuisson, badigeonner les légumes et les faire cuire au barbecue. Saler, poivrer et badigeonner les légumes pendant la cuisson. Servir.

Chili Con Carne

(pour 4 personnes)

1	branche de céleri hachée
2	tasses de haricots rouges (trempés dans l'eau froide pendant 12 heures et égouttés)
30 mL	(2 c. à soupe) de gras de bacon
1	oignon haché
1	piment vert coupé en dés
340,2 g	(¾ livre) de boeuf haché
113,4 g	(¼ livre) de porc maigre haché
1	gousse d'ail écrasée et hachée
22 mL	(1½ c. à soupe) de chili en poudre
1 mL	(¼ c. à thé) de piments rouges broyés
5 mL	(1 c. à thé) d'origan
1	boîte de tomates (796 mL-28 onces) égouttées et hachées
85 mL	(3 onces) de vin rouge
2	tasses de bouillon de boeuf chaud
1	petit piment vert fort, haché
	sel et poivre

Faire chauffer le gras dans une sauteuse, à feu moyen.

Ajouter les oignons, le piment vert et le céleri; mélanger et faire cuire pendant 2 minutes.

Ajouter l'ail et la viande; bien mélanger. Corriger l'assaisonnement et continuer la cuisson de 4 à 5 minutes.

Ajouter tous les autres ingrédients, couvrir et faire cuire à feu doux pendant 2 heures.

Dès que les haricots sont cuits, retirer le couvercle et prolonger la cuisson pendant 15 minutes pour épaissir la sauce.

Servir avec du pain grillé.

Lait de poule à l'orange

(pour 4 personnes)

500 mL (2 tasses) de lait entier
     froid
625 mL (2½ tasses) de jus
     d'orange

3   oeufs entiers
       muscade

Battre tous les ingrédients dans
un mélangeur pendant 30
secondes à vitesse maximum.

Verser le tout dans des grands
verres et servir.
Si le mélangeur est trop petit,
faire la recette en deux étapes.
La première fois avec 2 oeufs et
la deuxième fois avec 1 oeuf.

Pina Colada

(pour 4 personnes)

283 g	(10 onces) de rhum à la noix de coco	
368 g	(13 onces) de jus de pamplemousse	
85 g	(3 onces) de lait de coco	

(en conserve)

28 g *(1 once) de crème à 35%*
une pincée de muscade

garniture: tranches d'ananas

glace concassée

Mettre tous les ingrédients dans un blender.
Pulvériser le tout pendant 1 minute.
Décorer et servir.

Déjeuner aux bananes

(pour 4 personnes)

750 mL (3 tasses) de lait froid
375 mL (1½ tasse) de yogourt
nature
2 oeufs entiers
125 mL (½ tasse) de jus
d'ananas

5 mL (1 c. à thé) de
vanille
2 bananes pelées et
coupées en morceaux
5 mL (1 c. à thé) de
sucre

Mettre les bananes en purée à

l'aide d'un mélangeur. Ajouter les oeufs et mélanger encore pendant 30 secondes. Ajouter tous les autres ingrédients; mélanger le tout à une grande vitesse pendant 1 minute.
Servir dans des verres froids garnis de fraises.

NOTES

Disponible également en librairie
Meilleures recettes
volume 1

Achevé d'imprimer sur les presses
de Laflamme et Charrier,
lithographes

IMPRIMÉ AU CANADA